Le Premier et le Dernier Miracle

Antoine
FILISSIADIS

LE PREMIER ET LE DERNIER
MIRACLE

MICHEL BRÛLÉ
4703, rue Saint-Denis
Montréal, Québec H2J 2L5
Téléphone : 514 680-8905
Télécopieur : 514 680-8906
www.michelbrule.com

Maquette de la couverture et mise en pages : Jimmy Gagné
Révision : Patricia Amédée
Correction : Hélène Brien

Distribution : Prologue
1650, boul. Lionel-Bertrand
Boisbriand, Québec J7H 1N7
Téléphone : 450 434-0306 / 1 800 363-2864
Télécopieur : 450 434-2627 / 1 800 361-8088

Distribution en Europe : Librairie du Québec
30, rue Gay-Lussac
75005 Paris, France
Télécopieur : 01 43 54 39 15
Adresse électronique : liquebec@noos.fr

Édition originale: *Le premier et le dernier miracle*,
Guy Tredaniel Éditeur, Paris, 2006

Dépôt légal — 2007
Bibliothèque et Archives nationales du Québec
Bibliothèque nationale du Canada
ISBN 13 : 978-2-89485-391-7

C'est le monde qui est divin car il renferme en lui
toutes les oppositions : la lumière et la nuit, le bien et le mal,
la vie et la mort…

Léon Schwartzenberg.

Prologue

Un vent froid de fin janvier balaye la ville de New York. Pas de circulation ce mercredi. Depuis trois heures ce matin, la neige tombe régulièrement et a déjà paralysé la cité tout entière. Un rayon de soleil transfigure les immeubles recouverts d'un blanc étincelant. Dans les rues aux voitures immobilisées, les enfants jouissent de la neige, dégagés du devoir de se rendre à l'école. Quelques parents se risquent à les surveiller de loin dans leurs jeux hivernaux, bien emmitouflés dans leurs manteaux matelassés.

Marc Cohen sort de l'hôpital universitaire de Brooklyn. Il ne voit ni la neige ni la rue. Pas plus que le ciel. Il n'entend pas les cris des enfants qui se bousculent dans la poudreuse immaculée. Dimanche dernier, il a fêté ses quarante ans avec ses amis. Sa « dernière » fête d'anniversaire. Depuis quelque temps, il se sentait fatigué. Très fatigué. Il est l'un de ces réalisateurs de cinéma « prometteurs ». Il a produit quelques succès d'estime. Il caressait un grand rêve : réaliser une œuvre personnelle dont il vient d'achever le scénario. Pour ce film assez particulier, il a eu du mal à réunir les fonds nécessaires, mais il est fier d'être arrivé à vaincre la prudence de ses banquiers. Et surtout à convaincre les acteurs qu'il désirait. Puis le verdict est tombé comme un couperet. Sa grande fatigue a un nom. Et ce nom ne lui concède plus que quelque temps à vivre. Au bout… le vide absolu, le néant.

Il marche en fixant ses pieds qui crissent dans la neige. Il ne pense plus, étant dans l'incapacité de penser. Penser à quoi ? Qu'y a-t-il à penser ? Il va s'éteindre en pleine force de la jeunesse. Seul. Il est gay. Il l'a bien mérité. C'est sa « punition » pour avoir voulu vivre autrement. Sans avoir eu le temps de comprendre le début du sens de son existence. Toujours à courir après une gloire… tant espérée.

« Mettre de l'ordre », oui, il a retenu, c'est ce qu'ils lui ont dit, à l'hôpital, avant de l'abandonner à son triste sort.

Il n'a plus nulle part où aller, malgré ses nombreux rendez-vous d'affaires, la promotion de son dernier film, ses quelques amis qui l'attendent. Il erre dans les allées du Commodore Barry Park, puis dans les rues et avenues glaciales. Après deux ou trois heures, il arrête un taxi, se fait conduire à Manhattan, et se retrouve dans le hall majestueux du Grand Central Terminal, la plus grande gare du monde. Ici, tous les destins se croisent. Anonymes. Il achète un billet pour Philadelphie, où résident ses parents et sa sœur à qui il n'a plus donné signe de vie depuis plus de quinze ans. Philadelphie. Où il est né. Où il a grandi. Et rêvé un destin hors du commun. C'est là qu'il veut mourir.

C'est en retirant son billet, au guichet, qu'il trouve un manuscrit, « Le Premier et le Dernier Miracle ». Sans nom d'auteur, sans aucune référence.

Il s'affale sur un siège du hall de la gare et se plonge dans la lecture sans être le moins du monde dérangé par le brouhaha des voyageurs pressés et les annonces régulières des haut-parleurs annonçant les trains. Les minutes succèdent aux minutes. Il rate son premier train. Puis le deuxième. Au fur et à mesure qu'il tourne les pages du manuscrit, ses épaules se relèvent légèrement ; ses joues se mettent à rosir comme celles d'un adolescent ; ses yeux étincellent. Le manuscrit ouvre un passage secret à travers les mystères insondables de l'Univers. Une certitude lui traverse l'esprit : cette confession n'est pas tombée entre ses mains par hasard. On l'a déposée là précisément à son intention.

Quand il termine sa lecture, il ouvre les yeux pour la première fois. Il observe les comportements des êtres humains qui s'activent autour de lui. Qui sont-ils ? Où vont-ils ? Parmi les personnes en transit, il repère, à sa droite, une jeune femme qui semble gémir en silence, comme abattue sur son siège en plastique beige. Ce n'est pas un simple chagrin d'amour qui l'accable. Marc Cohen a décelé l'angoisse insupportable qui l'étreint dans sa façon de fixer l'invisible. En douceur, il va s'installer à ses côtés.

Vingt minutes plus tard, quand il se lève pour gagner le quai, il oublie le manuscrit sur le siège qu'il vient de quitter.

Tard dans la soirée, un taxi le dépose devant la maison de son enfance. Il sonne. Des lumières s'allument. Un vieillard vient ouvrir. « Qui êtes-vous ? » lui demande-t-il. Marc Cohen reste un moment sans voix. L'enfant qui a quitté sa famille pour réaliser ses chimères se met à trembler, puis il éclate en sanglots en se jetant dans les bras de son père : « Papa, j'ai besoin de toi ! »

À Kyoto, le docteur Okasaki Katsuhiko est catégorique. L'ablation pratiquée n'a rien résolu. Pas plus que la chimio. La maladie a d'abord grignoté puis dévoré l'avenir de Maori Yoshimitsu. Elle a trente-six ans. Elle est professeure de danse dans la plus célèbre école « moderniste » du Japon. Elle vit dans un bel appartement fleuri avec un mari vieillissant — un homme d'affaires toujours absent — et ses trois enfants. Elle sait ce qui va lui arriver. Elle ne vieillira pas. Elle a tout expérimenté, en vain. Sa détermination n'a pas suffi à enrayer la maladie. Elle est prête à accepter son sort.

C'est en revenant de sa dernière consultation, sur la banquette arrière du taxi, qu'elle trouve le document photocopié « Le Premier et le Dernier Miracle ». Elle en parcourt les premières lignes, intriguée. Il parle de maladies prétendument incurables et de rémissions spontanées. Elle en a la certitude, cet ouvrage est précisément pour elle. Arrivée à destination, elle descend de la voiture et l'emporte chez elle, sans en parler au chauffeur.

Elle s'isole pendant quelques heures dans sa chambre. Quand elle en sort, elle entrevoit un autre avenir possible. La première chose qu'elle fait, sous le regard apitoyé de son époux, c'est décrocher le téléphone. Elle appelle Keizo, une amie d'enfance, la seule, à l'autre bout du monde. Sa seule amie avec qui elle a fini par se disputer un jour, elle ne sait plus exactement pourquoi. Quand Keizo décroche, elle lui déclare : « C'est moi, Keizo… Maori, ton amie. Je voudrais te revoir. Je suis gravement malade. J'ai besoin de toi pour m'accompagner pendant le reste de ma vie. Je reviens vers toi. »

Quelques jours plus tard, après avoir renoué avec son amie d'enfance, elle décide d'abandonner à son tour « Le Premier et le Dernier Miracle » sur un siège de restaurant.

Mehroo Bhupendra, chirurgien respecté, chef de service d'un hôpital de New Delhi, découvre, abasourdi, sa maladie par la voix même d'un de ses collègues. Une toux qui n'en finissait pas. Le plus « dur » des patrons s'effondre alors subitement comme un pantin désarticulé. Il a tant de fois lancé ce genre de diagnostic à ses patients d'un air détaché qu'il ne peut admettre que, cette fois, c'est à lui que ça arrive. « On doit tous mourir un jour ou l'autre », se répétait-il mécaniquement pour se débarrasser au plus vite de l'intrus qui avait tendance à s'incruster pendant des heures dans son cabinet, paralysé par la peur. La « maladie » et la « mort » prennent soudain une réalité effroyable pour lui. Il les côtoyait pourtant tous les jours. Il entrait en salle d'op', coupait, ouvrait, recousait, et repartait. Aujourd'hui, c'est son tour. Il vient d'apprendre sa condamnation. Il a besoin d'être soutenu, ses jambes ne le portent plus. Sa tête tourne. Ses collègues le regardent, ébahis, sans comprendre, lui, l'homme de toutes les situations. Il s'assied, vacillant, sur une chaise que ses collaborateurs lui tendent. Mehroo Bhupendra aurait besoin d'espoir, mais il sait mieux que quiconque ce que signifient concrètement ses résultats d'examens. Les poumons, les bronches et la gorge sont atteints. C'est la fin à plus ou moins brève échéance, avec des souffrances difficiles à juguler. Il demande qu'on le laisse seul. Ça va aller. Je sais encore me battre. Des mots, sans consistance. On le laisse seul.

Comme en rampant, il erre dans les couloirs de son dispensaire. Une terreur indicible l'empêche de rentrer chez lui. Sa femme ne l'aime plus, et il le sait parfaitement. Ses enfants le haïssent. Personne ne l'attend. Pas même l'une de ses anciennes maîtresses. Il pousse la porte d'une chambre. Il observe le jeune homme étendu sur le lit, attendant la mort. Pour la première fois, il le regarde. Un gamin de vingt-deux ans. Tumeur des os. Il ne lui a jamais adressé la parole. Mehroo Bhupendra n'a jamais parlé à personne. Pour la première fois, il s'assied vraiment sur le bord d'un lit. Le jeune homme dort. Il lui prend la main un instant avant de sortir de la chambre.

Il gagne son bureau. Posé sur son fauteuil en cuir, il découvre le manuscrit. « Le Premier et le Dernier Miracle ». Il le lit d'une traite, perplexe, incrédule et pourtant prêt à admettre… l'incroyable. Dans sa carrière, il a certes connu quelques malades qui s'en sont sortis contre toute attente et contre toute logique. Mais il n'y a jamais prêté une attention particulière… « le Hasard »… mais c'est arrivé plusieurs fois. Et, en effet, comme dans ce témoignage, on a conclu à une erreur de diagnostic. Une lueur d'espoir brille au fond de ses yeux. Ses jambes ont récupéré un peu de force. Il passe de chambre en chambre et commence timidement à dialoguer avec ses patients éveillés. Il leur parle de l'amour, de la vie et de la mort.

Au matin, il rentre chez lui. Il a laissé une lettre de démission en évidence sur son bureau, à l'hôpital. Il a décidé d'entreprendre un long voyage pour trouver celui qui reconnecte l'homme avec son humanité. Avec sa vraie nature.

Il a aussi délibérément déposé dans la chambre de son jeune patient condamné par la maladie « Le Premier et le Dernier Miracle ».

D'abord souterrainement, puis au grand jour, un sortilège s'est manifesté. Sans avoir trouvé d'éditeur, le manuscrit « Le Premier et le Dernier Miracle » a surgi ici et là, dans des endroits publics. À Paris d'abord. Sur un banc. Dans un parc, au pied d'un arbre. Sur une marche d'un escalier de l'entrée d'une université. Dans une salle de rédaction d'un journal. À la caisse d'un grand magasin. Sur la table de chevet d'un lit d'hôpital…

Ce texte s'est propagé comme par magie, par miracle. Souvent, une personne le photocopiait en deux exemplaires. Et les deux lecteurs suivants faisaient de même. Le mouvement est d'abord parti de Paris. Puis il a traversé les frontières. Le livre a enfin conquis le reste du monde. « Le Premier et le Dernier Miracle » a été traduit dans les langues les plus diverses de façon anonyme, désintéressée. En quelques mois, il s'est métamorphosé en une œuvre collective. Aucun pouvoir d'aucune sorte n'a pu enrayer la force de l'amour guérisseur. Puisque la santé est une connexion au Tout, comme telle, elle appartient à tous.

Lecteur, si vous tenez ce manuscrit entre vos mains, soyez persuadé que ce n'est pas le fait du hasard. Il vous a appelé.

Quand vous l'aurez lu, transmettez-le.

Vous savez — ou vous ignorez — à qui…

Sébastien LeBlanc, 29 novembre 2005

ordinateur portable de Sébastien LeBlanc
fichier texte, 32 Ko
30 septembre 2000 — 02:43

J'ai peur de sombrer dans le sommeil. J'ai vérifié deux fois la fermeture de la porte de ma chambre, puis j'ai coincé une chaise contre la poignée pour la bloquer.

Qu'est-ce qui m'a pris de me fourrer dans cette galère ? D'accepter cette mission qui sentait à plein nez le traquenard ? Car il n'y a pas de doute, je me suis engagé moi-même en toute connaissance de cause dans une véritable mission suicide.

Autrefois — il y a peu —, je vivais pourtant en paix. Je suis journaliste indépendant. Mon premier métier est médecin, médecin généraliste pour être précis.

Mais, en un mot, disons que je n'avais pas la vocation — hormis les stages obligatoires dans divers hôpitaux pendant mes études, je n'ai pas véritablement pratiqué, je n'ai en conséquence jamais guéri personnellement le moindre patient.

Enfant, je caressais le rêve de devenir écrivain. Journaliste, c'était la porte à côté. Dès l'obtention de mon titre de « docteur », j'ai donc logiquement proposé mes services à la presse médicale, elle-même en quête de médecins qui seraient aussi de bons rédacteurs. Cette « spécialisation » — la communication — ne m'a pas trop mal réussi. J'y ai creusé mon trou. Je crois pouvoir avancer que j'y jouis d'une certaine réputation. Je représente un élément fiable pour la science, assimilant, digérant et restituant l'information sans la déformer.

Il me semble que la poignée de la porte a bougé. Je bloque instinctivement ma respiration. Mes yeux fixent la serrure dans la pénombre, mes oreilles sont à l'affût du moindre bruit...

Je n'entends battre que mon cœur.

Je suis à Chypre, à Paphos, à l'hôtel Athéna. Un cinq étoiles hors catégorie. Un petit coin de paradis intégré au bord de la mer avec plage privée et deux piscines, une intérieure et une en plein air. La classe, la vraie. En un sens, c'est aussi ce qui me préserve de l'angoisse. Je me dis et je me répète que rien ne peut m'arriver dans un tel cadre. C'est trop chic, trop feutré. On y croise des gens passablement riches. Pas mal d'hommes d'affaires paradant très souvent au bras de jolies femmes assez jeunes. Des femmes rémunérées pour leurs « services », dans la plupart des cas.

Une seule nuit dans cette suite équivaut au montant que l'on me verse pour l'un de mes articles publiés dans un magazine spécialisé. Un article que j'aurais mis plus de quinze jours à écrire.

Ce que je fais là ? Je suis en mission. Pour le compte de l'Organisation mondiale pour les intérêts pharmaceutiques, l'OMIP. L'Organisation règle tous mes frais rubis sur l'ongle depuis maintenant plusieurs semaines.

L'OMIP représente les vingt premières sociétés chimico-pharmaceutiques de la planète ; est-il utile de rappeler, par exemple, que son budget annuel dépasse de loin celui de nombre de pays dits « en voie de développement » ?

Et l'OMIP veut ma peau.

Je suis en mission commandée, censé débusquer un « guérisseur » — de ceux qui donnent de faux espoirs aux malades atteints d'une maladie incurable en phase terminale.

Les « spécialistes » de la guérison pullulent sur cette bonne vieille terre. Quand quelqu'un est condamné par un verdict de mort prochaine, il est prêt à tenter n'importe quoi. L'angoisse de la fin rend n'importe qui crédule. J'en ai connu qui, faisant appel à la magie noire, enterraient des bêtes égorgées à la pleine lune... Croyez-moi, je suis bien en dessous de la vérité...

L'homme qui se sent mourir est à la merci de toute parole, à l'affût de la moindre piste, même de la plus farfelue. Les sorciers, les mages, les imposteurs, les gourous le savent bien, eux qui fondent leur fonds de commerce sur cet espoir qu'ils entretiennent et font payer très cher. Des vautours profitant du désarroi humain, tournoyant autour de la bête affaiblie.

Un certain nombre de ces vautours, parce qu'ils arborent une blouse blanche, sont pourtant respectés.

Les plus puissants de ce monde fabriquent des onguents, des sirops, des crèmes, des lotions, des ampoules, des cachets, des gélules, des pilules, des remèdes thérapeutiques, c'est-à-dire censés soigner les maladies... alors que le plus souvent — ayant prononcé à vingt-cinq ans le sacro-saint serment d'Hippocrate, je me tire moi-même une balle dans le pied —, elles ne font que masquer le mal, ou, pire, parfois que l'aggraver.

Les laboratoires pharmaceutiques représentent le vrai pouvoir. Plus puissants même que les hommes politiques à qui ils dictent la pluie et le beau temps.

Les grands pontes de la mafia médicale ne commettent pas seulement leur crime en proposant des potions magiques, ils tuent par leur arrogance, par leurs certitudes, voire par leur incompétence ou par leur négligence.

La majorité, soit dit en passant, possède des voitures de luxe et des villas somptueuses.

Les professeurs ou les chefs de service des grands hôpitaux, eux, étudient articles, comptes rendus de colloques, de conférences et de congrès, commandent examen sur examen, analysent des radios, des bilans, des scanners, comparent des courbes, des chiffres, des statistiques, puis ils prescrivent des rayons, de la chimio, une opération intrusive ou mutilante… la voie classique !

La plupart du temps, ils n'ont pas même regardé vraiment leur patient plus de cinq secondes droit dans les yeux. Pourquoi ?…

Peut-être pour oublier un instant toute la misère du monde…

Horace Christophoros, l'homme que je devais censément approcher puis confondre grâce à mon enquête, c'est encore autre chose. Rarement quelqu'un n'est allé si loin…

1.

Un soir du début de septembre 2000, une suave voix féminine m'annonça qu'elle me mettait en communication avec le président de l'Organisation mondiale pour les intérêts pharmaceutiques, monsieur Raymond Van de Wedde en personne.

Celui-ci souhaitait me proposer une mission particulière de la plus haute importance, il ne pouvait guère m'en dire plus, et il me demanda aussitôt si j'accepterais de me rendre jusqu'à son bureau personnel, à Genève.

— J'ai pensé à vous, car vous êtes le seul journaliste capable de mener à bien — selon moi — une telle enquête.

Il m'envoyait sur-le-champ un billet d'avion en première classe par porteur spécial et me réservait une suite au Royal & International. Tous les frais seraient pris en charge par l'Organisation, je n'aurais qu'à signer les notes. Il m'attendait trois jours plus tard. Le rendez-vous était fixé pour le vendredi à dix-neuf heures. Évidemment, cela allait sans dire, je ne devais pour l'instant en parler à personne.

Après avoir pris note des instructions sur mon carnet à côté du téléphone, j'entendis mon cœur tambouriner. Je savais d'instinct que mon heure était venue. Nous sentons tous ce moment parfait et délicieux où notre vie semble soudain basculer dans la pure et simple magie. De rédacteur plus ou moins obscur, j'allais enfin accéder à ma vraie dimension. Ma chance allait tourner.

Essentiellement grâce aux pages « économie », « finances », « Bourse », « portrait » ou « business » des magazines et des journaux, je connaissais comme tout le monde Raymond Van de Wedde, l'ancien capitaine d'industrie.

Je l'avais aperçu aussi quelquefois à la tribune de divers congrès et manifestations dans différents endroits du monde ; il était inapprochable pour des « chroniqueurs » tels que moi, censés glaner des informations confidentielles, à la chasse aux exclusivités — toutes informations savamment distillées par l'OMIP car mettant en jeu des sommes colossales. Il ne se déplaçait donc jamais qu'accompagné par un cortège hétéroclite de conseillers, de bras droits et de colosses pour sa garde rapprochée, grassement rétribués pour le tenir à distance de toutes sortes de mauvais plaisants dans mon genre.

Obtenir une audience avec le président signifiait automatiquement un passeport pour publication immédiate.

J'ai quarante-cinq ans, je suis marié et le père d'une fillette de huit ans, Emily. Ma femme Leslie est décoratrice d'intérieur. Elle travaille en collaboration avec des cabinets d'architecture par l'intermédiaire desquels elle rencontre ses clients. Des gens fortunés, bien entendu. Ça marche assez bien pour elle. Son métier étant aussi sa passion, ça lui laisse le temps de s'organiser pour s'occuper de notre fille et de notre propre intérieur. Quand Leslie travaille trop tard le soir, je rechigne un peu. J'aime qu'elle soit à la maison quand j'y suis, même si, moi, je suis très souvent absent, et il m'arrive de partir plusieurs jours de suite, parfois même une semaine ou davantage, à l'étranger.

Leslie, elle, ne râle que rarement. Elle s'accommode de tout. Au fond, les femmes sont bien plus indépendantes de nature. Mais, mis à part ce genre de considérations domestiques, nous formons un couple sans histoires. Je pourrais même affirmer « heureux », si je n'étais pas superstitieux.

Leslie a sept ans de moins que moi. Elle est très mince, même un peu trop à mon goût. Mais elle est fière de sa ligne digne d'un magazine de mode. Ses yeux bleus m'ont séduit dès la première seconde. Ma mère étant Grecque de naissance, il est dans l'ordre des choses que je sois fasciné par des yeux clairs qui me rappellent les étendues turquoise de la Méditerranée. Les yeux bleus alliés avec une chevelure noire, c'est, dit-on, le mariage du ciel et de la nuit, la huitième merveille du monde. C'est la mienne.

Ma fille Emily me ressemble, yeux bruns et cheveux noirs. Une vraie Athénienne.

Raymond Van de Wedde sait fort bien organiser les choses.

À ma descente d'avion, un chauffeur m'attendait qui me conduisit jusqu'à « la limousine personnelle du président ». Tout en longueur. Intérieur cuir, bar et télévision incorporés. Je m'imaginai un instant dans la peau d'un rappeur afro-américain en vogue, ou quelque chose comme ça, une star de cinéma.

Ma suite à l'hôtel Royal & International était suspendue au-dessus du lac de Genève. La vue était superbe, mais ce qui relevait encore la qualité du panorama, c'était de connaître le prix d'un tel privilège.

Le lendemain de mon arrivée, bien installé au fond d'un fauteuil en osier sur la terrasse de ma chambre, un verre de whisky à la main, tandis que je contemplais à la tombée du jour les éclats et scintillements du soleil déclinant sur l'eau, les sillages d'écume laissés par les bateaux qui glissaient sur le lac, les lumières des immeubles de bureaux qui s'allumaient tout autour... je commençai à me poser quelques questions, et notamment sur la façon dont j'étais traité. Même si l'on espère un bon papier de la part d'un journaliste, jamais on ne lui réserve une mise en scène de cette taille. Pas à ma connaissance. Un déjeuner d'exception dans un excellent restaurant, un week-end tous frais payés pour la famille à Londres ou à Séville — au choix —, quelques cadeaux personnels... Mais là, on sortait de l'ordinaire. Peut-être ces gens m'avaient-ils confondu avec quelqu'un d'autre.

Un bref instant — mais tout bref alors ! —, un éclair de lucidité me traversa l'esprit : je ne correspondais manifestement pas à ce que l'on voulait me faire croire que j'étais.

Mais l'ego aime à être trompé : il chassa vite cette idée désagréable, et je me convainquis vite que c'était bien pour mes qualités incontestables de journaliste scientifique que l'on me convoquait.

Il me fallut du temps pour me réveiller et me rendre à l'évidence. Beaucoup de temps. Les laboratoires pharmaceutiques mettent au point de puissants hypnotiques.

Capables de vous endormir pour toujours.

2.

— Cher monsieur LeBlanc, vous êtes le meilleur rédacteur scientifique que nous connaissions en Europe. Vous parvenez à réussir ce tour de force d'informer et d'instruire le public de l'avancée médicale par des mots simples, sans en dénaturer le fond. Je dois vous avouer qu'il m'arrive parfois de lire vos articles pour comprendre les comptes rendus de mes chercheurs.

Raymond Van de Wedde se mit à rire.

— J'ai la simple chance de n'être pas un spécialiste, lui répondis-je. Dans ma profession, c'est un avantage.

— Que puis-je vous offrir à boire ?

— Avez-vous un bon whisky ?

— Je vous suis, fit-il en ouvrant un petit coffre en bois sculpté dans lequel se nichaient de précieuses bouteilles.

Nous étions seuls dans son impressionnant bureau directorial. Pendant qu'il nous préparait à boire, je me levai pour m'approcher de la fenêtre et jetai un œil sur la ville de Genève du vingt-deuxième étage du quartier général d'une organisation défendant les intérêts des industries pharmaceutiques qui conçoivent, élaborent et commercialisent des molécules capables de neutraliser une foultitude de maux, du panaris au compère-loriot, de la leucémie au sida, du rhume des foins aux hémorroïdes, de l'insomnie à la dépression.

Une gigantesque banque, cette ville. « Un coffre-fort » serait plus précis.

Moi dont le métier est de tenter de dialoguer avec des personnalités ou sommités médicales, je ne me sentais pas à mon aise avec cet homme.

— Vous avez une vue magnifique, dis-je pour briser la glace.

Raymond Van de Wedde s'approcha pour me tendre un verre.

— D'ici, on garde constamment un œil sur le pouvoir. Genève est la capitale mondiale de la puissance. Toutes les richesses imaginables — avouables ou non — sont concentrées sur ce panorama. Si vous trouvez le pouvoir magnifique, alors, c'est qu'il l'est ! Ici, les fortunes sont mieux gardées que le coffre personnel de la reine d'Angleterre, qui, soit dit en passant, doit elle aussi posséder quelque compte secret dans l'un ou l'autre de ces établissements, comme tous les grands de ce monde. Mais vous êtes journaliste, vous savez déjà tout cela, n'est-ce pas ?

J'approuvai docilement d'un hochement de tête. Nous heurtâmes nos verres l'un contre l'autre.

— Vous êtes d'origine grecque par votre mère, je crois, alors buvons aux îles grecques ! lança le président.

— Où les banques n'ont pas encore pris la place des dieux, ajoutai-je en portant le verre à mes lèvres.

— Nous serons mieux là pour bavarder. Je vous en prie, asseyez-vous.

Il me désigna un espace à l'écart, composé d'un canapé et de deux fauteuils en cuir rouge, d'une table basse en verre sur laquelle étaient posés en évidence les numéros des revues médicales dans lesquels j'avais publié des articles que j'estimais importants.

Je pris place dans l'un des fauteuils et il s'installa en face de moi, son verre à la main.

La soixantaine tout juste dépassée, Raymond Van de Wedde se déplace avec la souplesse d'un félin prêt à bondir sur sa proie. De fines lunettes rectangulaires soulignent un visage à la peau bronzée et tonique. Grand, yeux bleus, costume griffé taillé sur mesure, sa prestance indique le souci d'un homme qui entretient sa forme, et sa belle assurance, la haute opinion qu'il se fait de lui-même. Ses cheveux gris mi-longs rejetés en arrière lui confèrent un faux air d'artiste.

— Monsieur LeBlanc, commença-t-il en adoptant un ton très professionnel, je vous ai invité pour vous proposer une mission… comment dire ?… délicate. La réussite de cette entreprise salutaire vous ouvrirait la voie d'une carrière magistrale. Elle débarrasserait aussi l'humanité de sa propension à croire à toutes sortes de naïves croyances et superstitions d'un autre âge au sujet des guérisons dites « miraculeuses ». Elle ridiculisera définitivement — c'est notre objectif — tous les charlatans qui causent des dégâts considérables aux personnes désespérées atteintes de maladies graves, en leur faisant miroiter vaines promesses et illusions chimériques.

J'avançai instinctivement le torse dans sa direction, concentré à l'extrême. Mon cerveau avait retenu et répétait : « … cette entreprise salutaire vous ouvrirait la voie d'une carrière magistrale… »

Il posa son verre sur la table, alla prendre une grande enveloppe blanche sur son bureau, revint vers moi et me la tendit en me fixant droit dans les yeux. Je découvris une photo en noir et blanc d'un homme âgé d'une soixantaine d'années, de type méditerranéen, avec en arrière-plan une petite maison blanche et quelques palmiers ébouriffés en bord de mer.

— Horace Christophoros ! lança-t-il comme on prononcerait le nom d'une bête malfaisante. Cet homme est un charlatan. Il prétend soigner les maladies incurables ! Une contradiction dans les termes ! Il a l'impudence de proposer la panacée comme au bon vieux temps de la conquête de l'Ouest.

— Il guérit parfois ? risquai-je.

— Ce que nous savons avec certitude, c'est qu'il tue — au moins par incompétence ! Nous recevons des plaintes de familles de victimes du monde entier – oui, parce qu'on vient le consulter parfois de très loin ! C'est une vedette. Vous, quand vous exerciez la médecine, aviez-vous des patients qui venaient vous voir du Japon ?

— Non, fis-je en souriant. Si j'ai eu quelques patients, ils habitaient probablement le même immeuble que moi. Parce que si des gens avaient fait l'effort de se déplacer d'Asie jusqu'à mon cabinet, c'est qu'ils auraient été diablement motivés… ou que j'aurais eu un sacré talent ! J'ai arrêté de pratiquer parce que mes soi-disant malades ne l'étaient pas vraiment, et peut-être que, moi non plus, je n'avais pas la fibre.

— Comme vous le dites ! Si des malades se déplacent de l'autre bout du monde, c'est qu'ils sont vraiment désespérés !

Il se leva brusquement pour se diriger vers son bureau, se saisit d'un volumineux dossier, puis me le tendit.

— Des plaintes. Transmises en masse à l'OMIP ! Il nous en arrive tous les jours et de tous les pays, mais la plupart du temps trop tard. Pas seulement contre lui, évidemment, mais contre tous les filous de son espèce. Mais lui est un champion dans son genre, et nous l'avons choisi pour en faire un exemple. Vous serez chargé de mettre un terme à ses pratiques !

— Je devrai mettre un terme à ses pratiques ? Mais comment ? Je ne suis que journaliste, monsieur Van de Wedde.

— Vous êtes un *excellent* journaliste, et c'est tout ce que nous vous demandons. Je vous demande de faire une enquête approfondie sur les procédés malhonnêtes d'Horace Christophoros et d'en écrire un livre. Par la même occasion, vous allez dénoncer cet homme et donc ruiner sa carrière. Ensuite, nous entrerons en jeu et nous vous aiderons à le faire publier, puis à le traduire, et notamment en anglais. Cette information doit être diffusée le plus largement possible. Et lorsque votre livre sera édité, nous créerons un événement. Nous pensons déjà au prix Hermès.

Le prix Hermès ? Le prix au retentissement mondial décerné par dix membres de toutes les nationalités et récompensant la meilleure contribution pour la diffusion auprès du grand public des résultats de la recherche médicale actuelle. Le prix Hermès ? Le prix attribué chaque année au meilleur journaliste et médecin, et qui consacre le lauréat en lui apportant gloire et fortune sur un plateau d'argent.

Devant ma mine sceptique, il crut devoir ajouter :

— Nous avons les moyens de vous faire obtenir le prix. Ne m'en demandez pas plus.

Un deuxième verre de single malt quinze ans d'âge était déjà posé devant moi.

Je n'en demandais pas plus.

Il saisit une commande à distance posée sur la table de salon. Un écran luminescent scintilla à même le mur derrière son bureau. Il pressa une autre touche. Des rideaux de tissu se déroulèrent pour occulter les deux baies vitrées de l'angle ; la pièce s'assombrit. Un troisième bouton. La photo d'Horace Christophoros apparut distinctement — en très grand format et en couleurs, cette fois.

— Voilà notre homme.

Horace Christophoros est de taille moyenne, il a la peau mate, les cheveux noirs, une origine méditerranéenne, me semble-t-il.

Je n'eus pas le temps de me poser plus de questions à son sujet, Raymond Van de Wedde faisait défiler des photos d'autres individus.

— Et voici d'autres hurluberlus, d'autres escrocs, d'autres imposteurs, d'autres rebouteux de son acabit. Ils opèrent à peu près tous selon les mêmes modalités ou avec les mêmes procédés. S'il était le seul à professer dans son coin, à Chypre, cela passerait encore, mais…

Encore une photo d'Horace Christophoros.

— Cette photo a-t-elle été prise récemment ? Il a l'air plus jeune ici que sur la première, là.

— En fait, nous pensons qu'il est âgé de plus de soixante-dix ans, mais il ne les paraît pas ; sa vie est d'ailleurs bien mystérieuse et comporte de nombreuses zones d'ombre. Il a dû se faire faire un lifting et un repiquage de cheveux. Il fait croire aux gens que c'est à la diététique et à la natation dans l'eau de mer qu'il doit sa condition physique, mais probablement se dope-t-il aux hormones, aux oméga-3, à la vitamine C, à la DHEA et à la testostérone, que sais-je encore ? Ce cocktail n'est déjà plus tout à fait de la diététique, n'est-ce pas ?

— Pas tout à fait, en effet, approuvai-je. En tout cas, le décalage entre son apparence physique et son âge réel est stupéfiant. Mais que savez-vous d'autre sur lui ?

— Une petite seconde, monsieur Sébastien LeBlanc, si vous voulez bien.

Il appuya sur la commande et la photo d'une jolie jeune femme apparut sur l'écran. La quarantaine, brune, les cheveux courts.

Je reconnus aussitôt la présentatrice du *Journal du soir* sur la première chaîne de télévision, mais je ne sais pourquoi, son nom m'échappait sur le moment ; elle m'avait pourtant invité à trois ou quatre reprises déjà dans son journal, en tant que consultant, pour commenter des avancées thérapeutiques majeures ou des premières chirurgicales.

— C'est bien elle, déclara le président, comme s'il lisait dans mes pensées, Isabelle de Dieudonné. Atteinte d'un cancer du sein, elle a été opérée plusieurs fois, a suivi les traitements de radio et de chimio appropriés, puis quelques mois plus tard, lors de nouveaux examens, on s'est aperçu que le cancer avait gagné les poumons.

— Mon Dieu ! lâchai-je, elle n'a quasi aucune chance de s'en sortir !

— Non, d'ailleurs, elle ne s'en sortira pas. À l'heure actuelle, personne ne guérit d'un double cancer sein-poumon, nous le savons bien. Tout au plus pouvons-nous l'aider à passer ses derniers jours le plus dignement possible, bref, nous occuper d'elle de façon à nous donner bonne conscience. Nous n'avons pas encore mis au point de remède contre l'impossible !

— Elle sait ?

— Oui, depuis très peu de temps. Elle a exigé la vérité. Ça l'a abattue. C'est étonnant, car cela faisait plus d'un an qu'elle était malade. Après sa première consultation, on lui a raconté des sornettes, comme souvent, et elle vivait tant bien que mal avec sa maladie qui n'avait pas encore de nom. Elle est mariée et a une fille d'âge scolaire. Elle s'occupait de sa famille comme avant et continuait à assumer les responsabilités de ses émissions télévisées. La seule chose dont elle se plaignait, c'est qu'elle se sentait un peu trop souvent fatiguée. Nous lui affirmions que c'était à cause des médicaments. Depuis qu'elle a appris la vérité, elle s'est effondrée, et son mal a empiré de façon dramatique. Elle avait accepté la maladie, mais elle n'a pas supporté le verdict. Comme beaucoup de gens désespérés, elle s'est tournée vers tout et n'importe quoi. Et le n'importe quoi, en l'occurrence, c'est Horace Christophoros. Nous lui avons tracé un portrait sans complaisance du personnage, mais elle ne veut rien entendre, puisqu'elle déclare qu'elle n'a plus rien à perdre. Elle veut absolument le rencontrer. Tenter le coup. Mais elle est d'accord pour se faire accompagner par vous en tant que journaliste et médecin ; elle vous estime aussi beaucoup, m'a-t-elle dit.

— On dirait que vous ne lui laissez pas la moindre petite chance.

— C'est extrêmement triste, mais elle est déjà perdue et elle le sait…

— Je pensais à Horace Christophoros, avec un cancer comme celui-là, il n'a aucune chance de pouvoir démontrer son savoir-faire.

Raymond Van de Wedde but un doigt de whisky, le savoura, avant de me répondre.

— Ce n'est pas sur le seul cas d'Isabelle de Dieudonné que vous allez vous baser pour le démasquer. C'est sur les salades qu'il débite en général. Son irrationalité, c'est ce point en particulier que vous devez révéler et dénoncer. En effet, je ne crois pas qu'il soit assez imprudent pour tenter de donner le moindre espoir à cette femme. Mais il est probable que vous rencontrerez d'autres malades là-bas, arrangez-vous pour nouer des relations avec eux. Nous devons réunir et assembler tout un faisceau de preuves…

Le président s'arrêta de parler, me dévisagea comme s'il venait seulement de me remarquer, puis il se mit à rire avec d'étranges petites secousses qui agitèrent frénétiquement son dos.

Il s'expliqua :

— Excusez-moi, je suis indélicat. J'étais en train de vous donner une leçon de journalisme ! Si nous savions quoi faire exactement, nous l'aurions déjà fait.

Je hochai la tête en me forçant à sourire. Je réalisai tout à coup que la tâche n'allait pas être des plus faciles.

— Naturellement, Isabelle ignore que je l'accompagnerai pour mener aussi une enquête sur les pratiques… disons « douteuses »… d'Horace Christophoros.

— Officiellement, vous l'accompagnez en tant que médecin — puis peut-être aussi, bientôt, ami, qui sait ? —, pour vous assurer qu'elle ne se lance dans aucune entreprise qui pourrait lui nuire, qu'elle ne commette aucun geste insensé : vous êtes en quelque sorte son « homme de compagnie ». Elle se sentira moins seule, mais elle n'ignore pas que vous êtes aussi ou d'abord journaliste, tout comme elle, et que si vous découvriez quelque chose, vous seriez susceptible de l'utiliser…

Je pensai à Isabelle de Dieudonné. J'avais plutôt de la sympathie pour elle. Elle me semblait honnête vis-à-vis de son métier, une très bonne professionnelle. Je trouvais ce double jeu malsain. Je n'étais pas tout à fait à l'aise avec la proposition.

— J'aimerais bien travailler pour vous, mais je me demande si ce n'est pas un peu limite, enfin, je veux dire : d'être accompagné par une vraie malade afin de dénoncer une escroquerie thérapeutique.

— Monsieur LeBlanc, ce qui est vraiment « limite », comme vous dites, c'est que cet homme donne de faux espoirs aux gens condamnés. Pire même, certains d'entre eux s'en seraient peut-être sortis s'ils n'avaient pas décidé d'abandonner leur traitement. Il n'est donc pas insensé de prétendre qu'il les a assassinés. Et ça, c'est vraiment malsain.

Il se tut un instant pour bien faire résonner sa déclaration. Puis il reprit :

— Nous n'avons pas encore évoqué entre nous la question de vos honoraires.

Il me lança un chiffre astronomique. Avec ce qu'il me proposait, je pouvais envisager de faire du journalisme en simple dilettante, selon mon bon vouloir, pendant un sacré bon bout de temps.

— Et tous vos frais sont pris en charge. Tous, je dis bien. Si vous acceptez, je vous remettrai dans quelques instants une carte American Express sans limite de crédit à votre nom. Vous n'aurez qu'à signer sans justification à nous donner. Tout sera réglé par l'OMIP. Elle en a les moyens. Usez, abusez même, de votre carte sans penser aux dépenses. C'est un réel plaisir de travailler avec vous, monsieur LeBlanc. Et ce n'est pas tout…

Il se leva pour aller déplacer une miniature de style italien derrière laquelle se dissimulait un coffre-fort encastré. Il pianota une combinaison chiffrée sur un clavier électronique — la porte s'ouvrit en douceur —, il retira une enveloppe qu'il me tendit.

— Voici la moitié de la somme promise pour votre mission, ainsi que votre carte de crédit illimité. Le solde vous sera remis par moi à la livraison du manuscrit…

Il fit un large geste de la main droite en direction de l'extérieur et ajouta :

— … dont nous allons inonder le public !

La question n'avait pas été formellement posée, mais c'était inutile, j'avais déjà tendu la main pour me saisir de l'enveloppe.

Je faillis m'excuser pour avoir douté un instant du bien-fondé de la mission. Si je passais à côté de cette aubaine, je connaissais dix mille autres journalistes qui feraient la queue pour l'obtenir. Et sans se poser aucune question d'ordre moral.

Mais c'était bien moi, entre tous, qu'on avait élu pour accueillir ce cadeau tombé du ciel.

Nous étions bien d'accord. Il n'existait pas de réelle guérison miraculeuse, tout au plus quelques cas mystérieux de rémissions spontanées recensés dans le monde alors que, le plus souvent, on n'était même pas sûr du diagnostic initial. Des choses vagues sur la volonté d'en sortir, la puissance de la détermination intérieure, rien que du « flou artistique ». Bien des gens malades déterminés absolument à vivre coûte que coûte mouraient chaque jour. Rien donc qui permette à ces exceptions de rentrer dans le domaine de la science pure et dure. Celle que je représentais. J'étais médecin, je comprenais parfaitement bien de quoi parlait Raymond Van de Wedde.

Horace Christophoros faisait partie de la pire espèce, celle des arnaqueurs sans scrupules, c'était évident. Et j'allais le démontrer infailliblement.

3.

De retour à la maison, j'exhibai fièrement tout l'argent contenu dans l'enveloppe sous le nez de ma femme, ainsi que la carte de crédit.

Elle ne fut pas plus impressionnée que si j'avais déplié devant elle une carte routière de la Confédération helvétique.

Pourtant, le montant de l'avance était tel qu'elle me demanda des explications.

Je lui exposai toute la conversation avec le président, l'enquête à mener, le livre à écrire et même la promesse du prix Hermès.

Elle m'écoutait sans mot dire, dans le living, assise en travers, les deux jambes par-delà un bras de son fauteuil préféré. Moi accoudé sur le comptoir du petit bar américain, perché sur un haut tabouret. Rien sur son visage ne laissait deviner un sentiment quelconque, à ce point que je me sentis obligé de la convaincre en appuyant sur chacun de mes mots.

— Mais c'est la chance de ma vie ! lui répétai-je. Tu sais, un livre comme celui-là, si mon enquête aboutit, consacrera ma carrière. Ensuite, c'est moi qui choisirai mes sujets. Nous n'aurons plus de problèmes d'argent. Peut-être même abandonnerai-je le journalisme au profit de l'écriture. Un rêve inaccessible depuis toujours.

Elle s'obstinait à ne pas réagir. Il était évident que quelque chose ne tournait pas rond.

— Tu as l'air sceptique, dis-je finalement, agacé par son silence.

— Tu as raison, et je pense qu'en réalité tu l'es toi aussi, car sinon tu n'aurais pas besoin de tenter si ardemment de me convaincre. Ce « trop-d'argent » ne me dit rien qui vaille, ça sent la magouille. Où est donc passé ton fameux sixième sens ? Tu es plus intuitif d'habitude. Peut-être l'idée du prix Hermès t'a-t-elle tourneboulé le jugement ?

— Écoute, je sais pertinemment que le but de l'OMIP est d'empêcher les médecines parallèles de se développer. Les médecins veulent s'approprier toutes les thérapies qui ne sont pas validées par la Faculté, ou l'Académie, ou les Hôpitaux, ou les Laboratoires — que ce soient les traitements par les plantes, l'homéopathie, les massages, l'acupuncture, l'ostéopathie, l'iridologie, l'hypnose, que sais-je encore ?... Tout ça sent encore et toujours le soufre. Leur intention même pas cachée, c'est soit de tout récupérer, soit de tout anéantir. Il n'y a pas de voie médiane. Mais ma mission à moi est bien tracée : elle consiste à démasquer les charlatans qui promettent monts et merveilles aux personnes condamnées par la médecine traditionnelle. Horace Christophoros semblerait — je dis bien « semblerait » — être l'un de ces escrocs, ou, au mieux, un gentil inoffensif qui assassine par angélisme, en poussant les malades à abandonner leur traitement classique. C'est tout aussi grave. Tu ne crois pas que, si c'est le cas, il est important de mettre en garde, c'est-à-dire de protéger les gens les plus démunis psychologiquement contre ce type de « guérisseur » ?

— Et si jamais tu découvrais que ce n'était pas le cas ? Tu restituerais l'enveloppe et la carte de crédit ?

— Comment peux-tu imaginer que ce ne soit pas le cas ? m'emportai-je. Tu connais des sorciers qui guérissent le cancer à tout coup ? Donne-moi tout de suite leurs adresses, je me dois d'aller les rencontrer de toute urgence, c'est le scoop du siècle !

— Quand tu te seras calmé, nous pourrons continuer.

Leslie se leva pour aller se servir un muscat. Je me faisais tournoyer lentement sur le tabouret mobile. Mon cerveau bouillonnait. Les questions se télescopaient sans que je puisse avoir le temps d'en examiner une seule.

Existait-il une possibilité qu'elle ait raison ? Ce n'était pas tellement l'enquête qui était anormale, mais les moyens mis à ma disposition. Jusqu'à m'appâter avec une récompense internationale. Pourquoi pas le prix Nobel, tant qu'on y était ! Si on m'avait proposé une simple enquête de routine, rétribuée normalement, je n'aurais pas tiqué.

Quelque chose en moi résistait.

Et je n'aimais pas trop qu'on me le fasse remarquer.

Ce soir-là, nous en restâmes sur ce statu quo, Leslie et moi. Elle avec ses « mauvais pressentiments », moi avec mes humains… trop humains « rêves de gloire »…

Nous deux avec nos doutes.

Avant de m'endormir, je pensai que, bizarrement, pas une seule fois Leslie n'avait prononcé le nom ou le prénom de celle que je devais escorter.

4.

J'avais donné rendez-vous à Isabelle de Dieudonné au bar de l'hôtel George V, à quelques pas de la place de l'Étoile. Avant tout pour amorcer un début de dialogue. Il était inenvisageable de s'engager dans une telle « aventure » sans bien se connaître. Quand je lui avais énoncé la raison exacte de mon appel, elle m'avait répondu avec froideur, à peine se souvenait-elle qu'elle avait donné son accord de principe.

— Je suis Sébastien LeBlanc, m'étais-je présenté sur un ton qui se voulait affable. Vous m'avez invité quelquefois à intervenir dans votre journal pour commenter certaines découvertes de l'actualité médicale.

Elle n'avait eu aucune réaction.

— On m'a proposé de vous accompagner à Chypre. Mais j'ai besoin naturellement de votre accord plein et sans réserve. Je suis médecin et journaliste. Je vous appelle de la part de monsieur Raymond Van de Wedde. Est-ce qu'il vous a parlé de moi ?

— Vaguement...

— Pourrait-on se voir pour faire davantage connaissance ?

— Peut-être...

Le moins que l'on puisse dire, c'est qu'elle n'était pas très enthousiaste.

C'est à ce moment-là, pensant soudain à la carte magique, à l'idée naïve que je devais tenter le tout pour le tout pour l'impressionner, que j'avais prononcé spontanément le nom du George V.

Il était un peu plus de dix-sept heures au bar de l'hôtel à l'ambiance sombre et feutrée. La première sensation est celle d'une féerie florale inventive et colorée. Des gerbes d'amaryllis, fleurs délicates aux pétales rouge carmin, planent sur des vases-corbeilles élancés, transparents comme le cristal. Des orchidées mauves baignent timidement leurs tiges dans des vases lunaires suspendus par des fils invisibles, tandis que des fleurs de soleil présentent leurs faces éclatantes de santé dans des seaux limpides comme l'onde claire. Le style est épuré, l'équilibre subtil.

— Chaque semaine, ce sont quinze mille éléments végétaux qui arrivent de Hollande afin de garnir les centaines de vases qui ornent le hall, le bar, la grande galerie, le restaurant et les deux cent quarante-cinq chambres qui composent l'hôtel, m'apprit le garçon, tandis que je lui faisais part de mon admiration pour ces somptueuses sculptures végétales.

Des hommes d'affaires, jetant des coups d'œil furtifs autour d'eux, traitaient de dossiers en parlant bas. Un peu en retrait, un mannequin à la mode batifolait avec un acteur de renom.

Je me sentais en bonne compagnie, entre gens du monde. Mes semblables à partir d'aujourd'hui.

Isabelle de Dieudonné, une fois qu'elle eut franchi la porte à tambour, entra sans la moindre trace d'affectation, se dirigea droit vers moi, me serra la main avant de prendre place dans un de ces souples fauteuils en cuir beige lustré.

Je fus frappé d'abord par le teint blanc presque transparent de son fin visage ovale dépourvu de maquillage. Des veinules bleutées se remarquaient lorsqu'elle abaissait ses paupières avec ce charme fragile et délicat d'une figurine en porcelaine. Ses cheveux étaient coupés très court, comme ceux des actrices du temps du muet.

Nous commandâmes deux verres de vin rouge.

Elle semblait absente. Son regard fuyant trahissait l'anxiété. Je tentai un sourire pour l'apprivoiser. Apparemment sans le moindre effet.

Calée dans le fond de son fauteuil, les bras et les jambes croisés, elle me fixait en silence, attendant que j'amorce la conversation.

— Je ne sais pas si c'est une bonne idée que vous vous rendiez à Chypre, risquai-je tout à coup. Vous seriez mieux soignée à Paris, et à l'abri avec votre famille.

Elle réagit enfin, décroisant ses bras et se penchant vers moi.

— Qu'est-ce que vous en savez? Je ne suis plus en sécurité nulle part. Pour moi, c'est fini.

— Vous croyez *vraiment cela*?

— Absolument, dit-elle. Il n'y a rien à tenter, rien à espérer.

J'attendis un moment avant de lui répondre.

— Alors... pourquoi?

— Parce que justement je n'ai plus rien à perdre, il n'y a plus d'espoir. Vous savez ce que c'est, vous, que d'attendre la fin? De se lever chaque matin, de faire des sourires comme si tout allait pour le mieux, de regarder par la fenêtre et de savoir que dans quelques mois le monde, la vie, l'Univers, va continuer sans vous? Plus rien n'a de sens aujourd'hui. Dans le cas d'une condamnation à mort, le monde perd instantanément de son attrait. Le cœur est toujours le premier organe touché. On perd son cœur bien avant la vie. On imagine souvent, à tort, que si l'on apprenait qu'il ne nous restait plus que quelques journées à vivre, on ferait des choses incroyables, n'est-ce pas? Rien n'est plus faux. L'idée de la mort paralyse l'esprit. La nature même perd de ses couleurs. Même ma famille m'est devenue étrangère. Je n'éprouve plus d'amour pour les miens, c'est terrible à dire, mais je suis devenue imperméable aux sentiments. Alors, autant en finir là-bas. Loin de tout et de tous. Je préfère cela. Je ne reviendrai plus à Paris.

— Pourtant, on dit qu'Horace Christophoros fait des miracles, prétendis-je. Il y a des personnes qui, bien que très malades, en sont revenues guéries, définitivement. Ne croyez-vous pas en la possibilité des guérisons spontanées?

Elle ne releva pas, fit une grimace de découragement. Elle craignait d'espérer pour rien. Je la comprenais, enfin, si je pouvais prétendre un seul instant pouvoir la comprendre.

— Dites-moi plutôt la vérité, on dit que c'est un charlatan, lança-t-elle. Vous partez avec un a priori défavorable contre lui, n'est-ce pas?

— Je ne suis ni pour ni contre, je me contenterai de constater sur place. Cet homme doit au moins posséder un charisme exceptionnel, sinon pourquoi créerait-il tant de remous? Si c'était un escroc ordinaire, on ne viendrait pas le consulter des quatre points cardinaux de la planète, non?

Les yeux d'Isabelle de Dieudonné se mirent à briller. La tension de son visage se relâcha un instant et son regard s'adoucit. Avec un peu de conviction dans mes propos, j'avais touché juste. Il subsistait encore en elle une infime lueur d'espoir et je venais de la ranimer.

C'était l'heure de l'avant-dîner. Le bar connaissait à présent une forte affluence. Éclats de voix et rires se multipliaient. Les hôtes de marque ne cessaient d'entrer et de sortir, et il m'était difficile de ne pas observer chaque allée et venue. Isabelle me fit une remarque sur un ton très doux :

— Ceux que vous prenez pour des célébrités sont comme vous et moi, vous savez. Des enfants terrorisés. La plupart vivent des nuits bien pénibles. Aussitôt les lumières éteintes, l'angoisse les étreint. L'angoisse de perdre ce qu'ils ont acquis si chèrement. Ils vivent dans l'appréhension permanente de la chute. Ne me demandez pas comment je le sais, j'étais parmi eux. La gloire est un piège d'autant plus redoutable que, dès que l'on est pris entre ses filets, on ne désire plus qu'une chose : n'en être surtout jamais délivré !

Pour m'épargner une réponse embarrassée, je demandai à Isabelle si elle voulait bien quitter le bar pour gagner le restaurant de l'hôtel où j'avais réservé une table avec deux couverts.

Pendant toute la soirée, Isabelle resta sur la défensive. Elle ne se livrait pas, gardant délibérément pour elle une part éminemment secrète.

Je fis un effort pour rester concentré sur ce que faisait et disait mon interlocutrice — celle qui peut-être allait devenir ma « compagne de voyage ». J'avais devant moi une femme dont la seule préoccupation était de rester en vie. Et qui ne se faisait plus d'illusions. Tout le reste, je le savais, était insignifiant.

Nous nous limitions aux sujets de discussion généraux. Nous évoquâmes essentiellement nos expériences professionnelles et débitâmes quelques anecdotes sans importance. Elle parla de son métier comme de quelque chose qu'elle avait aimé, mais qui avait absorbé presque entièrement son existence.

— Si c'était à recommencer, je me consacrerais à d'autres priorités.

Je ne poussai pas l'indiscrétion jusqu'à lui demander lesquelles.

— Comment avez-vous entendu parler d'Horace Christophoros ? demandai-je à brûle-pourpoint alors qu'elle venait de repousser légèrement son assiette afin de montrer qu'elle avait fini son repas.

Elle avait picoré comme un moineau. L'exquise salade aux truffes et émincé de poireaux était restée quasi intacte dans son assiette, à peine dérangée, comme prête à être resservie.

— Vous n'avez rien mangé.

— Mes traitements de chimio m'ont définitivement coupé l'appétit, je le crains, avoua-t-elle. J'ai perdu jusqu'à l'envie de manger. Ce qui était auparavant pour moi un plaisir est même devenu une corvée. Je n'ai plus de goût pour rien. C'est terrible.

Je me contentai d'acquiescer, ne trouvant de nouveau aucune réponse appropriée. Je m'étais rendu compte, tout au long de la conversation, que j'évitais d'évoquer son cancer et les souffrances physiques et psychologiques qui devaient l'accompagner. Je n'étais pas à l'aise avec cette dure réalité. Nous ne sommes pas préparés à converser avec quelqu'un que nous estimons et dont nous savons que les jours sont comptés.

Je reposai la question restée sans réponse :

— Comment avez-vous entendu parler d'Horace Christophoros ?

— Et vous, comment avez-vous entendu parler d'Isabelle de Dieudonné ? Ou plutôt, de sa « douloureuse et pénible maladie », comme on dit pudiquement.

— Je vous l'ai dit déjà au téléphone, et vous le savez parfaitement. Monsieur Van de Wedde m'a appelé.

— Et la teneur de cette proposition vous semble normale ? Qu'il ait pensé à vous subitement comme ça ?

— Que voulez-vous dire ? Est-ce vous qui lui avez suggéré mon nom ?

— Non, en aucun cas, je vous l'assure. Mais précisément, pourquoi vous justement ?

Pouvais-je lui révéler sans forfanterie que monsieur Van de Wedde m'avait affirmé qu'il me considérait comme le meilleur journaliste scientifique actuellement en Europe ?

— Je ne comprends pas bien le sens de votre question, lui avouai-je.

— Ce n'est pas grave… mais j'essaierai de répondre à la vôtre une prochaine fois, je vous le promets. Admettons pour le moment que j'ai décidé de faire confiance à un signe.

— À un « signe » ? Quel genre de signe ?

— Un signe qui m'attire ou qui m'appelle vers « la route de Chypre ». Mais je raconterai cette histoire une autre fois… croix de bois, croix de fer, si je mens, je vais en enfer.

Je souris.

— Comme vous voulez, mais permettez-moi cette autre question : Pourquoi monsieur Van de Wedde prend-il autant soin de vous ?

— C'est le meilleur ami de mon père, il me connaît depuis que je suis enfant, il croit pouvoir m'être utile, mais il n'est plein que de ses certitudes. Vous avez remarqué, n'est-ce pas ?

— C'est un homme qui semble de bon sens, il veut vous protéger, ou vous épargner, mais c'est le strict opposé de votre Horace, évidemment…

Puis je tentai le tout pour le tout :

— Pensez-vous pouvoir me dire d'ici à quelques jours, d'abord si vous comptez vous rendre sur l'île… si oui, quand ?… et si vous acceptez que je vous y accompagne ?

— Je vais essayer, dit-elle. Mais…

Elle se tut soudain, perdue dans ses pensées. En tant que professionnel des entretiens, je connais cet instant délicat entre tous où une personne interrogée entrevoit une chose essentielle mais n'ose pas la livrer.

Je devais me taire. Ne rien dire. Pas un mot.

Je la fixai, laissant résonner tout le poids du silence pour bien souligner son hésitation.

— Mais… ? finis-je par reprendre.

Ses yeux s'embuèrent.

— Il faut faire vite ! lâcha-t-elle. Il ne me reste que peu de temps.

5.

C'est dans l'avion, bien au-dessus des nuages, qu'Isabelle de Dieudonné renoua le fil de notre conversation interrompue.

Pendant le décollage, les yeux fermés, elle s'était réfugiée contre le hublot, une couverture posée sur les jambes, semblant sommeiller. C'était sa façon à elle, je suppose, de me signifier qu'elle ne voulait pas être dérangée.

Grâce à quelques centimètres carrés d'une carte plastifiée, nous étions installés dans de confortables fauteuils en première classe, avec une hôtesse à la disposition de seulement six passagers, qui nous proposait magazines, boissons et douceurs diverses à volonté.

Après un trait de cognac et quelques chocolats, j'avais décidé moi aussi d'incliner mon fauteuil pour tenter de dormir un peu. C'est au moment où j'allais m'assoupir que j'entendis sa voix.

— C'est sur un banc que je l'ai rencontré, dit-elle.

J'ouvris lentement les yeux, sans la regarder, fixant le siège devant moi.

— Qui donc ?

— Le « signe » dont je vous ai parlé, vous vous en souvenez, Sébastien ?

— Vous avez rencontré votre signe sur un banc ?

— Oui… *Le Premier et le Dernier Miracle.*

— Je ne suis pas sûr de bien vous comprendre, à vrai dire.

— Oui, sur un banc en contrebas du quai de la Tournelle, à quelques pas d'une berge de la Seine, le soir même du jour où l'on m'a clairement annoncé le diagnostic. Quelques heures après que le professeur m'a révélé l'étendue et la vraie gravité de ma maladie et laissé entendre, à mots à peine couverts, l'issue fatale.

Quelques heures après que je l'ai entendu prononcer avec gêne les mots « guérison pratiquement sans espoir » en consultant une nouvelle fois mon dossier maladroitement, sans doute pour ne pas avoir à me regarder droit dans les yeux. En sortant de l'hôpital, égarée, paniquée, j'ai marché comme une morte vivante, un zombie, marché pendant plus de trois heures au hasard et sans m'arrêter. Toutes mes espérances, tous mes projets avaient été foudroyés de plein fouet, en un instant ma vie s'était volatilisée en mille morceaux, et les pensées que j'avais ruminées pendant tout le temps de cette dérive avaient la couleur de l'encre la plus noire. Il était tard, vers dix heures et demie le soir, mon âme elle-même était mortellement atteinte, tout mon être en proie au désespoir le plus impitoyable, quand j'ai décidé spontanément de descendre les marches de pierre qui mènent vers un minuscule square au bord du fleuve.

« Sébastien, seuls ceux qui sont passés par cette expérience peuvent comprendre ce que je dis. Je ne suis pas sûre que mes mots puissent pénétrer jusqu'au fond de votre cœur. L'annonce de la fin de vie équivaut à la perdre à l'instant même où l'on entend prononcer la sentence. J'ai compris cela jusque dans la part la plus intime de ma chair, dans la part la plus secrète de mon être je l'ai ressenti. Prendre soudain conscience que toutes les petites — ou les grandes — joies de l'existence qui font la vie si belle vous seront enlevées, pouvez-vous seulement imaginer cela ?... »

Elle soupira profondément, comme pour reprendre souffle, et continua :

— Au bout de quelques instants, alors que j'étais plongée dans ma rêverie nocturne, regardant couler le long fleuve noir, comme envoûtée par le fil de l'onde seulement troublé de temps à autre par le passage d'un canot, un homme que je n'avais pas vu s'approcher m'a demandé la permission de s'asseoir à mes côtés, j'ai sursauté d'abord, ne le regardant qu'à peine, pensant à quitter l'endroit tout aussitôt... Sans que j'aie formellement répondu, il est venu se poser à l'autre bout, et presque à l'instant j'ai oublié sa présence, j'étais penchée en avant, comme si j'allais me lever, et lui restait en arrière, dans mon dos, silencieux ; l'eau noire m'attirait et une sorte de vertige s'est emparé de moi, vous avez peut-être connu ces étranges moments où le corps semble en apesanteur, flottant, détaché, où la notion même du temps disparaît de la conscience… Lorsque je suis revenue subitement à moi, l'homme avait pour le coup réellement disparu, j'ai aperçu un livre abandonné à la place qu'il avait occupée, je l'ai aussitôt pris et j'ai décidé de suivre une silhouette qui atteignait déjà le haut des escaliers conduisant vers le trottoir, j'ai suivi cette direction, j'ai hâté le pas, mais lorsque je suis parvenue moi-même en haut de la trentaine de marches… j'avais perdu la trace de mon homme… une voiture a démarré… la rue était déserte… Après avoir trouvé une borne de taxi, une fois que j'ai eu donné mon adresse, grelottant à l'arrière de l'automobile, je me suis rendu compte alors seulement que je tenais un livre dans mes mains, j'ai jeté un œil sur la couverture, et là, enfin, j'ai pu lire les six mots du titre…

— *Le Premier et le Dernier Miracle*, c'est ça, n'est-ce pas ?… C'était le titre du livre ?

— Oui, dit-elle simplement, et tandis que je commençais à le feuilleter le long du trajet, j'ai rapidement compris que ce livre traitait de… quelques cas de rémissions « spontanées et inexpliquées » de cancers !

Une contraction involontaire de l'ensemble de mes muscles me fit sursauter, comme si, moi aussi, je venais enfin de me réveiller pour de bon.

Des questions assaillirent en masse mon esprit, mais avant que j'aie le temps de formuler la première, Isabelle continuait :

— Évidemment, le « signe » étant trop attirant, trop mystérieux, j'ai dévoré le livre dans la nuit avec fébrilité. Inutile de vous dire comme sa lecture m'a regonflée. Au matin, j'avais les épaules relevées et une lueur d'espoir dans les yeux, comme avant la maladie.

« C'est en le lisant que j'ai rencontré pour la première fois le nom d'un certain Horace Christophoros. Le livre, qui mêle le genre de l'enquête avec celui du récit, évoquait la figure d'un homme étrange, discret, au passé assez mystérieux, qui — après avoir voyagé dans diverses contrées du monde, s'être initié à la médecine ayurvédique indienne, la sagesse immémoriale du Tibet, le chamanisme des Yakoutes… — exerçait depuis quelques années à Chypre. Le narrateur affirme avoir assisté à des guérisons inexplicables provoquées par ce praticien peu orthodoxe. Il prétend l'avoir rencontré dans différents pays, ainsi qu'avoir interrogé une vingtaine d'anciens malades qui s'affirment guéris "grâce" ou "à son contact". Enfin, il aurait été lui-même le témoin direct de "prodiges".»

La voix suave d'une hôtesse annonça que l'airbus volait à une altitude d'environ trois mille mètres et que la température extérieure avoisinait les moins quinze degrés.

Isabelle reprit le fil de son récit:

— Comprenez-vous, en début d'après-midi, j'apprenais que j'étais condamnée à mort et, douze heures plus tard, qu'il y avait encore un espoir ultime, peut-être la chance d'une grâce accordée!

«J'ai failli prendre sur-le-champ la route de Chypre. Mais mon mari puis mon père ont immédiatement alerté les médecins et les professeurs pour m'empêcher de commettre ce qu'ils appelaient "une bêtise". Une "bêtise"! Alors que, si j'en crois leurs dires, je suis condamnée à mort!... Quel paradoxe! Ne trouvez-vous pas? Que peut-il m'arriver de pire que de mourir? Monsieur Van de Wedde, qui est l'ami de mon père depuis toujours, a évidemment été mis au courant, il a accouru lui aussi pour essayer de me prouver par a + b qu'Horace Christophoros était un escroc. Selon lui, les prétendues guérisons relatées dans le livre se sont conclues par des rechutes gravissimes, il ne s'agirait jamais que de rémissions passagères. D'après des études diffusées par l'OMIP, toutes les personnes qui ont confié leur vie à des traitements du type "médecine douce" ont sans exception rechuté après quelques mois d'euphorie et d'espoir vite retombé. Il m'a dit et répété qu'il n'y avait pour l'heure aucune autre solution que de faire confiance à la médecine, bref le refrain habituel... "Nous ne pouvons rien faire pour vous, mais surtout nous vous demandons de nous laisser faire... et seulement nous seuls!", tel est en substance le message qu'ils me délivraient.

«Quand Van de Wedde, directeur de l'OMIP, s'est rendu compte que ma décision était irrévocable et que je ne céderais pas, aussitôt il m'a suggéré d'accepter votre compagnie, je suppose dans ce cas que votre camp est déjà choisi : vous êtes contre moi, n'est-ce pas ? »

Isabelle de Dieudonné baissa les yeux tout à coup, puis se mit à s'étrangler et à tousser en produisant des sons tour à tour caverneux et sifflants, respirant avec peine. Elle s'excusa avant de se lever pour se rendre aux toilettes, emportant avec elle quelques boîtes de médicaments.

— Vous voyez, même au plus haut des cieux, si près du Tout-Puissant, le mal ne m'a pas encore abandonnée, fit-elle sur un ton qui se voulait légèrement ironique.

Aussitôt qu'elle se fut éloignée, mon esprit se remit à gamberger. Pourquoi Raymond Van de Wedde n'avait-il pas évoqué avec moi — même en passant — l'existence de ce livre ? Qui en était l'auteur ? Quelqu'un avant moi avait-il déjà été chargé de la même mission ? Qu'avait donc trouvé Isabelle à la lecture de l'ouvrage pour en arriver à quitter comme en extrême urgence son mari et sa fille ? Ne serait-elle pas mieux chez elle à… À quoi, au fait ?… Attendre la mort ?… Ne valait-il pas mieux dans ce cas tenter l'impossible ? Qu'allait donc chercher au bout du monde cette femme brillante frappée par la plus terrible des malchances ? Qui était ce pauvre bougre rencontré une nuit sur un banc face à la Seine ? Avait-elle perdu tout sens critique pour suivre « à l'instinct » ce qu'elle appelait son « signe » ? N'en apercevait-elle pas la part de ridicule ?

Intimement persuadé qu'elle allait au-devant d'une grave désillusion, quelques frissons me parcoururent l'échine.

Isabelle de Dieudonné revint à sa place, ce qui, pour un temps, mit un terme à mes débats intérieurs. Elle s'assit précautionneusement, puis, se tournant vers moi, elle me demanda :

— Monsieur LeBlanc, pensez-vous que l'on puisse poursuivre un médecin au tribunal pour « destruction d'espoir » comme on peut le faire pour « destruction de preuves » ? Ces grands pontes pontifiants, tout armés de leur liste de diplômes longue comme le bras, qui vous convoquent pour vous apprendre seulement deux choses : petit a, votre maladie ne peut être combattue par aucun traitement efficace connu à ce jour, et, petit b, elle est ir-ré-mé-dia-ble-ment mortelle à une échéance approximative de dix-huit mois... C'est à peine s'ils ne vous mettent pas en main les statistiques de tous les décès pour que vous soyez bien pénétré de la réalité de la chose et que vous perdiez définitivement la plus petite parcelle d'espoir ! Peut-on prouver alors qu'un tel spécialiste a interdit à son patient la possibilité même de guérir par l'emploi de mots malfaisants, définitifs et par conséquent assassins ? Dites, monsieur le journaliste, qu'en pensez-vous ? Trouveriez-vous pertinent, auriez-vous l'audace d'étudier ce cas de figure, d'en rédiger un article puis de le proposer pour publication à l'une ou l'autre de vos revues scientifiques ?

Elle semblait attendre ma réponse, l'œil goguenard.

Je restai un instant à la dévisager en silence, pensant à mon enquête. Je comprenais pour la première fois concrètement la difficulté de ma mission. Je me heurterais à des intuitions, à des croyances, à de folles espérances, peut-être à des sentiments ou à des intimes convictions, mais jamais je ne serais confronté à des faits purs et durs. J'avais l'impression, déjà, que même si j'arrivais à démontrer la supercherie dans cette affaire, rien ne serait conclu définitivement. Les gens de toute façon continueraient à se partager entre pour et contre.

Ma voisine de cabine continuait à me considérer avec un léger sourire en coin. Une flamme d'étrange malice semblait briller au fond de ses yeux.

— Je ne vois rien de condamnable a priori dans le comportement des médecins face à l'inexplicable, avançai-je prudemment. Un scientifique digne de ce nom refuse de prendre en compte les cas de rémissions spontanées s'il n'a pas eu l'occasion de les observer directement. Et c'est légitime, sinon ce serait la porte grande ouverte au n'importe quoi.

— Il ne vous vient pas à l'esprit qu'il pourrait y avoir autre chose ?

— Quoi donc ?

— J'espère que nous allons le découvrir ensemble, là-bas, sur place, répondit-elle.

À ce moment, l'hôtesse s'approcha pour nous demander d'attacher nos ceintures de sécurité : l'avion allait entamer la phase d'atterrissage.

Isabelle de Dieudonné se recroquevilla sur elle-même, arrangea la couverture sur ses jambes repliées et ferma les yeux...

Je me demandais comment je m'en sortirais si les événements n'allaient pas dans le sens suggéré et souhaité par monsieur Raymond Van de Wedde... Je ne savais plus quoi penser, sérieusement perturbé, en proie au vertige. Et surtout mal à l'aise, comme si je me débattais ou que j'étais pris en faute au sein d'une sorte de double jeu...

... J'étais convoqué devant une espèce de tribunal où des hommes hiératiques et imposants siégeaient, vêtus de longues aubes noires...

— Monsieur LeBlanc, m'expliquèrent-ils, nous avons décidé de vous attribuer le prix Hermès à l'unanimité : la communauté scientifique mondiale s'apprête à fêter avec vous la qualité de vos recherches, et votre gloire est établie ; en échange, nous vous demandons seulement de bien vouloir contresigner l'acte de décès d'Isabelle de Dieudonné.

Leslie, ma femme, qui était assise parmi le public, prétendait avec flamme qu'elle avait raison depuis le début : mon enquête sentait le soufre, je m'étais précipité moi-même en toute conscience au-devant des ennuis ; ma fille pleurait parce que des huissiers étaient venus le matin pour nous expulser de notre maison ; j'étais criblé de dettes...

En sueur, décomposé, amaigri, j'avançai en vacillant vers la barre... Solennellement, je pris la parole pour déclarer :

— Je... préférerais... signer... parce que... euh... ne pas signer... euh... pardon... parce que...

— Réveillez-vous !... Réveillez-vous !... Nous sommes arrivés !

Isabelle de Dieudonné me secouait légèrement l'avant-bras.

J'éclatai de rire parce qu'Isabelle était en train de me pincer ! Je la sentais bien vivante, en chair et en os, bien décidée à vivre vaillamment une nouvelle aventure.

En un élan irréfléchi, je l'attirai un instant contre ma poitrine pour pouvoir la serrer tout contre mon cœur.

— Pardonnez-moi…, dis-je enfin, tandis que je relâchais la pression de mes bras.

L'avion était immobilisé sur la piste.

Le premier miracle n'avait-il pas déjà eu lieu ?

6.

L'avion atterrit à Paphos à vingt heures un soir de septembre. Au comptoir d'un loueur de voitures nous attendaient les clés d'une jeep décapotable couleur crème que j'avais réservée et payée grâce à une carte dont je commençais à apprécier fortement les avantages. L'obscurité régnait déjà lorsque nous pûmes sortir de l'aéroport.

L'hôtel Athéna était à une demi-heure de là, dans le secteur de Coral Bay, au nord-ouest de Paphos. Isabelle insista pour prendre le volant, conduire une jeep était pour elle l'occasion de connaître une expérience inédite.

Une nouvelle fois, je dus me rendre à l'évidence: Raymond Van de Wedde ne lésinait pas sur les moyens. Lorsqu'il avait appris que j'allais partir deux jours après ma première rencontre avec Isabelle de Dieudonné au George V, c'était le président de l'OMIP en personne qui m'avait très chaudement suggéré le nom de cet hôtel — « Prenez-le comme un conseil d'ami », avait-il même souligné. L'Athéna était un petit joyau d'architecture d'inspiration hellénistique avec pseudo-colonnes doriques sur sa façade principale, serti dans une de ces criques de rêve posées au bord de la Méditerranée. Nos suites contiguës, au troisième et dernier niveau, se prolongeaient par une terrasse commune qui surplombait une piscine en forme de croissant dont le turquoise de l'eau scintillante contrastait avec les nuances de vert éclairées des bosquets d'orangers éparpillés parmi une végétation qu'on devinait luxuriante.

De la terrasse nous parvenait, venant d'au-delà de la piscine, la rumeur confuse mais régulière du bruit des vagues se brisant contre les rochers.

Quelques couples dînaient au bord de la piscine, un bougeoir flottant et un délicat vase tulipe posés sur chacune des tables.

Tandis que nous nous étions naturellement retrouvés — après avoir découvert nos appartements respectifs — accoudés l'un près de l'autre au balcon de la terrasse, scrutant le ciel nocturne à la recherche de quelque constellation familière, je proposai à Isabelle de dîner en tête-à-tête.

— Me laisseriez-vous quelques minutes pour que je puisse me changer ? J'aimerais enlever mes vêtements de voyage.

Lorsque de loin je vis une mince et élégante silhouette féminine s'approcher de ma table dans les jardins qui entouraient la piscine, je mis quelques secondes avant de reconnaître celle que j'étais officiellement en charge d'accompagner. Isabelle de Dieudonné avait revêtu en l'honneur de notre première soirée en terre chypriote une robe satinée noire moulante, signée par un grand couturier, qui accentuait encore sa minceur naturelle.

J'avais l'impression d'avoir en l'espace de quelques heures changé de planète. Tout le luxe et le charme de ce décor enchanteur me firent un instant oublier le fond d'angoisse et de tragédie sur lequel ils reposaient.

Lorsqu'elle fut assise, je remarquai qu'un fin trait de khôl soulignait le bord de ses paupières et qu'un rose pâle relevait le contour de ses lèvres, et je fus sensible à cette attention. Pour la première fois, je la voyais, la considérais, comme une femme et non pas seulement comme une malade.

— Je vous trouve en pleine forme. Vous êtes vraiment ravissante.

— Merci, dit-elle simplement en esquissant un sourire.

Nous commandâmes un mezzé ; une quinzaine de petits plats nous furent présentés par une délicieuse native de Paphos aux longs cheveux noirs et âgée d'à peine plus de dix-huit ans avec une grâce et une discrétion exemplaires. Je m'étais promis de passer ce repas sans relancer de sujets graves, et nous nous en tenions chacun à un silence qui à la longue devint pesant.

À vrai dire, toute la liste des questions innombrables défilait une nouvelle fois dans ma tête, et je devais sans doute paraître bien absent pour ma compagne ; alors, sans réfléchir, je réattaquai le premier en m'efforçant de prendre le ton le plus neutre :

— Monsieur Van de Wedde vous a parlé d'enquêtes de l'OMIP qui tendraient à prouver qu'il n'existe pas à proprement parler de rémissions spontanées ? Ai-je bien compris, tout à l'heure ?...

Isabelle réfléchit quelques instants, puis, à l'aise, habituée à mener des débats en grande professionnelle, elle me répondit en tâchant de s'attacher mon regard :

— Vous savez bien comment ça se passe quand une agence de médicaments veut obtenir une autorisation de mise sur le marché : elle commande à des laboratoires et à des services hospitaliers une vingtaine d'enquêtes payées à prix d'or et *financées par ses soins*. Imaginez alors qu'une quinzaine reviennent avec des résultats défavorables... Seuls les résultats des cinq autres enquêtes validant l'intérêt de sa molécule seront diffusés auprès de la communauté scientifique — dont vos fameuses revues médicales, financées par la publicité pharmaceutique —, tandis que les autres seront mort-nées, classées « sans suite », enterrées dans le vaste cimetière de toutes les enquêtes non poursuivies... Mais vous le savez très bien, les industries pharmaceutiques ont les moyens, puisqu'elles les financent partiellement, de sélectionner les études cliniques qui les intéressent et qui sont favorables à leurs... *résultats*... résultats thérapeutiques, peut-être, mais aussi et surtout résultats financiers, bilan annuel, actions et dividendes, salaires mirobolants, buildings d'acier et de verre... à Genève, à New York, à Tokyo, à Shanghai... Alors, si monsieur Van de Wedde m'avait appris que l'OMIP faisait savoir que les médecines « alternatives » peuvent constituer — dans certains cas — un complément, un ultime recours, voire une solution, c'est comme si vous m'aviez affirmé que la Exxon-Mobil Corporation ou la Royal Dutch Shell avaient financé des études pour la conception d'un moteur à eau !

Elle jeta un coup d'œil autour d'elle, elle semblait satisfaite.

J'aurais pu reprendre et retourner une à une toutes ses thèses, en commençant par lui rappeler l'espérance de vie qui ne cessait de croître selon une courbe non encore arrêtée. Les hommes des sociétés dites « développées » vivent aujourd'hui jusqu'à quatre-vingts ans en moyenne, ce qui signifie concrètement que la moitié d'entre eux franchissent ce cap. Cela constitue un fait irréfutable et absolument inédit depuis le début de l'histoire de l'humanité ! Mais je préférais garder toutes ces réflexions pour un moment plus approprié, et surtout je n'étais pas sûr, dans les circonstances, qu'elle aurait pu être sensible à ce genre d'argument statistique.

Isabelle paraissait songeuse, je me demandais si par hasard elle pouvait regretter d'avoir joué une tirade qui outrepassait un peu sa pensée

Le silence s'était réinstallé, et avec lui une certaine gêne.

J'allais lui demander la permission pour ce premier soir de prendre congé afin de me reposer quand elle murmura sur un ton très bas, comme prononçant les mots seulement pour elle-même :

— La maladie remet tout à sa place. On prend conscience de sa vraie valeur et non de l'image que l'on se fait de soi. Cette donnée bouleverse tout le sens de la vie et spécialement les relations affectives souvent basées sur un je-ne-sais-quoi d'approximatif. La majorité d'entre nous ne se sont jamais posé la question de savoir pourquoi ils vivent. Le savez-vous ? Ne vous pressez pas de me répondre, je suis sûre que vous ne le savez pas. Une autre question se pose ensuite : Qu'est-ce qui m'attache à la personne qui partage ma vie ? L'amour ? Quand on est condamné à brève échéance, on se pose ce genre de question et bien d'autres encore. Par exemple : avec qui ai-je envie de partager mes tout derniers instants ? Je veux dire : dans les bras de qui est-ce que j'accepterais de mourir ? On passe en revue les gens que l'on connaît un par un, et l'on n'hésite plus entre grand monde. Pour certains, c'est encore le père ou la mère ; pour les autres, ce sont les enfants. L'essentiel. Et parfois aussi la femme, ou le mari, parce que c'est la mère, ou le père, de ses enfants. C'est alors qu'on se rend compte que ce n'est avant tout que parce que c'est la mère, ou le père, de ses enfants seulement.

Isabelle de Dieudonné leva les épaules en signe d'impuissance.

— Si la famille est à ce point essentielle — et elle l'est —, pourquoi est-ce que je passe tout mon temps à l'éviter ou, pire, à entrer en conflit avec elle ? C'est depuis toujours le premier repère, et celui qui me restera fidèle jusqu'au dernier moment… jusqu'à mon dernier souffle, soupira-t-elle en se retenant de pleurer.

Après que j'eus volontairement laissé passer un temps de silence afin de lui permettre de se reprendre, je fis quelque chose qui me surprit : je posai la main sur la sienne. Tout son corps palpitait.

Je gardai la main sur la sienne quelques instants… jusqu'à ce qu'elle émette un long soupir, une longue expiration, comme si tout son corps se relâchait.

Elle recula enfin son bras, puis reprit une position bien droite, fermement assise sur la chaise.

— Au fait, quand désirez-vous aller rencontrer votre homme ? demandai-je avant que nous nous levions pour regagner nos chambres.

— Nous ne sommes pas venus faire du tourisme sur l'île, n'est-ce pas ? Ni vous ni moi. Départ demain matin vers onze heures, ça vous va ?

Isabelle de Dieudonné avait instinctivement repris sa fourchette sur la table à côté de son assiette et gardé son couteau bien serré dans l'autre main, comme des armes potentielles. Son corps tendu était prêt au combat.

Je la trouvai tout à son avantage dans cette posture inédite de guerrière.

7.

À peine avais-je refermé la porte de ma chambre que la sonnerie musicale du téléphone retentit; puisque personne, y compris Leslie, ne connaissait encore le nom de mon hôtel, je pensai que la réception m'appelait pour régler un détail relatif à notre installation.

— Bonsoir, monsieur LeBlanc. Raymond Van de Wedde. Je suis heureux de vous trouver. Ne tournons pas autour du pot, voulez-vous? Votre enquête a-t-elle démarré, est-elle engagée sur de bons rails?

— Vous savez bien que nous venons tout juste d'arriver, laissez-moi au moins le temps de sortir mes affaires de mes valises, répondis-je, un peu agacé.

— Je voulais seulement vous encourager. Maintenant que vous êtes « au contact », il n'y a plus une seconde à perdre. Quand avez-vous décidé de rencontrer Horace?

— Eh bien, justement…

— Ah! au fait… comment va Isabelle de Dieudonné?

— Vous parlez exactement comme elle: elle non plus ne désire plus perdre la moindre seconde du temps qui lui reste à vivre!

— Alors, tout est parfait si j'ose dire; encore une chose, n'oubliez pas de prendre des photos d'Horace Christophoros, et, si possible, « en action »… pour les illustrations de votre livre à venir.

L'occasion m'était offerte comme sur un plateau.

— À propos de livre, pourquoi ne m'avez-vous pas parlé de celui qu'a trouvé Isabelle sur un banc, en contrebas du quai de la Tournelle

— Ah ! elle vous a raconté cette histoire ? Et vous y croyez, vous, à cette belle fable ?

— Elle m'a dit que vous connaissiez ce livre !

— Quand j'ai compris qu'elle *voulait* croire à cette histoire, je suis rentré dans son jeu, voilà tout.

— Mais enfin ! Ce livre, il existe ? Isabelle m'affirme l'avoir lu !

— Elle l'a lu, ou peut-être l'a-t-elle rêvé ? Vous, personnellement, avez-vous vu — *de vos yeux vu* — un exemplaire de ce prétendu bouquin ?

— Je n'ai pas eu le temps de le lui demander, mais c'est un « détail » que je comptais évidemment vérifier.

— Eh bien, vérifiez, vérifiez ! comme vous dites... mais ne vous égarez pas à votre tour sur de fausses pistes, ou, si vous préférez... ne vous laissez pas endormir par des contes à dormir debout. Restez rationnel ! je vous en prie.

— Évidemment, ne suis-je pas médecin avant tout ?

— Nous ne l'oublions pas, en effet, alors prenez garde à ne pas lâcher Isabelle d'une semelle, vous devez l'accompagner à chaque étape de son traitement et nous faire un compte rendu circonstancié des méthodes qu'utilise l'homme que vous savez... Je vous demande de m'appeler chaque soir, et ceci quelle que soit l'heure, pour me rapporter précisément tous ses faits et gestes, je vous ai laissé le numéro de mon portable personnel, n'est-ce pas, rappelez-vous que cet appel quotidien fait bien partie du « contrat ».

— Je n'avais pas oublié ce point particulier... je m'apprêtais à vous appeler.

— Alors, encore une fois, tout est parfait, bonne nuit à vous, monsieur LeBlanc... et à demain...

« C'est drôle, pensai-je — mi-inquiet, mi-souriant —, il ne m'a pas souhaité de "faire de beaux rêves"... »

8.

La fin de la matinée était déjà étouffante, la température extérieure affichait les trente-trois degrés. Je songeais qu'il nous faudrait nous réorganiser pour adopter des horaires adaptés.

À ce moment, tandis que nous rentrions dans la jeep, Isabelle déclara :

— Nous allons devoir nous lever plus tôt si nous voulons profiter à plein de nos journées !

« Au moins nous sommes en phase côté timing », me dis-je en décidant de ne pas transformer cette coïncidence en « signe ».

Nous longeâmes le bord de mer en direction du sud.

Isabelle de Dieudonné conduisait la décapotable avec un plaisir manifeste. En short et tee-shirt, bandeau rouge sur le front et paire de lunettes de soleil sur les yeux, elle ressemblait ce matin-là à une touriste lambda parmi les quelques milliers que comptait encore l'île au mois de septembre.

À voir son allant et sa détermination, il était difficile de l'imaginer atteinte par une « longue et pénible maladie » — et surtout « condamnée à brève échéance ». De temps à autre, de façon imprévisible, elle laissait échapper une grimace en redressant le dos. Elle me jetait alors un regard sur le côté pour essayer de deviner si j'avais perçu quelque chose. Rarement je l'ai entendue se plaindre. Je me demandais comment elle pouvait endurer son calvaire. Moi, un rhume suffisait à me démanteler. Je n'ai jamais cessé de me poser des questions à ce sujet.

— C'est à côté de l'hôtel Dionysos, la petite rue qui descend, nous renseigna un passant avec des gestes de la main.

La maison faisait partie d'un petit groupe d'habitations blanches presque identiques et ne se distinguait en rien de ses voisines.

Ce n'était en aucun cas la demeure excentrique d'un milliardaire illuminé, comme je m'y étais plus ou moins attendu.

Nous garâmes la voiture à proximité, puis, non sans un peu de nervosité, nous allâmes jusqu'au seuil de la maison, constitué de quelques marches et d'un petit perron.

Isabelle, d'abord — timidement —, moi, ensuite — plus fermement —, nous avons frappé le heurtoir en fer forgé contre la plaque métallique vissée au centre de la porte.

Aucune réaction perceptible ne provint de « l'autre côté ». Nous poussâmes la curiosité jusqu'à nous coller contre l'une des fenêtres pour tenter d'apercevoir l'intérieur de la maison. On pouvait distinguer la cuisine qui donnait sur un espace de séjour avec un canapé et deux petits fauteuils en osier, un coin pour la salle à manger avec une table et six chaises bien ordinaires.

Rien de très opulent ni de très excitant.

— Là ! fis-je en poussant légèrement ma voisine du coude. Nous pouvons contourner la maison par ce chemin et aller sur la plage en attendant, suggérai-je. Nous pourrions faire quelques brasses. Ensuite, nous verrons où il en est, puis nous aviserons.

Nous empruntâmes le petit sentier qui longeait la maison sur la droite pour rejoindre la plage ; sur la grande terrasse qui faisait face à la mer et prolongeait l'arrière de la maison, nous distinguâmes de loin la silhouette longiligne d'une personne entièrement vêtue de blanc et qui était penchée sur un vieil homme presque nu, couché sur ce qui était probablement une table de massage.

— Qu'est-ce qu'on fait ? demanda Isabelle de Dieudonné.

— Je ne sais pas. Il semble occupé. Sûrement prodigue-t-il quelques soins à sa façon. J'ai bien envie de prendre une photo au téléobjectif.

Le regard méprisant que me jeta Isabelle me détourna instantanément de mon projet.

Si Isabelle avait très judicieusement songé à emporter une serviette de bain et une bouteille d'eau fraîche dans un sac de plage, mon sac à dos en toile ne contenait, lui, qu'un carnet de notes et quelques crayons, ainsi qu'un appareil photo et un dictaphone de poche.

À l'instant, je me débarrassai de mon short et de ma chemise, et décidai de me lancer à l'eau en slip.

Isabelle m'observait en souriant.

— Venez ! criai-je en trempant un pied dans l'eau, elle est chaude et elle est… douce.

— Allez-y, je surveille notre homme.

Malgré mon insistance, elle ne voulut pas se baigner. J'étais déjà dans l'eau depuis un moment quand je réalisai qu'elle ne souhaitait peut-être pas se dévoiler devant moi. C'était légitime, les deux opérations qu'elle avait subies pour le traitement de son cancer du sein — Raymond Van de Wedde m'avait parlé de ces épisodes d'autant plus douloureux qu'ils avaient été inutiles — avaient dû nécessairement laisser quelques séquelles.

« Crétin ! » me dis-je alors que je plongeais sous l'eau en espérant y noyer ma maladresse et ma honte.

Quand je revins sur le sable, notre homme semblait toujours occupé à masser son patient. Il était plus d'une heure de l'après-midi, le soleil tapait dur, et nous ne pouvions rester au soleil à son zénith plus longtemps.

À peine la décision prise d'aller déjeuner à la taverne de l'hôtel Dionysos — à deux pas de là —, nous remarquâmes que table de massage, massé et masseur avaient soudainement disparu.

— Ils ont fini, je crois.

— Il était temps, je suis en train de fondre !

Lui saisissant l'avant-bras, j'entraînai résolument Isabelle en direction du sentier.

9.

Nous abordâmes la maison de notre homme par l'arrière en piétinant la pelouse bien maigrichonne de son jardin : le gazon poussant si près de la mer souffrait immanquablement d'un excès de sel, de soleil, et d'un manque d'eau.

Aussitôt que nous posâmes un pied sur la terrasse, la grande baie vitrée coulissa.

Horace Christophoros, en chemise et pantalon de coton blancs, pieds nus, apparut, un plateau à bout de bras, qu'il vint poser délicatement sur une petite table ronde de jardin. Il était très difficile de déterminer exactement son âge : si l'expérience de la vie se marquait nettement dans quelques rides bien dessinées de son visage, toute son allure reflétait aussi la souplesse et la vigueur d'un jeune homme.

— Une boisson fraîche semble s'imposer avec cette chaleur. Je suis désolé de vous avoir fait attendre, déclara-t-il avec un large sourire.

Sa voix était d'une incomparable douceur.

Il parlait le français comme un Français.

Isabelle et moi, nous échangeâmes un regard interrogateur.

— Vous nous attendiez ? fit-elle, étonnée.

— Je vous ai aperçus sur le petit chemin qui descend vers la plage ; quand je vous ai vus commencer à remonter, il y a quelques secondes, j'ai su que vous reveniez pour me voir, j'ai décidé alors de préparer une boisson fraîche pour vous accueillir.

Le torse redressé, il semblait très content de ses déductions.

— Allons au fait : je suis votre homme, Horace Christophoros, énonça-t-il distinctement en nous tendant l'un après l'autre la main.

Vous, vous êtes madame Isabelle de Dieudonné, et vous, monsieur LeBlanc. Je suis ravi de vous rencontrer. Ne soyez pas surpris, j'ai un ami qui m'a prévenu de votre passage.

Et comme nous le dévisagions avec perplexité, il ajouta sur un ton légèrement provocateur :

— Un ami... *pratiquant.*

— Un ami pratiquant... *parisien* ? surenchérit Isabelle.

— Imaginez ce que vous voulez, mais vous pouvez aussi supposer que je regarde de temps à autre le *Journal du soir* sur la télévision française, comment dans ce cas ne pas vous reconnaître ? Même monsieur LeBlanc, d'ailleurs, il me semble, n'est pas un inconnu du petit écran.

Il nous désigna des fauteuils en osier pour nous inviter à nous asseoir, et Isabelle de Dieudonné prit place face à la mer.

— Vous êtes admirablement situé, lançai-je un peu gauchement pour amorcer la conversation.

— Vous ne croyez pas si bien dire. Savez-vous que, selon les récits mythologiques, la déesse Aphrodite, née de l'écume, a jailli — tout armée de sa pure beauté — dans une crique située à seulement quelques kilomètres d'ici ? Oui, dit-il, j'ai la chance de vivre au paradis. Puis-je vous servir un verre de citronnade maison ? De l'eau et du citron. Avec un soupçon de sucre de fruits.

J'acceptai avec empressement ; un court silence s'installa pour permettre à chacun de se désaltérer.

— À Chypre, on passe bien plus de temps à boire qu'à manger, dit-il, amusé. Avez-vous fait bon voyage, êtes-vous bien installés ?

— Merci. Nous logeons à l'hôtel Athéna, et nous serions bien délicats si nous n'étions pas entièrement satisfaits, répondis-je.

Après ces quelques formules de civilité, il fallut bien amorcer la partie « délicate » de notre visite. Puisque je sentais Isabelle sur la réserve, comme absente — restée silencieuse depuis qu'elle s'était assise face à l'étendue marine, contemplant fixement l'horizon —, c'est moi qui parlai le premier. Je décidai de jouer service minimum : je lui fis comprendre qu'Isabelle était venue spécialement — *expressément* — de Paris pour le rencontrer, et qu'en tant que médecin et « proche », ma « mission » était de l'accompagner.

Horace Christophoros écoutait en hochant la tête.

Un hydrojet passa tapageusement au loin en rebondissant lourdement entre les vagues ; l'entretien s'interrompit. Il y eut un long moment de silence, puis Isabelle de Dieudonné prit la parole.

Elle amorça son histoire trois ans plus tôt, en commençant par raconter la fatigue inhabituelle, la découverte brutale de son cancer du sein, les traitements successifs, les radiations, puis les opérations, les séjours à l'hôpital, puis les examens que l'on continuait à lui faire subir, les doutes, et une rechute, l'abattement, les médecins qui semblaient gênés, les douleurs, la souffrance, le désespoir, la guérison que l'on n'évoquait jamais, et puis enfin l'aveu, il y avait trois semaines de cela : les métastases s'étendaient vers une autre région du corps. Finalement, il y avait l'évolution fatale « à moyen terme » inéluctable...

— On me donne un an... peut-être plus... peut-être moins...

Elle était au bord des larmes.

— Je viens vous voir en désespoir de cause. Je vous en prie... vous représentez mon ultime recours, avant...

Elle éclata soudain en sanglots, le corps secoué de spasmes violents.

Tout à coup, en un élan, elle se leva et alla se jeter aux pieds d'Horace Christophoros.

J'étais bouleversé par l'angoisse et les souffrances de cette femme intelligente, qui semblait tellement sûre d'elle-même seulement quelques mois auparavant devant les caméras de télévision. Je me demandai une nouvelle fois ce qu'elle était venue chercher exactement ici. En ce moment précis, Isabelle de Dieudonné aurait dû se trouver en milieu hospitalier, entourée par une équipe médicale spécialisée, et soutenue par la tendresse de toute sa famille. Il fallait être au bord du néant pour apprécier la pauvre mise en scène de ce guérisseur vêtu de blanc des pieds à la tête comme un gourou de carnaval. Elle se prosternait pourtant à ses pieds, entièrement à sa merci.

Une colère immense m'envahit. Je n'avais plus qu'une envie : la prendre par le bras et la ramener au plus vite jusqu'à l'aéroport pour lui permettre de reprendre ses esprits.

Mais l'autre raison de ma présence en ces lieux s'imposa à moi, et je me persuadai que si j'étais venu à Paphos, c'était aussi et peut-être surtout pour témoigner. Isabelle était adulte, responsable, et elle avait choisi sa route en ayant bien toutes les cartes en main ; je me devais quant à moi d'observer, puis de rapporter des actes et des faits précis, et ceci, dans le but, j'en étais certain, de repousser une fois pour toutes hors du domaine scientifique — c'est-à-dire l'univers rationnel des phénomènes mesurables, reproductibles, explicables — ce type d'expériences aventureuses, illusoires et pour tout dire dangereuses.

Isabelle de Dieudonné resta de longues minutes prostrée, la tête posée sur les genoux d'Horace Christophoros qui ne fit pas d'autre geste que de lui lisser calmement les cheveux en lui chantonnant très bas quelque mélodie, sur le rythme d'une berceuse. Quand elle se fut calmée, il la releva doucement, lui servit un verre de citronnade qu'elle but par petites gorgées, à la manière d'une chatte avec son lait. Il l'aida enfin à s'asseoir.

— Je suis désolée, murmura-t-elle en se mouchant.

Sa voix était celle d'une petite fille.

Horace Christophoros se tourna vers moi et me dit :

— Vous êtes en colère, monsieur LeBlanc, et je le suis aussi ! Il est anormal, inadmissible même, qu'une personne dans son état doive en venir à quitter son pays pour trouver de l'aide. Les médecins l'ont abandonnée. Ils lui ont fait comprendre qu'ils n'avaient rien à lui proposer, sinon une fin inéluctable, bombardée au surplus par des radiations inutiles — et ceci, dans quel but ? Prolonger sa vie, à elle, de quelques semaines, et se donner bonne conscience, à eux. Mais, dans un cas comme celui d'Isabelle, nier pour elle la possibilité — même infime — d'une guérison équivaut exactement à la condamner à mort, êtes-vous d'accord avec cette assertion ? Que feriez-vous si vous étiez à la place d'Isabelle de Dieudonné ? Est-ce que vous n'iriez pas chercher de l'aide en Alaska, ou jusqu'en terre Adélie s'il le fallait ?

J'avais deux attitudes possibles à ma disposition. Je pouvais lui dire vertement ma pensée en lui faisant remarquer que son discours revenait à remettre en cause la simple possibilité de *dire la vérité au malade* — et lui révéler peut-être par la même occasion pourquoi Raymond Van de Wedde me payait —, mais cette solution risquait de le braquer d'entrée et par là même de tout faire capoter, ma mission, certes, mais aussi l'ultime espérance d'Isabelle. Par égard pour elle, je choisis la deuxième voie ; je me calmai avant de lui répondre sur un ton professionnel :

— D'après les statistiques scientifiques mondiales, moins de un pour cent des personnes atteintes par des maladies réputées incurables guérissent spontanément. Moins de un pour cent, cela n'apparaît plus dans les statistiques. Certains tiennent absolument à appeler ces exceptions des « miracles » ? Ne serait-ce pas plus juste de parler d'un immense désastre ? Que faites-vous alors des plus de quatre-vingt-dix-neuf pour cent autres ?

— Laissez-moi vous répondre par le ici et maintenant : il y a six années de cela, un homme a consulté les différents services de cancérologie de l'hôpital Villejuif, ils ont diagnostiqué une forme particulière de leucémie, un cancer à évolution rapide, foudroyante, fatal à court terme. Les médecins lui ont néanmoins conseillé un lourd traitement chimiothérapique. Il a refusé tout net. *Normalement*, dans son cas, selon l'abondante littérature médicale, toute personne serait décédée dans un délai de un an en moyenne — avec ou sans traitement. Écoutez-moi : *l'homme qui était installé juste avant votre arrivée sur la table de massage, sur cette terrasse que vous touchez en ce moment même de vos pieds, est précisément cet homme-là.* Non seulement il vit toujours — et même très bien —, mais les analyses sanguines qu'il a fait faire il y a encore six mois n'indiquent plus aucun taux anormal.

« Je vous raconte cette histoire d'autant plus facilement que je ne suis intervenu en rien dans sa guérison : il est venu me rencontrer pour la première fois il y a environ trois ans afin de me rapporter son "aventure". Après avoir entendu parler de mes "méthodes peu orthodoxes", il vient me "consulter" deux fois par an pour me parler de la métamorphose de sa vie, car une expérience comme la sienne, affirme-t-il, vous chamboule l'existence des pieds jusqu'à la tête, il me demande aussi par la même occasion de bien vouloir le masser. Je lui ai demandé ce qu'il avait entrepris pour guérir, et il m'a seulement répondu : "Rien, j'ai simplement décidé que je n'avais pas de cancer" ! Mais tout cela vous semble évidemment extravagant. Ses médecins ont prétendu contre toute vraisemblance que, six ans auparavant, ils avaient commis une erreur de diagnostic.

« Cet homme s'appelle Homère. Il est aussi devenu mon ami. Homère Majorka a pris une chambre au Dionysos, juste à côté d'ici.

« Isabelle, allez donc lui rendre une visite de ma part, il vous racontera sa vie beaucoup mieux que moi, et je suis sûr qu'il a deux ou trois petites choses à vous apprendre qui pourraient vous être utiles. »

Horace Christophoros se leva, avança vers le bord de la terrasse et contempla longuement l'horizon en silence.

Isabelle de Dieudonné semblait absente. J'imaginais qu'elle flottait dans un monde parallèle, peuplé de spectres épouvantables, de trépassés, de sorciers et de druides, de promesses de guérisons spontanées et de rédemptions fantasmagoriques.

— J'accepte de vous prendre en consultation, madame de Dieudonné, déclara notre homme, comme s'il avait pris le temps de réfléchir, en se tournant vers elle.

« Quelle chance ! », ne pus-je m'empêcher de penser.

Il tendit la main à Isabelle avec une expression particulière dans le regard qui incita celle-ci à lui tendre la sienne en retour afin qu'il l'aide à se relever.

— Merci, dit-elle.

Alors, il fit quelque chose qui dépassait tout ce que j'aurais pu imaginer : il se saisit d'un petit couteau tranchant et effilé qui traînait sur la table et en posa la pointe sur l'avant-bras d'Isabelle.

Intrigué, je m'approchai.

— Je vais vous faire une entaille, vous allez saigner un peu, lança-t-il à Isabelle en la fixant dans les yeux. Êtes-vous d'accord ?

— Oui, répondit Isabelle sans hésiter.

La scène se déroula de façon tellement soudaine — me sembla tellement irréelle — que, comme hypnotisé, j'y assistai sans réagir le moins du monde.

Il enfonça la pointe du couteau dans la chair et étendit la coupure sur six à sept centimètres. Quelques gouttes de sang perlèrent de l'incision. Isabelle restait de marbre, regardant fixement les yeux d'Horace, comme engourdie par une transe profonde.

Puis, brutalement, l'homme abandonna sa patiente et disparut dans la maison.

Il revint quelques instants plus tard avec un simple linge blanc qu'il noua grossièrement autour de la blessure.

— Je vous demande de revenir me voir un matin à six heures, aussitôt que le miracle aura eu lieu, c'est-à-dire le lendemain même de la cicatrisation, rendez-vous qui inaugurera officiellement le début de votre... thérapie. En ce qui concerne les prescriptions, pour le moment, ajouta-t-il : si jamais vous revenez jusqu'ici, n'oubliez pas de vous munir d'une serviette de plage et de votre... maillot de bain !

Puis, remarquant ma mine ahurie, il me fit un clin d'œil qui se voulait complice.

— Des millions de miracles ont lieu chaque jour sans que nous en ayons conscience ! À chaque seconde, des virus de rhumes et de grippes sont expulsés, des os cassés se ressoudent, des débuts de cancers sont résorbés, parce que le corps dispose d'une intelligence infinie. Il est conçu de façon à *s'au-to-ré-parer* ; il sait où et comment doser ses propres remèdes. Il autorégule en permanence sa température intérieure, il procède à des réajustements d'équilibre incessants en buvant, en se nourrissant, en urinant et en déféquant et aussi... en faisant l'amour... ou en se repliant sur lui-même... car corps et esprit constituent le plus parfait des laboratoires pharmaceutiques. Le corps n'a nul besoin de drogues extérieures. Il les fabrique lui-même. C'est aussi le meilleur médecin qui soit, car se connaissant si j'ose dire « de l'intérieur », et donc ô combien intimement, son diagnostic est toujours approprié. En voulez-vous la preuve ?

« Pour l'incision, je me suis servi d'un couteau colonisé comme vous le savez par des millions de bactéries, et j'ai recouvert la blessure avec un mouchoir ordinaire. Comment l'intelligence du corps va-t-elle réagir face à ces agressions ? Et comment va-t-elle les résoudre ? Elle doit non seulement repousser les bactéries, mais aussi recoudre la peau. Osera-t-elle ces deux miracles ? Laissons-la décider. »

Il nous poussa hors de chez lui en ajoutant :

— Oui, des guérisons miraculeuses ont lieu chaque jour à l'intérieur de chacun d'entre nous, à notre insu. Ce qui est anormal, c'est qu'un jour notre guérisseur personnel cesse de réparer.

Pourquoi?

10.

Je pris le volant pour le trajet de retour qui se fit dans un silence religieux jusqu'à l'hôtel, chacun de nous réfugié dans ses pensées.

Isabelle de Dieudonné gagna directement sa chambre. Je me fis servir quant à moi une salade à la grecque à la taverne de l'hôtel, au bord de la plage.

Mais je picorai distraitement. Les événements que je venais de vivre m'avaient bousculé. La démonstration d'Horace Christophoros était implacable. Je voyais bien où il voulait en venir : combattre le doute et le scepticisme des malades qui venaient le consulter en leur donnant la possibilité de changer leurs croyances — au départ, très timides — à propos des pouvoirs de l'autoguérison. En démontrant par l'exemple — et un exemple s'appliquant à leur corps *propre* —, il ouvrait une brèche, offrait une chance à partir de laquelle le traitement — *quel traitement ?* — pouvait débuter.

Je me demandais ce qui se passerait si par hasard la blessure s'infectait ? Comment réagirait-il ? Appellerait-il un médecin ? l'hôpital ? Mais je savais bien que les probabilités pour que cette malchance se produise étaient quasi nulles. Nous avons en nous des anticorps intelligents qui agissent la plupart du temps efficacement.

La plupart du temps…

Installé sur une chaise longue, bercé par les vagues, à l'ombre d'un palmier accueillant du jardin, je fis ensuite une petite sieste, que je devinais être une coutume du pays, de façon à laisser passer les grosses chaleurs. À mon réveil, il était plus de cinq heures de l'après-midi.

Je rentrai dans « mes appartements », allumai mon ordinateur portable, créai un nouveau fichier texte — l'amorce de mon futur best-seller —, et y relatai les premiers événements survenus en terre de Chypre, ainsi que mes premières impressions lors de ma rencontre avec le maître illusionniste, docteur ès manipulations.

Avec le recul — et à la réflexion —, je jugeais l'accueil d'Horace Christophoros théâtral et sa mise en scène légèrement truquée. Il nous avait bien eus. Son « Introduction à la méthode » était bien étudiée ; moi-même, j'avais failli m'y laisser prendre. Pourtant, malgré ses talents, pouvait-il prétendre guérir tous les gens qui venaient le consulter ?

Je me préparai à téléphoner à Leslie que je n'avais pas encore appelée depuis mon arrivée à Paphos, mais le combiné sonna au même instant. *Naturellement*, c'était elle !

Immédiatement, au ton et au débit de sa voix, je sentis qu'il était arrivé quelque chose. Leslie m'apprit que notre fille avait fait une embardée en vélo, ce qui lui avait valu une large et profonde blessure tout le long de l'avant-bras. Avant qu'elle n'ait eu le temps d'ajouter un mot, je l'interrompis par une question :

— Ça s'est produit tout à l'heure vers treize heures, en tout début d'après-midi ?

— Oui, fit-elle, surprise.

— Et c'est bien le bras gauche, n'est-ce pas ?

Elle répondit de nouveau par l'affirmative.

— Sébastien, comment sais-tu tout cela ?

— À la même heure, Horace Christophoros a pratiqué volontairement une incision sur le bras d'Isabelle de Dieudonné, sans autre raison que de lui démontrer que son corps guérirait la blessure sans aucune aide extérieure. Mon cerveau a fait une association d'idées, voilà tout.

Il y eut un long silence à l'autre bout de la ligne.

La simultanéité des deux événements nous invitait à la méditation.

— Ne t'en fais pas, m'entendis-je déclarer, Horace Christophoros a raison : cet *incident* va se réparer tout seul, le corps est assez intelligent pour faire ce qu'il faut en pareil cas. Comment va son moral ?

Leslie me passa Emily qui se tenait à ses côtés ; je conversai avec ma fille pendant quelques minutes pour la consoler. Je lui dis que je pensais très souvent à elle, que je savais qu'elle était courageuse, que je n'allais pas tarder à rentrer, qu'elle avait eu de la chance, en un sens, que rien ne soit cassé, qu'elle devait désormais se montrer plus vigilante en vélo, et que je n'avais aucune crainte puisque j'avais la certitude absolue qu'elle guérirait vite. Je lui envoyai aussi plein de bisous sur son bras. Je lui promis de lui téléphoner tous les soirs.

Leslie reprit le combiné téléphonique.

— Dis-moi, chéri, tout à l'heure, est-ce que j'ai bien entendu ? Tu as prononcé distinctement ces mots : *Horace Christophoros a raison ?* Est-ce que tu lui fais déjà confiance, aussi vite ?

Je lui fis comprendre que j'appréciais moyennement son ironie, qu'elle ne devait pas tout confondre, que j'avais seulement proféré une évidence — comme un « oracle d'Horace » ; et aussi, qu'elle me manquait déjà, ainsi que notre fille.

Heureusement, elle ne me posa aucune autre question.

Je téléphonai à Raymond Van de Wedde, sur le numéro direct de son bureau à Genève et, bizarrement, m'en tins à quelques très vagues généralités — je lui tus évidemment l'épisode de la « saignée » dont j'étais peu fier — et prétendis que nous avions seulement pris rendez-vous pour le lendemain ou le surlendemain — oui, en fait, nous devions le rappeler —, le rapport avait été cordial mais assez bref, pour le moment purement professionnel.

Préférant aussi garder quelques surprises en réserve, je m'arrangeai pour éluder chacune de ses questions et écourter l'entretien.

Après avoir raccroché, j'allai frapper à notre porte mitoyenne, à côté du coin salon… sans réponse… Je me rendis alors sur la terrasse dans l'espoir d'apercevoir sa silhouette par la baie vitrée… et sonnai enfin, en sortant de ma chambre, à l'entrée de la suite d'Isabelle… toujours sans résultat… Pour ce deuxième soir, j'aurais beaucoup aimé dîner en sa compagnie, je ressentais déjà comme une vague nostalgie de nos timides épanchements de la veille… et, surtout, me taraudait l'envie de lui poser quelques questions, de celles qui n'arrêtaient pas de me trotter dans la tête depuis la conversation dans l'avion — au sujet notamment d'un certain livre qu'en priorité je voulais pouvoir consulter et lire...

Après avoir dîné, j'appelai le numéro de sa chambre... une nouvelle fois en vain. Je commençais à être légèrement inquiet — n'étais-je pas censé aussi assumer envers elle un devoir de surveillance? J'allai frapper à sa porte... sans aucune réaction.

Je descendis jusqu'à la réception pour me renseigner: un mot m'y attendait.

Sébastien

J'ai passé une mauvaise après-midi — très cafardeuse, assez angoissée —, je vais maintenant un peu mieux. J'emprunte notre « quatre-roues » pour aller voir Homère Majorka à l'hôtel Dionysos. J'ai besoin de lui parler. Je ne sais pas quand je rentrerai; j'espère que vous n'aviez pas envie de sortir pour faire un tour; dînez donc sans moi, puis passez une bonne nuit...

À propos: le « miracle » a déjà eu lieu.

Dès demain, nous retournons chez Horace Christophoros.

Rendez-vous à cinq heures et demie à la voiture!

Isabelle.

Je m'endormis très vite. Du bruit provenant de la chambre d'Isabelle me réveilla en pleine nuit. Il était presque deux heures. En dressant l'oreille, je crus entendre une voix masculine.

Homère Majorka?

À mon profond étonnement, je passai le reste de la nuit sans pouvoir me rendormir, comme aux aguets, épiant le moindre bruit en provenance de la chambre voisine.

Je dois l'avouer, mon *agitation* de cette nuit-là ressemblait beaucoup à un médiocre et très banal sentiment de jalousie.

11.

Nous frappâmes plusieurs fois le heurtoir contre la porte. Manifestement, Horace Christophoros dormait encore. Nous dûmes le tirer du lit. Il vint enfin nous ouvrir, encore engourdi et les cheveux ébouriffés.

— Heureux de constater qu'un miracle de plus a eu lieu si vite ! dit-il en s'effaçant pour nous inviter à entrer.

S'inquiétant de la plaie d'Isabelle, il l'entraîna vers la cuisine, se pencha sur son bras et ôta soigneusement le pansement improvisé. Il l'examina et hocha la tête, satisfait : l'incision s'était bel et bien refermée.

Ensuite seulement il leva la tête vers nous, en nous adressant un sourire magnifique.

— Vous m'avez pris au dépourvu, dit-il. Je suis rentré après minuit d'une partie de pêche. Je vous propose de revenir me voir dans vingt minutes. Le temps pour moi de préparer le petit-déjeuner. La plage est juste en face — vous connaissez l'endroit —, faites quelques brasses, mais, surtout... n'y prenez pas de plaisir !... c'est un médicament ! D'ailleurs, autant vous avertir tout de suite, cette recommandation *fait partie* du traitement et devra se répéter systématiquement avant chaque consultation.

Il fit glisser la porte-fenêtre coulissante et nous fit passer sur la terrasse. Là, il parcourut la ligne d'horizon d'un large geste du bras et déclara :

— Tout est énergie dans l'Univers. Ce que vous voyez dans votre champ visuel n'est pas seulement la mer. Cette énergie cosmique — appelée « eau de mer » par l'homme — nous reconnecte directement à nos origines — et à la source. Nous avons tous entendu dire que le corps humain est composé à soixante-quinze pour cent d'eau, mais saviez-vous que le sérum physiologique dans lequel baigne chacune de nos milliards de cellules — celles qui organisent notre corps — est de même composition chimique que l'océan ?

« L'homme descend du singe ? Peut-être, mais bien plus exactement, plus *fondamentalement*, l'homme descend du poisson, ajouta-t-il, amusé, en nous poussant résolument en direction de la plage. »

Bizarrement, la situation se trouvait inversée.

Isabelle de Dieudonné portait un maillot sous une robe légère qu'elle enleva prestement avant d'entrer dans l'eau. En la regardant discrètement, je constatai la maigreur excessive de son corps.

En ce qui me concerne, outre le fait que je n'avais pas pris de maillot, je n'avais nulle envie d'obéir à la première injonction venue de monsieur Christophoros, surtout pour plonger à cette heure matinale dans une eau que j'imaginais glaciale, rafraîchie par la nuit.

Tandis que j'observais Isabelle en train de nager de bon cœur, je ne pus m'empêcher de songer à notre relation. Elle ne m'avait quasi plus adressé la parole depuis la veille en début d'après-midi. Elle percevait sans doute intuitivement que quelque chose clochait dans le rapport que j'entretenais avec Horace Christophoros ; peut-être aussi m'en voulait-elle de ne pas adhérer totalement à sa démarche.

Je me demandais comment nous allions « coopérer » dorénavant, elle et moi.

Horace Christophoros apparut sur la plage avec un large peignoir de bain en tissu éponge vert tendre qu'il passa délicatement sur les épaules d'Isabelle.

Un petit-déjeuner digne des meilleurs établissements nous attendait à notre retour : thé et café, jus d'orange, céréales, œufs, figues, raisins, melon, yaourts, fromages, poisson…

Nous prîmes place autour de la table de jardin.

Nous goûtâmes chacun selon nos envies en nous concentrant intuitivement sur nos sensations. Le bruit régulier du ressac sur les rochers voisins provoquait la suspension de nos pensées ; nous n'avions du reste nulle envie de parler… tout semblait parfaitement à sa place, harmonisé, comme un de ces trop rares instants suspendus de pure félicité.

Curieusement, moi qui détestais me lever tôt d'habitude, je me sentais en pleine forme. Une énergie inhabituelle fusait dans mes veines.

La baignade matinale avait manifestement ravivé le corps endolori d'Isabelle en colorant notamment son visage d'un teint rosé qui faisait plaisir à voir.

— J'ai trouvé l'eau et cette baignade tout simplement délicieuses, Horace, c'était une excellente idée, merci à vous, dit-elle après un long moment de silence.

Notre hôte se saisit d'une grappe de raisin et se mit à en détacher chaque grain l'un après l'autre et à les déguster méthodiquement, en nous observant tous les deux. Une abeille venue le rejoindre tourna autour des fruits; il sembla la fixer un court instant... L'insecte n'insista pas et préféra poursuivre sa course, à la grande satisfaction d'Horace.

Celui-ci sauta sur l'occasion pour tenter avec nous une démonstration:

— Une abeille ne « voit » pas « des raisins », pas plus que « des arbres » ou « des fleurs » ; ni même « la mer », ou « des hommes »... Elle évolue parmi un magma d'énergies vibratoires. Elle perçoit des radiations, des couleurs, des lumières et de la chaleur. Notre univers n'est rien d'autre qu'un chaos électromagnétique. La terre, tout comme notre corps — que nous croyons solides — sont traversés de part en part par des milliards de radiations ou particules atomiques. Nous faisons partie intégrante de ces énergies radioactives. *Nous sommes rencontres et collisions d'énergies atomiques en vibrations constantes.*

« Un poète, lui, peut-être, dirait: *Le corps humain est une constellation de points-feux d'où rayonnent les cristaux.*

« C'est ainsi que je n'ai pas besoin de consulter vos résultats d'analyses, ni vos radios. Je perçois en revanche la lumière, les couleurs et les radiations émises par les énergies subtiles de votre corps — certains appellent ce phénomène "aura" —, et celles-ci m'informent sur votre état de santé. »

Et comme, pour le coup, je ne fus pas capable de dissimuler ma stupéfaction, il conclut:

— Et vous n'êtes pas non plus obligés de croire en tout ça !

Isabelle de Dieudonné ôta ses lunettes de soleil avant d'interroger Horace.

— Vais-je guérir ? lui demanda-t-elle à brûle-pourpoint.

— Même si je prenais le temps de vous donner de longues explications, ma réponse ne vous serait d'aucune utilité, et d'abord pour cette simple raison que je n'ai aucune certitude évidemment quant à ce point essentiel.

Elle précisa qu'elle voulait juste savoir si elle avait une chance, c'est tout. Dans l'affirmative, elle était prête à se plier à tout ce qu'il lui demanderait de faire.

— Si je vous réponds « oui » fermement, je vous mens, et si je vous réponds « non », je vous mens également. Entendez ceci : toutes les recherches effectuées sur le pouvoir du mental ont conclu que la volonté de guérir entrait pour peu, voire pour rien du tout, dans les cas de rémissions spontanées. Autre chose : l'acceptation ou non du diagnostic n'entre pas non plus en jeu pour un éventuel rétablissement.

— J'ai toujours entendu dire qu'il fallait y croire, ne pas baisser les bras et se battre contre la maladie, répliqua Isabelle de Dieudonné.

— C'est sûrement préférable, en effet, mais rien de tout cela n'est prouvé. Des gens se battent bec et ongles et perdent la partie. D'autres déposent les armes... décident de tout lâcher... s'abandonnent entre les mains du Grand Tout... et guérissent *miraculeusement*. La procédure de la guérison d'un cancer n'est pas connue. Il nous faut voyager en d'autres dimensions. Adopter un autre espace-temps. Comment votre corps a-t-il compris qu'il devait ressouder la plaie ? Doutiez-vous de la cicatrisation ?

— Non, affirma Isabelle, pas du tout.

— Mais même si vous aviez douté, madame de Dieudonné, même si vous aviez passé toute la nuit à souhaiter avec détermination que la coupure s'infecte, pensez-vous que la puissance de votre volonté aurait pu empêcher la guérison ?

Isabelle et moi dûmes en convenir : sa volonté n'aurait pu empêcher la réparation.

— Avez-vous terminé ? Voulez-vous encore quelque chose à manger ou à boire ? demanda soudainement notre hôte. Non ?

Alors, permettez-moi de débarrasser la table, sinon les lézards risqueraient fort de s'en charger.

Nous nous levâmes tous les trois et, en quelques secondes, la table fut nettoyée.

Une fois revenu sur la terrasse, Horace Christophoros nous demanda d'ouvrir désormais grands nos yeux et nos oreilles, mais aussi notre cœur, et aussi nos poumons, et enfin l'accès à notre centre vital — que nous voulions, selon nos convictions, le baptiser « nombril » ou « plexus solaire » — et enfin pourquoi pas notre « âme » ; et, pour couronner le tout, de mettre nos ressources à tous les trois en commun tendues vers un seul but. Certes, la tâche était loin d'être facile, ses paroles devraient se transformer en actes, et lui, Horace Christophoros — il le répétait — ne garantissait rien.

Il demanda alors à Isabelle de Dieudonné si elle avait décidé de s'en remettre à lui.

Elle répondit par l'affirmative.

— Si vous me faites confiance, vous vous trompez, vous ne me connaissez pas. D'un autre côté — c'est moi qu'il fixait maintenant dans les yeux —, si vous ne me faites pas confiance, vous vous trompez aussi, vous ne me connaissez pas davantage. Oubliez tout ce que vous avez entendu sur moi, les témoignages sont altérés par les systèmes de croyances des uns et des autres.

« *Ceux qui parlent de moi ne savent pas, tandis que ceux qui savent ne parlent pas...*

« Vous êtes journalistes, tous les deux, vous comprenez exactement ce dont je parle. Acceptez simplement de vous forger une opinion par vous-mêmes, n'est-ce pas ?...

« Maintenant — il s'adressa à Isabelle —, soyez rassurée par le fait que monsieur LeBlanc ici présent soit pour le moins sceptique à mon égard, son esprit critique vous protège, en un sens, car vous vous abandonnez entre des mains inconnues. Quant à vous, monsieur LeBlanc — il se tourna encore vers moi —, permettez-moi de vous demander d'être plus vigilant à l'avenir avec celle que vous êtes censé protéger. Pardonnez-moi si je vous chatouille un peu, mais je pensais sincèrement que vous auriez tenté de vous interposer pour m'empêcher d'entailler le bras d'Isabelle en utilisant un vulgaire couteau de cuisine non stérilisé.

N'êtes-vous pas médecin ? Ne serait-il pas légitime dès à présent de vous poursuivre en justice sous le chef d'accusation de "non-assistance à personne en danger" ? »

Je trouvais son raisonnement diabolique, j'admirais comment il avait retourné la situation à son avantage : ce n'était plus lui qui avait commis une faute, mais bien moi — en ne l'ayant pas empêché, lui, de la commettre ! En un habile tour de passe-passe, il avait réussi non seulement à me culpabiliser, mais aussi à m'accuser de collaboration passive, voire de complicité pour « blessure volontaire ».

Mais, puisqu'il me provoquait, je lui répondis qu'il pouvait désormais être sûr qu'à l'avenir j'allais le tenir sérieusement à l'œil et m'opposer avec toute l'autorité nécessaire à la première manœuvre de sa part attentatoire à la santé — ou à l'intégrité physique — d'Isabelle.

Le soleil, qui avait déjà bien entamé sa course ascendante, atteignait une moitié de la terrasse ; nous dûmes reculer nos fauteuils pour trouver l'ombre prodiguée par le petit toit tissé de feuilles de bambou.

Horace Christophoros profita de l'occasion pour aller chercher de l'eau fraîche qu'il nous apporta dans une splendide carafe d'une transparence parfaite au col de cygne gravé d'un monogramme.

Je sentais de nouveau mes résistances à son propos fondre comme neige au soleil. Il était très adroit, le bonhomme. Mais je décidai volontairement de rester vigilant, l'esprit en alerte.

— Avant d'accepter l'aide du premier venu, ne serait-il pas préférable de connaître un peu son histoire ? demanda-t-il en s'adressant plus particulièrement à Isabelle.

« Et rappelez-vous : *nous allons devoir voyager dans un autre espace-temps...* »

12

— Je suis mort à Auschwitz-Birkenau à la fin de janvier 1945…

« J'étais tout jeune médecin. J'avais un cabinet médical à Varsovie et travaillais aussi dans un service de recherche en endocrinologie de l'Académie médicale de Varsovie. Ma femme y était laborantine. Nous avions un tout jeune enfant.

« Un après-midi de la fin de 1943, des membres de la Gestapo sont venus jusqu'au laboratoire. Personne ce jour-là pour me prévenir, m'avertir, j'avais pourtant prévu de nombreuses portes de sortie et autant de scénarios de fuite. Fait comme un rat.

« Tout ce que vous avez lu ou entendu à propos des camps d'extermination nazis est en dessous de la vérité. Aucun mot ne peut rendre compte des souffrances d'hommes et de femmes que l'on a réduits à l'état d'*Untermensch*, dépouillés de leur identité jusqu'à leur tatouer un numéro d'immatriculation à même la peau, les considérant comme des parasites impurs dont il faut se débarrasser à tout prix en les assassinant dans des chambres à gaz.

« On a beaucoup parlé des atrocités nazies, il serait vain que j'en tente ici en quelques minutes la moindre évocation.

« La brutalité et le sadisme des bourreaux qui frappaient — ou tuaient — pour un simple regard trop soutenu, la faim qui nous tenaillait nuit et jour, les combats pour un simple croûton ou pour une cuillerée de soupe, le travail physique quotidien inhumain dans un froid souvent glacial, les nuits sans sommeil, l'épuisement, le manque absolu d'hygiène, les poux, la vermine, la dysenterie, la promiscuité, les humiliations…

« C'est dans ces circonstances tout à fait exceptionnelles que j'ai pu observer une chose remarquable : parmi les épaves humaines que nous étions devenus, il y en avait quelques-uns qui résistaient mieux que les autres aux souffrances endurées. En parlant avec ces détenus extraordinaires — si j'ose dire —, j'ai compris que ce qui les motivait à vivre, c'était qu'ils avaient un but ou plutôt un devoir. Je veux dire : une mission qu'ils considéraient comme sacrée. Pour l'un, c'était survivre pour témoigner des abominations subies afin que celles-ci ne puissent jamais se reproduire ; pour l'autre, c'était retrouver l'amour de sa femme et de sa famille ; et pour un autre encore, aussi inimaginable que cela puisse paraître, continuer à avoir foi en Dieu, à le louer et à lui rendre grâce.

« Dans cet *anus mundi*, une infime lueur d'espoir est née en moi : je me suis juré de sortir vivant de ces enfers pour me mettre entièrement, corps et âme, au service des hommes, au service de l'être humain : transcender mes souffrances actuelles en aidant les affligés et les blessés de toute espèce. C'était un espoir insensé pour les morts vivants que nous étions de croire que nous pourrions échapper à cette industrie de la mort méthodique et organisée… En psychiatrie, on appelle ce phénomène "l'illusion du sursis" — c'est-à-dire que toute personne se sachant condamnée croit qu'elle, au moins, va peut-être échapper au destin. Qu'elle, elle connaîtra un sursis miraculeux. Les autres vont y passer, mais peut-être pas elle.

« J'ai tenu pourtant jusqu'à la libération…

« Quant à moi, ce qui m'a permis de me maintenir en vie, c'est l'image de ma femme. Elle m'apparaissait dans les moments les plus abominables et les plus atroces ; dans les moments où moi aussi je me laissais aller à la tentation de la mort.

« Pour éviter l'insoutenable dureté du réel, je m'échappais constamment dans mon imagination. Je voyais le visage de ma femme qui me parlait d'une voix douce, qui me soutenait avec des mots remplis de tendresse et d'espoir, en évoquant la vie que nous aurions plus tard, avec nos enfants, mon travail, nos recherches. J'entretenais avec elle de longues conversations par la pensée. Ses yeux pétillants d'amour me maintenaient dans un monde d'espérance sans laquelle aucune situation désespérée ne connaîtrait d'issue. Elle m'encourageait à tenir bon, pour elle, pour nous, pour demain, pour ailleurs. Elle m'attendait. Nous allions retrouver un jour les moments que nous avions perdus. C'est grâce à son amour que j'ai survécu. Vous ne pouvez pas imaginer à quel point l'amour peut sauver un homme.

« Je n'ai jamais revu Hanah ni notre petit Friedrich, je n'ai jamais su ni quand, ni où, ni dans quelles circonstances exactement ils avaient disparu ; j'ai préféré ne pas connaître la vérité pour éviter de sombrer dans la folie d'où l'on ne revient pas.

« Je n'ai d'ailleurs retrouvé aucun membre de ma famille : parents, grands-parents, frères et sœurs, engloutis parmi des millions d'autres… seul au monde avec tout à reconstruire.

« Et puis un jour, les soldats de l'Armée rouge sont arrivés et nous ont délivrés.

« C'était presque surréel, cette délivrance. Aucun des squelettes vivants que nous étions devenus n'a manifesté le moindre débordement de joie. Nous n'étions pas spécialement heureux d'avoir survécu. Nous n'y croyions pas. D'avoir encore une vie devant nous ne nous remplissait pas d'allégresse. Certains même ont culpabilisé. La plupart d'entre nous ont erré encore des jours et des semaines, perdus. Et certains ont erré ainsi durant tout le reste de leur existence. Marqués à vie.

« C'est donc à l'extérieur du camp, en me dirigeant vers un hôpital de fortune pour y être soigné, que c'est arrivé. Je me suis effondré, inconscient. Je pesais alors quarante-cinq kilos.

« Je me suis réveillé quelques jours plus tard dans une salle de soins. J'ai sauté en bas de mon lit et tenté en vain de trouver quelqu'un qui puisse me dire si la guerre était finie ; je voulais seulement savoir si je pouvais rentrer chez moi.

« Je me précipite dans les couloirs de l'hôpital et me rends compte que le personnel m'ignore. Je les entends parler, mais eux ne m'entendent pas.

« Je constate que je suis invisible aux yeux des autres, et, encore plus ahurissant, que les personnes croisées me traversent le corps de part en part.

« Je comprends alors que je suis en train de rêver. Bouleversé, je regagne ma chambre et découvre mon corps étendu sur le lit.

Je m'approche, me penche, il n'y a aucun doute, c'est bien moi. Je suis mort.

« Tout à coup, je me retrouve dans un coin du plafond. Je peux observer la chambre du haut de la pièce, je reconnais mon corps physique qui gît sur le lit.

« Au même instant, je suis frappé par une lumière bleue d'une telle intensité et d'un tel rayonnement qu'elle est d'abord insoutenable.

« Progressivement, mes yeux apprivoisent la lumière. Dans ce halo, je distingue une forme humaine à côté du lit.

« Je flotte comme en apesanteur et viens me poser doucement au sol devant cette "créature". Je prends conscience que je n'ai plus peur.

« Quasi en face à face, je comprends enfin que cette "entité" est la source de cette lumière, qu'elle *est* la Lumière elle-même.

« Je me sens devenir elle tandis qu'elle se fond en moi. Je réalise que nous faisons partie du même champ unifié. Je regarde mes mains et je vois les atomes qui la composent vibrer comme un essaim d'abeilles ; un champ énergétique englobe tout ce qui se trouve dans la chambre, mon corps étendu sur le lit, les armoires et tous les objets qui s'y trouvent. Des myriades de molécules se croisent, se mélangent et s'interpénètrent comme les notes au sein d'une multitude de symphonies jouées simultanément.

« Je suis projeté dans le passé de l'humanité, jusqu'à la source, jusqu'au commencement des temps. Jusqu'au vide. Au néant.

« Je voyage dans un espace dont le temps n'est pas la mesure. Là, mes pensées mêmes sont énergies vibratoires. La vie ressemble à des vibrations qui apparaissent et disparaissent des millions de fois par seconde, en chevauchant plusieurs niveaux quantiques.

« Les étoiles, les planètes et les galaxies tourbillonnantes sont similaires à des pensées.

« Je suis au-delà même de la pensée.

« Dans la matrice de la Création.

« L'être de Lumière s'adresse à moi sans parler, et pourtant je l'entends comme à l'intérieur de moi. Son message est empreint d'un amour incommensurable. Cette "créature" est là pour m'aider. Elle m'aime.

« — Vous êtes médecin, me dit-il d'une voix infiniment douce. Vous avez décidé de vous mettre au service des hommes. Vous avez une mission à accomplir : apporter votre expérience, votre humanité pour aider à la guérison de vos semblables.

« — Mais, puisque je suis mort, comment aider les autres dans ce cas ?

« — La mort n'existe pas, c'est une illusion des humains non éveillés. Il s'agit de passer d'une réalité dans une autre.

« Puis il m'invite à le suivre dans un voyage virtuel qui engloberait la VIE dans sa totalité. Du big-bang initial jusqu'à l'expansion des galaxies, de la soupe primitive jusqu'à l'organisation de la matière, de la genèse du souffle divin donnant naissance au premier germe de vie jusqu'à l'apparition de l'espèce humaine sur la Terre. Ce que nous sommes, pourquoi nous le sommes, l'équilibre parfait du monde imparfait ; il m'emmène jusqu'à l'intérieur même des cellules du corps humain, me dévoile les miracles de la nature, je pénètre dans la structure hélicoïdale de l'ADN et je découvre comment l'énergie du Grand Tout se transmue, s'incarne en existence.

« Je réalise que l'être humain est parfait dans son essence. La maladie et la mort n'existent pas. Nous changeons de forme, c'est tout. Les poussières de soleils sont des germes de vie faits d'atomes et d'électrons, elles se dispersent et donneront la vie de nouveau.

« Notre terreur fondamentale — la peur de ne plus exister — crée un déséquilibre en bloquant les énergies vitales et finit par provoquer ce qu'on appelle "la maladie".

« Avant notre naissance, pourtant, avions-nous peur de ne pas exister ?

« Lorsque nous reconnaissons notre immortalité, que nous nous libérons de notre peur, l'équilibre qu'est la santé traverse notre corps de part en part. Nous entrons dans le vaste cycle, dans le rythme de la Création. Nous ne sommes plus seulement un être humain, nous participons de la totalité de l'Univers. Ce que nous avons toujours été et ce que nous sommes fondamentalement. »

Pendant qu'Horace Christophoros dissertait, je lançais des regards furtifs vers Isabelle, mais, manifestement, ses yeux évitaient de croiser les miens.

Jusqu'à quelle extrémité de sa fable exactement voulait-il nous amener ?

Je faisais néanmoins l'effort de garder une expression impénétrablement neutre. Le meilleur moyen de démasquer ce charlatan n'était-il pas de feindre d'entrer dans ses élucubrations ?

Horace Christophoros poursuivait son récit :

— L'être de Lumière me révéla son identité.

« — Je suis l'archange Michael, votre ange gardien. Votre heure n'est pas encore venue, vous avez une mission sur terre : des vies à sauver.

« Comme je le regardais avec stupéfaction, il ajouta :

« — Vous connaissez à présent intimement les secrets de la vie et de la santé. Accomplissez maintenant ce pour quoi vous êtes là.

« Sa silhouette s'estompa dans un halo bleuté. Je tentai désespérément de le retenir, de lui poser des questions sur ce qu'il appelait ma « mission », mais j'entendis à nouveau : "Je suis votre ange gardien, je suis présent à vos côtés, il vous suffit de le savoir."

« C'est à cet instant précis que j'ouvris les yeux, couché sur mon lit d'hôpital. Un médecin et ses deux assistants sursautèrent en me voyant revenir à la vie.

« Vous êtes médecin, monsieur LeBlanc, vous savez qu'après trois minutes de mort clinique — arrêt cardiaque, électroencéphalogramme plat et arrêt respiratoire —, le sujet n'a plus aucune chance d'être récupéré ; après ces trois minutes fatidiques, les cellules du cerveau cessent de fonctionner faute d'oxygène. Même si le cœur repart, les lésions physiques et psychiques sont irréversibles : dégâts de toute sorte, paralysies, amnésies, etc.

« *Or, j'étais cliniquement mort depuis plus de vingt minutes !*

« Les médecins en ont conclu que leurs appareils de mesure avaient eu un problème, qu'ils s'étaient donc trompés sur le diagnostic ; leurs références médicales ne faisaient aucune mention de ce genre de prodige. S'il y avait une explication, c'était dû tout simplement à un constat erroné, c'était la guerre, il fallait faire vite…

« Ils m'ont fait passer toute une batterie de tests pour contrôler les fonctions vitales. Ils m'ont posé des questions sur mon passé, mes études, ma famille, ma survie dans le camp. Tout semblait en place.

« Lorsque, à un moment, je me suis retrouvé seul avec le médecin qui m'avait vu mourir et revivre, je lui ai demandé :

« — Avez-vous vu l'ange ?

« — Pardon ?

« — Pendant mon "absence" de vingt minutes, je suis sorti de mon corps, j'ai flotté jusqu'au plafond, puis, dans une lumière aveuglante, un ange m'est apparu. Je suis descendu et il m'a parlé. Et je lui ai parlé aussi. Avant cela, vous étiez là, autour de moi, je vous ai vu m'enfoncer un tuyau dans la gorge, et tenter de me sauver. Puis l'un de vos assistants, après quelques minutes, a déclaré que c'était trop tard, qu'il n'y avait plus rien à espérer. Je vous ai vus sortir tous les trois, découragés. Puis vous êtes revenu seul quelques minutes plus tard. Et je me suis réveillé…

« Le médecin, un homme d'une quarantaine d'années, grand, athlétique, le visage carré, m'a dévisagé pour la première fois. Il a posé ses instruments sur le lit et m'a sondé en silence.

« Sans doute devait-il me prendre pour un fou. Les séquelles de mon "absence" se révélaient enfin. Pourtant, sa réaction a été étrange.

« — Je m'appelle Fedor Dinovitch, a-t-il commencé d'un ton très bas, comme s'il me confiait un secret. Je dois vous avouer que je ne suis pas troublé outre mesure par votre révélation. J'ai connu personnellement une demi-douzaine d'hommes et de femmes, croyants et non-croyants, qui, comme vous, au sortir d'une mort clinique de quelques minutes, ont déclaré être sortis de leur corps, être passés dans un tunnel, avoir perçu une lumière blanche ou bleue très forte et rencontré un ange qui leur a dit que ce n'était pas encore l'heure de mourir, et qui les a renvoyés sur terre.

« — Qu'est-ce que vous en déduisez ?

« — Nous en avons déduit qu'il s'agissait d'hallucinations dues aux endorphines, anesthésiants créés par le cerveau au moment de la mort. Mais… mais ces témoignages m'ont troublé autant que bouleversé. Comment un enfant de dix ans ou un paysan d'un village reculé, qui n'avaient jamais vu une salle d'opération, ont-ils pu décrire avec une telle précision les différentes phases de l'intervention, toutes les étapes de la réanimation, les instruments ou appareils sophistiqués employés, les flacons de telle ou telle couleur utilisés par les assistants?… Non, a-t-il conclu, cela ne tient pas. Je suis persuadé qu'il existe quelque chose après la mort physique. Mais je dois vous prévenir que je suis le seul à penser ainsi. Et je vous prierai de garder tout ce que je viens de vous confier pour vous. Mais, encore une fois, je vous crois sain d'esprit.

« — Et la rencontre avec l'archange Michael? ai-je prudemment avancé.

« — C'est la deuxième fois que j'entends parler d'un ange. Je ne sais pas. C'est possible. Nous serions entourés d'anges. En tout cas, vous vous en êtes sorti, c'est ce qu'on peut légitimement appeler un… un… "miracle".

« Une infirmière est entrée à ce moment, accompagnée par l'un des assistants qui s'étaient occupés de moi.

« Fedor Dinovitch a immédiatement changé de ton et, sur un air de plaisanterie, a clôturé notre entretien:

« — Votre ange gardien porte bien son nom! Vous êtes un veinard.

« Et il m'a quitté subitement.

« Bien plus tard, quelques années après la fin de la guerre, j'ai tenté plusieurs fois d'entrer en contact avec lui, mais il m'a répondu qu'il ne souhaitait pas parler de "ça". Avec le temps, il avait été promu chef de service d'un hôpital à Moscou… le passé était le passé… on était alors en guerre, dans une situation exceptionnelle d'urgence… les tutelles médicales soviétiques actuelles étaient très sourcilleuses, etc.

« Ma vie a changé depuis "ma mort" et la rencontre avec mon ange. Je me suis spécialisé en cancérologie et me suis totalement consacré à mes malades: je les aide à mieux vivre leurs derniers moments et — pour ceux pour qui il est encore temps — à guérir. Car guérir du cancer fait partie des possibilités de l'être humain. Nous avons en nous un merveilleux guérisseur intérieur: la vie.

« Nos cellules sont programmées pour vivre… éternellement!

« Le reste, vous en avez entendu parler. Je suis mis en cause par la médecine traditionnelle. Par les laboratoires pharmaceutiques qui ne supportent pas l'idée que l'on puisse se passer de leurs pharmacopées. Je suis venu vivre ici, car, ici, je suis en retrait, à l'écart, un peu plus à l'abri ; les autorités me laissent tranquille. Enfin, pour le moment…

« *Mais "on" me poursuit encore.* »

13.

Nous nous étions réfugiés à l'intérieur de la maison. La chaleur était telle qu'il nous était impossible — aux « étrangers » fraîchement débarqués que nous étions — d'affronter la fournaise de cette fin de matinée.

Encore sous le choc provoqué par la solennité et l'intensité du récit, nous étions prostrés autour de la table de la salle à manger, dans un recueillement liturgique. Je ne savais trop que penser de son histoire. Son aspect de conte métaphysique m'avait impressionné. Il m'était arrivé plusieurs fois d'entendre ici ou là un chirurgien évoquer une histoire semblable à propos de l'un ou l'autre de ses patients qui, après être passé en salle d'opération, souvent après une complication ou un incident, s'était réveillé en racontant ce genre de phénomène — le « tunnel », la « lumière blanche ». Mais, en bon scientifique, je savais qu'il existait une explication rationnelle. Tout semblait indiquer qu'Horace avait été victime d'une hallucination due aux anesthésiques, probablement de la famille des opiacées. Sa vie avait peut-être été bouleversée après ce prodige, car il avait interprété celui-ci comme un appel mystique. Au moins, son illusion et ses déductions lui appartenaient-elles. Le point positif à retenir — s'il fallait ajouter foi à toute cette aventure — était qu'à partir de cette expérience décisive il s'était mis au service des autres.

Néanmoins, le trouble que je ressentais trouva à s'exprimer en me poussant à revenir à la réalité par une question somme toute bassement pratique.

— Vous n'avez pas encore abordé avec Isabelle de Dieudonné la question de vos honoraires ? osai-je demander brutalement, recevant en retour un regard incrédule de ma compagne.

— Je ne l'ai pas encore évoquée, parce que la question ne se pose pas. J'ai tout ce qu'il me faut. Je vis de la pêche et du produit de mon potager. Ce que je ne consomme pas, je le donne. Cela me suffit. Il arrive que mes patients insistent pour me dédommager, alors, ils m'offrent des fruits, des céréales, du café, du thé, ou l'un ou l'autre de ces vêtements, comme ceux que je porte aujourd'hui. J'accepte pour ne pas les mettre dans l'embarras. Si par bonheur pour eux ils sont très riches, je leur communique quelques adresses de fondations que je connais *personnellement* et qui utiliseront leur chèque pour les soins et l'éducation des enfants malades ou misérables. Comme vous le constaterez par vous-même, nos échanges peuvent être inspirés par le principe du troc et de l'échange mutuel, principe qui devrait sembler naturel. Maintenant, si vous désirez mener une enquête sur mon compte en banque, vous aurez beaucoup de mal, car je ne suis *client* précisément d'aucune banque, je ne possède aucun autre domicile que cette maison que m'a léguée par testament un malade que j'ai accompagné pendant de longues années, je ne possède pas même d'automobile. Bref, pas d'autres biens au soleil… que le soleil lui-même ! Pourtant, en ayant consacré ma vie au service d'autrui, j'ai reçu déjà bien davantage que tout ce que j'ai pu donner.

Il se tut pendant un long moment.

— Isabelle, si vous décidez de poursuivre un bout de votre route en ma compagnie, je vous attends demain matin à la même heure exactement.

« Quant à vous, monsieur LeBlanc, vous pouvez, si vous voulez l'accompagner, n'être pas d'accord avec mes "procédés", noter, enregistrer — et même *photographier*, précisa-t-il comme en me toisant. Cela n'a aucune incidence sur le résultat !

« Je le répète, encore une fois, nos croyances n'ont aucune influence sur la rémission spontanée d'une maladie jugée incurable. Alors, croyez ce que vous voulez, Isabelle, mais soyez assidue et ponctuelle, quel que soit votre état physique ou psychologique. Mais si, un matin, vous ratez par malheur un rendez-vous pour quelque raison que ce soit, bonne ou mauvaise, ne serait-ce que d'un quart d'heure, nous arrêterons tout. C'est ma seule exigence, et cette condition ne se discute pas. Le traitement prendra le temps qu'il faudra… Je n'ai pour l'instant aucune idée de cette durée. »

Isabelle répondit qu'elle serait désormais fidèle au rendez-vous tous les jours, sans exception. Il lui demanda de ne pas prendre sa décision à la légère, car, si elle était présente le lendemain matin, la cure commencerait.

Nous nous levâmes pour sortir. Au moment où Isabelle passait la porte, Horace Christophoros l'appela et lui souffla :

— Est-ce qu'il vous arrive de prier ?

— Je ne suis pas croyante, répondit-elle.

— Je ne parle pas de prier Dieu, mais de prier tout simplement. De demander votre guérison.

— Mais à qui ?

— L'Univers vous offre le choix. Priez tous les jours, à partir d'aujourd'hui. Les personnes malades qui prient se rétablissent plus vite que les autres. Des études sérieuses et précises ajoutent que les personnes pour qui l'on prie à distance en souhaitant leur retour à la santé — *et même si elles ignorent que l'on prie pour elles !* — guérissent plus vite que les autres pour lesquelles on pourvoit seulement au traitement. Même si vous n'y croyez pas — *et surtout si vous n'y croyez pas* —, pourquoi ne pas tenter le coup ?

— J'essaierai… à ma façon, promit-elle en fixant le sol, embarrassée. Mais je ne sais pas comment m'y prendre. Enfin, j'aimerais mieux savoir à qui m'adresser.

— Priez qui vous voulez… Bouddha, Zeus, Allah, Jéhovah, « la Grande Âme du Cosmos », le Père, le Fils, le Saint-Esprit, ou ses anges… peu importe… Mais priez, priez *en direction de…* Soyez tendue vers quelque chose ou vers quelqu'un… et si vous ne croyez en rien ou que vous ne sachiez pas qui prier… priez donc simplement… votre ange gardien.

Au moment où nous nous apprêtions à sortir, Horace me retint par le bras et demanda à Isabelle de bien vouloir aller m'attendre un très bref instant dans la voiture. Il n'en avait pas pour longtemps.

Il referma la porte d'entrée en ne cessant de me serrer fermement le bras et, brusquement, sans aucune préparation, me demanda :

— Regardez-moi dans les yeux : souhaitez-vous réellement et de tout votre cœur qu'Isabelle guérisse ?

Après le cauchemar oppressant que j'avais fait dans l'avion, je m'étais déjà posé cette question au plus intime de moi-même, et je ne fus pas long à lui répondre:

— Je désire très sincèrement qu'Isabelle guérisse, c'est mon vœu le plus cher, énonçai-je d'une voix claire, en articulant très distinctement. Pour le dire autrement: je préférerais que vous réussissiez, quels que soient les bouleversements et les conséquences qui s'ensuivraient sur mon propre système de pensée... mais permettez-moi d'ajouter que je doute franchement que vous puissiez y parvenir grâce... aux seules vertus des bains de mer...

— Je vous demande d'être son *ange gardien* à vie, déclara-t-il le plus sérieusement et le plus tranquillement du monde.

Je fus tellement abasourdi par sa demande que je m'efforçai de garder une physionomie neutre.

— Et qu'est-ce que cela veut dire?

— Vous devez vous engager à partir d'aujourd'hui à la protéger jusqu'à la fin de sa vie. Cette mission durera quelques mois comme quelques années... ou plus encore. Je ne sais pas comment vous devrez vous y prendre, mais jamais Isabelle ne devra soupçonner que vous avez comme mission d'être son ange gardien. Si vous n'êtes pas d'accord avec cette dernière condition, vous devez refuser.

J'hésitai une fraction de seconde et acceptai, sans imaginer un instant jusqu'où ce serment allait pouvoir me conduire.

Il me réclama de nouveau le secret absolu. Je le lui promis fermement.

— Cela commence à l'instant, répéta-t-il avec un sourire bienveillant... Et j'ajoute qu'elle a bien de la chance de vous avoir comme ange gardien. Tenez, chuchota-t-il en me glissant une petite bouteille dans la main, c'est de *l'huile aux vertus essentielles*. Je vous suggère de lui faire un massage, cet après-midi ou ce soir. Le corps d'Isabelle en a bien besoin. Cela fait partie du traitement: un massage tous les jours. C'est naturellement à l'ange gardien que je m'adresse... et non au journaliste professionnel.

— Je verrai, bafouillai-je, troublé. J'ai bien peur qu'elle ne refuse, et si jamais elle acceptait, je ne sais pas si je saurais comment faire.

— Il n'est pas nécessaire de savoir pour faire, il suffit juste de *décider* de le faire. Une dernière chose : vous êtes vous aussi invité à prier chaque soir pour Isabelle avant de vous endormir. « La prière est une guérison », disait Mahomet, selon l'imam Al-Bukhari. Vous comprenez, qu'il ait dit « *est une guérison* » est une parole profonde, et beaucoup plus exacte que « *guérit* ». La prière est une guérison ; elle ne donne pas la santé, elle *est* la santé[1].

— Alors, minauda Isabelle lorsque je la rejoignis, vous en êtes déjà au stade des cachotteries, Horace et vous ? Je me demande bien ce qu'il a pu vous raconter et ce que vous êtes en train de comploter ?

— Motus… et blessure… recousue !

La jeep fit une légère marche arrière avant de prendre allègrement la direction de la route principale.

Horace Christophoros était resté sur le pas de sa porte en nous accompagnant du regard.

---

1. Guido Ceronetti, *Le Silence du corps*, Paris, Albin Michel, 1998.

14.

Isabelle de Dieudonné roulait comme une possédée.

— Souvenez-vous que vous êtes venue ici pour guérir et non pour nous envoyer directement au fond d'un lit d'un hôpital chypriote, lui soufflai-je à l'occasion d'un arrêt à un feu rouge, avant de me cramponner à la poignée de la portière lorsqu'elle accéléra de plus belle.

Sans ralentir d'un poil, elle hurla pour me demander ce que je pensais d'Horace Christophoros.

Je me posais toute une série de questions à son sujet, et son histoire de « voyage aux frontières de la mort » avait troublé mon jugement. Je ne pus m'empêcher de penser à la « prière » — et à ma charge d'ange gardien —, mais elle voulait tellement y croire que je gardai un silence prudent, d'autant qu'Isabelle avait tendance à accélérer dans les virages — parfois au bord des falaises abruptes qui surplombaient le rivage.

Les escrocs de génie ne sont-ils pas insoupçonnables, justement ? Cette pensée qui m'effleura, je ne l'exprimai pas à Isabelle. En évoquant son passé, Horace Christophoros avait bel et bien brouillé tous nos repères. Raison de plus pour laquelle ma curiosité — le besoin de m'informer, de lire et de connaître tout ce qui était disponible sur le bonhomme — était à son comble.

Une fois la jeep arrêtée sur le parking, Isabelle m'affirma, exaltée, qu'elle avait eu raison de venir jusque vers Horace en suivant son intuition. Elle allait guérir, c'était désormais plus qu'une certitude : une « révélation » !

Je me gardai bien de la contredire — n'étais-je pas son ange protecteur ? — en conservant pour moi doutes et soupçons, et en craignant surtout une grave désillusion, la brutale redescente sur terre, avec toutes les conséquences négatives — dépression, rechute, spirale et tombée vers l'inéluctable terme — qui s'ensuivraient.

Et tandis que, dans le hall, je sentis qu'Isabelle allait une fois de plus m'échapper en s'éclipsant pour l'après-midi, je lui demandai si elle accepterait que nous prenions un thé dans le bar-salon près de l'accueil…

À peine installés dans de profonds fauteuils bas, j'attaquai de front :

— Vous vous souvenez de notre conversation dans l'avion il y a à peine deux jours de cela, *Le Premier et le Dernier Miracle*, ce livre tombé du ciel à point nommé, comme envoyé par un messager du destin, j'aimerais beaucoup le lire moi aussi. Quel en est donc l'auteur ? Vous ne m'en avez rien dit.

— Évidemment, le reste de cette histoire vous paraîtra sans doute difficilement croyable. Le plus curieux, dès que j'ai examiné le livre dans le taxi, c'est qu'il avait été imprimé sans nom d'auteur, sans nom d'éditeur ni d'imprimeur non plus, d'ailleurs, bref, sans aucune de ces mentions légales qui authentifient et valident un témoignage. J'ai montré l'objet à quelques libraires et bibliothécaires, qui ont tous été très intrigués, ils ont consulté d'abord leur mémoire, puis leurs fichiers, les bases de données, tout cela en vain : ce livre semblait ne pas exister, n'avait jamais existé, aucune référence ni cote quelconque enregistrée pour *Le Premier et le Dernier Miracle*. Ce livre était bel et bien un livre fantôme !

— Je vous en prie, dites-moi au moins que vous avez amené ce livre avec vous !

— Mais pourquoi cet intérêt passionné pour Horace, soudain ? Ce livre, puisqu'il m'avait été transmis comme par magie, et qu'il avait déjà joué son rôle, j'ai préféré le passer moi aussi à mon tour, je l'ai laissé bien en évidence sur une table d'un des cafés de l'aéroport. En ce moment, une personne quelque part dans le monde est sûrement en train de le lire, et peut-être cette personne va-t-elle le conseiller ou le donner à une connaissance, à un ami, à un être cher, enfin… à quelqu'un qui en a besoin.

— Mais… un livre que vous ne possédez pas et… qui n'existe pas !… Comment puis-je vous croire ?

— *Le Premier et le Dernier Miracle* est un livre qui a déjà réussi à modifier ma vie, il est apparu comme par enchantement, il fallait qu'il disparaisse de la même façon, vous pouvez comprendre, quelqu'un a voulu me faire un don, je devais moi aussi tenter de le rendre, c'est un échange minimal, et d'ailleurs, à vous... à quoi vous aurait-il servi ?

Si j'insistais, je risquais de dévoiler que j'enquêtais pour le compte de l'OMIP. Par ailleurs, si je lui faisais part de mes trop grands doutes au sujet de son conte à dormir debout, je risquais de la braquer, peut-être de la perdre et du même coup de ne pas tenir mes engagements envers Horace : pour pouvoir être un ange gardien efficace, ne devais-je pas m'efforcer de ne pas m'éloigner d'elle ? Bref, j'étais contraint au silence.

Je m'excusai de l'avoir blessée par des mots inappropriés avant de la raccompagner jusqu'au seuil de son appartement : Isabelle devait se reposer.

— Le livre avait transmis son message, c'était à moi de le transmettre à mon tour... entre... *initiés*, ajouta-t-elle dans l'embrasure avant de refermer la porte derrière elle.

Rentré dans ma chambre, je tentai de faire le point en prenant quelques notes sur mon ordinateur portable au sujet de notre visite matinale. De toute façon, j'avais déjà du papier sur notre homme.

J'appelai Raymond Van de Wedde pour le mettre au courant de l'évolution de la situation : je lui contai l'épisode crucial de la vie présumée d'Horace Christophoros, les radios qu'il n'avait nul besoin de consulter, *voyant subtilement* la maladie d'Isabelle de Dieudonné, et la « prière » qui faisait partie intégrante de la prescription.

Il semblait boire du petit-lait. « Vous voyez bien ! » répétait-il après chaque information.

— Les personnes qui ont perdu l'espoir sont prêtes à tout avaler ! conclut-il.

— Ah oui, j'oubliais encore ce « détail » : chaque visite à son domicile devra toujours être précédée par quelques brasses effectuées devant la plage qui borde sa maison, *et cette demande fait elle aussi partie du traitement* !

— « La guérison… par l'eau salée ! », j'imagine déjà ce titre pour l'un des chapitres de votre bouquin ! C'est parfait comme cela, continuez !

Il m'encouragea à prendre des photos avant de raccrocher, apparemment satisfait.

Je n'étais pas trop fier de mon double jeu. Quelque chose en moi clochait, et cela m'incommodait.

J'observais et je restais pour l'heure entre deux eaux.

Mais j'étais journaliste, et ma tâche consistait à dire la vérité, rien que la vérité, *presque toute* la vérité.

— Alors, Emily, comment se passe la guérison de ta blessure ? demandai-je maladroitement à ma fille quelques minutes plus tard.

— Ça va à peu près, me répondit-elle timidement, mais je préférerais que tu sois ici à côté de moi.

— Je pense beaucoup à toi ; moi aussi, je préférerais être à tes côtés, mais papa travaille, et papa prie pour que tu guérisses encore plus vite.

Mais qu'est-ce qui m'arrivait, tout à coup ? Leslie, qui avait mis le haut-parleur, et entendu le mot singulier, reprit le combiné et me lança sur un ton taquin :

— Tu *pries*, as-tu dit ? Voilà un mot qui ne faisait pas partie de ton vocabulaire. Depuis quand t'es-tu converti ? C'est le contact avec ton gourou ?

— Il nous a raconté toute une histoire fantastique sur sa vie — je te raconterai tout cela en détail — et aussi que des études *sérieuses* ont *prouvé* que les gens malades pour lesquels on prie se rétablissent plus vite que les autres. J'avais le mot « prier » sur la langue. Cela m'a échappé. Mais prier ne veut pas dire implorer Dieu, c'est « penser » à la guérison, comme si on la souhaitait, tu comprends ?

— J'entends que tu es en train de te convertir, insista-t-elle. Mais cela ne me déplaît pas, peut-être vas-tu t'ouvrir à d'autres facultés que tu ne soupçonnais pas jusqu'alors.

Je fis celui qui n'avait pas entendu et lui appris que le traitement d'Isabelle de Dieudonné allait débuter véritablement le lendemain. Je lui tus mon rôle d'ange gardien — j'avais promis le secret — et je me gardais bien — je ne savais pourquoi — d'évoquer l'instruction de pratiquer tous les jours un massage avec de l'huile sur le corps malade d'Isabelle.

Comme toujours, je lui susurrai que je l'aimais et que je l'embrassais avec beaucoup d'amour. Elle répondit tendrement et nous raccrochâmes.

Je passai l'après-midi à me faire dorer au bord de la piscine en admirant l'assurance des belles et élégantes touristes en représentation. Je plongeai quelques minutes dans l'eau, puis m'étendis sur la chaise longue en tentant de chasser une par une les nombreuses pensées contradictoires qui se télescopaient dans mon pauvre cerveau.

Pour ne pas me déshydrater, je hélai toutes les vingt minutes le garçon et lui réclamai jus d'orange sur jus d'orange. Le seul effort que l'on exigeait de moi était que je me penche au-dessus de la note afin de la signer.

Les rayons brûlants du soleil, en pénétrant chaque centimètre carré de mon épiderme, semblaient régénérer mes cellules, m'entraînant petit à petit vers une détente bienfaisante.

Le soir, comme la veille, j'appelai Isabelle et lui demandai si elle voulait dîner avec moi, mais elle refusa en parlant d'une grande fatigue. Elle allait rester dans sa chambre et manger très léger.

Je fus sur le point de me saisir de ce prétexte idéal pour lui proposer un massage, mais je n'osai pas.

Elle me donna rendez-vous le lendemain matin à cinq heures et demie devant la voiture.

— À cinq heures trente-trois, je démarre, m'avertit-elle, que vous soyez présent ou non !

En pleine nuit, le téléphone sonna. Isabelle de Dieudonné semblait extrêmement agitée, comme en proie à une hallucination.

— Venez vite ! dit-elle, il y a quelqu'un sur la terrasse !

Je gagnai promptement sa chambre, tirai les rideaux, fis coulisser la porte-fenêtre et découvris… le fantôme.

— Un pigeon ! annonçai-je en faisant un geste brusque pour le chasser.

— Une colombe, rectifia Isabelle. Regardez, elle s'envole à reculons, en nous faisant face, dressée, les ailes déployées... comme... comme un...

Son visage s'illumina; une apparition avait surgi devant elle qui murmura:

— On dirait... *un ange.*

Tout à coup c'est moi qui fus épouvanté.

Un instant plus tard, je haussai les épaules, et dus me retenir pour ne pas rire de ma propre naïveté. *Un ange!*

Je souris, et Isabelle avec moi. Mais elle avait été effrayée par une «présence» supposée sur son balcon. Son visage étincelait de sueur.

— Vous faites souvent de mauvais rêves?

— Cela m'arrive ces temps-ci, ma respiration est souvent oppressée.

— Ne bougez pas, j'arrive!

Je retournai dans ma chambre et revins avec le flacon d'huile. Je pris place à côté d'elle sur le lit.

— Horace Christophoros m'a demandé... de vous faire un massage... tous les jours... tous les jours que durera votre traitement, bredouillai-je. Je n'ai pas osé vous le proposer tout à l'heure, car j'ai l'impression que vous me fuyez. Je voulais vous dire que je suis avec vous, mais que ma formation médicale et mon métier de journaliste m'ont conditionné: je pose un regard critique sur tout, mais cela ne veut pas dire que je condamne. Je suis prudent, voilà tout!

Nous restâmes un moment à écouter le léger ronflement de l'appareil d'air conditionné, les yeux rivés sur le flacon d'huile.

— Je veux bien, murmura-t-elle.

Elle se leva et diminua sensiblement la lumière de la chambre, étala une serviette de bain sur le lit, se débarrassa de tous ses vêtements, puis s'étendit sur le ventre, en attente.

Moi-même, je ne portais qu'un short, torse et pieds nus. Et j'avais l'air étrangement emprunté.

— Frottez-vous un peu les mains pour les réchauffer, dit-elle pour m'aider.

J'obéis.

— Versez l'équivalent d'une noisette d'huile dans une main, et frottez-vous à nouveau les mains.

J'obéis encore.

Elle ne dit plus rien.

J'hésitai…

Je me penchai enfin et posai avec douceur les mains sur le haut de ses épaules.

Elle tremblait.

Je commençai à la masser le plus délicatement que je pus en tentant quelques mouvements en rotation sur la surface de son dos.

Au bout de quelques instants, elle se mit à sangloter.

Effrayé, je m'interrompis.

— Continuez, je vous en prie, c'est *trop*… délicieux.

Au bout de quelques minutes, je me rendis compte qu'Isabelle s'était endormie.

J'éteignis la lumière de la table de chevet, pris la direction de ma chambre, puis je me ravisai, revins vers elle sur la pointe des pieds, remontai le drap par-dessus son épaule et lui posai un baiser sur le haut de sa poitrine en murmurant :

— Faites de beaux rêves… Isabelle.

15.

Après les séances déjà rituelles — la baignade suivie du petit-déjeuner —, Horace Christophoros nous invita à le rejoindre autour de la table du jardin.

Il tenait à nous confirmer que notre présence matinale ponctuelle — le fait de vivre les commencements de l'aube —, la natation dans l'eau de mer, la prière, le massage journalier constituaient déjà le gros du traitement.

Comme nous ne comprenions pas comment ces simples conseils auraient pu favoriser en quoi que ce soit une rémission éventuelle, il nous expliqua que de petits exposés comme celui d'aujourd'hui — cette première « conférence » improvisée allait avoir comme sujet « l'esprit du corps » — serviraient à l'intégration de la substance intellectuelle — *le verbe* — qui, une fois assimilée, favoriserait une transmutation au niveau du mental qui lui-même enverrait ses *messagers* — les « neurotransmetteurs » — ordonner la guérison.

Enfin, si tout voulait bien se passer… *normalement.*

En bref, *les mots* aideraient l'intelligence d'Isabelle à passer au-delà de la conscience et à rejoindre l'esprit. Et de l'esprit, à ouvrir une brèche dans *le vide, où se trouve la source.* Le *verbe* préparait l'accès à la source.

Mais comme tous les « débutants », notre défaut était que nous voulions aller trop vite.

L'étincelle — *si étincelle il devait y avoir* — jaillirait soudainement !

Pour l'heure, il était trop tôt.

Horace Christophoros parla longtemps pour nous démontrer que le cerveau n'est, somme toute, qu'un véhicule, comme l'est le corps.

Mais qui s'efforce de piloter les deux véhicules en simultané, et si possible en harmonie ?

L'Esprit.

Cependant, on pourrait bien s'exercer à scanner le cerveau sous tous les angles et à l'analyser sous toutes les coutures, le disséquer en long, en large et en travers, on n'y trouverait jamais la première parcelle d'esprit. Ni d'intelligence.

Pourtant, chaque cellule de notre corps est intelligente et contient l'esprit de la personne dans sa totalité. Toute cellule contient à elle seule le corps en miniature et en son entier. L'intelligence est distribuée partout également, jusque dans notre propre système immunitaire dont la fonction essentielle est de nous protéger contre les agressions.

Les cellules communiquent entre elles grâce à un échange chimique complexe. Tout ce qui se passe dans notre corps est retransmis instantanément à toutes les cellules de notre corps. Comme lorsqu'on touche le fil d'une toile d'araignée, et que toute la toile en est informée. Rien ne peut remuer sans faire vibrer l'ensemble.

Chaque pensée est agissante, elle déplace des atomes d'oxygène, d'hydrogène et de carbone dans les cellules cérébrales. Notre corps tout entier réagit à la pensée. Il est démontré qu'une pensée de bonheur, de joie, de plaisir — et inversement de malheur, de tristesse, de souffrance — nécessite la production de neuropeptides et de neurotransmetteurs dans les cellules cérébrales, et toutes les autres cellules du corps en sont informées instantanément.

Chaque pensée entraîne à chaque instant des modifications de la chimie cellulaire qui ne parviennent pas jusqu'à notre conscience.

Pourtant, nos organes « parlent » entre eux, ils ont un système de communication aussi élaboré que notre langage. Nos poumons, notre cœur, nos reins « pensent » et « parlent » aussi couramment que nous. Les cellules ont à leur disposition des milliers de substances chimiques et doivent choisir parmi elles lesquelles sélectionner, en quelle quantité, puis envoyer le « mélange » à tel ou tel organe.

La grande question, encore une fois, est : « Qui décide du choix de tel ou tel ingrédient ? »

La réponse serait l'Esprit.
Mais où se loge-t-il?

Une fois ce premier exposé achevé, Horace Christophoros se leva pour aller dans la cuisine. Isabelle et moi, nous gardâmes le silence, encore interloqués par la question qui clôturait l'exposé: «Qui décide quel ingrédient choisir?» En tant que médecin, jamais je ne m'étais posé ce genre de question. On ne nous avait pas appris à penser, mais à exécuter ce que le *Vidal* conseillait. Un dysfonctionnement quelconque? Vite, le *Vidal*, et on prescrivait. «Pas encore guéri?» Rapidement, on tournait quelques pages pour trouver un substitut. «Vous avez encore mal?» On passait aux analyses plus au moins complexes, pour essayer de faire correspondre le cas à une définition, une symptologie, une catégorie. En cherchant bien, on trouve toujours quelque chose qui ressemble. Alors, on saute sur l'occasion pour essayer la dernière pilule miracle des laboratoires chimico-pharmaceutiques Dupont-Durand. Plus puissante encore que celle des labos Durand-Dupont. La surenchère pouvait durer longtemps. Heureusement, la plupart du temps, le malade guérit de lui-même, et tout rentre dans l'ordre. Alors, on passe au suivant.

Horace Christophoros revint avec une citronnade accompagnée de quelques glaçons.

— Des questions? nous demanda-t-il en nous tendant des verres.

— Ce que vous nous avez exposé est logique, déclarai-je, mais personne ne connaît les réponses.

— C'est exactement la conclusion à laquelle je voulais que vous arriviez. Personne n'a les réponses, pas même le médecin, et encore moins le fabricant de pilules. Le médicament, lui, ne fait que tenter de reproduire de façon approximative la thérapeutique personnelle et intime de notre corps. Alors que le corps lui-même est un laboratoire parfait, avec à sa direction le meilleur chimiste qui soit: l'intelligence.

Isabelle but lentement son verre jusqu'à la dernière goutte, puis, semblant sortir d'une longue rêverie, elle interrogea Horace:

— Comment l'Esprit peut-il nous aider? Et comment tenter de se connecter avec lui?

— Il semble qu'il faille commencer par le lui demander… Par la « prière ». C'est un des moyens. Nous en avons un autre à notre disposition, et nous allons l'utiliser bientôt : la méditation active. Par « active », je veux dire que nous n'en resterons pas au seul stade de la rêverie : notre pensée agit — nous venons de le voir —, elle dégage de l'énergie qui se transforme en chimie. La méditation s'adresse à l'Esprit qui choisit les ingrédients de la guérison. C'est par la méditation que l'on atteint la source où se situerait « le mécanicien de génie » qui orchestre notre guérison : l'intelligence.

Je pense que, à ce moment précis, Isabelle connut un instant de doute à l'égard des « procédés » et des « théories » de l'individu. Elle eut l'air embarrassée par l'importance accordée de nouveau à la prière.

Les croyances d'Isabelle de Dieudonné — Isabelle de Dieudonné, journaliste-vedette de la télévision, cartésienne, efficace, rationnelle, en contact permanent avec toutes les célébrités qui faisaient la une de l'actualité — en prenaient un sacré coup. Qu'est-ce qu'Horace allait encore lui demander ? De s'agenouiller pour implorer Dieu ? Oserait-il s'aventurer jusque-là ?

— Savez-vous que, selon de nombreuses traditions mystiques, le monde continue de tourner à peu près rond simplement parce que des hommes de foi et de prière se relaient nuit et jour pour demander le salut de l'humanité et remercier le Créateur. Sans eux, à l'instant même, privé de ce pilier majeur, l'Univers s'écroulerait.

Isabelle et moi restâmes longtemps songeurs à tourner et à retourner dans nos esprits la signification énigmatique de cette proposition pour le moins audacieuse.

Horace nous tira brutalement de nos rêveries respectives.

— Je vous propose votre première méditation cet après-midi à dix-sept heures à bord de mon rafiot, lâcha-t-il. Nous en profiterons pour prendre quelques dorades.

Et comme nous le dévisagions avec étonnement, il ajouta :

— Ne vous tracassez pas, je vous apprendrai à pêcher.

Me voilà rassuré, tout à coup.

16.

Isabelle ne se sentait pas bien. Elle avait passé l'après-midi couchée et, d'après ce que je pus comprendre en venant la chercher pour aller « méditer », elle se débattait contre la souffrance.

Je lui proposai de remettre la « méditation » au lendemain, mais elle refusa net.

— Un seul rendez-vous raté, et le traitement s'interrompt ! vous vous souvenez, me rappela-t-elle, et il est bien trop tôt pour abandonner déjà.

Le trajet se passa dans un silence absolu. Très affecté, j'avais du mal à dissimuler ma tristesse. Le supplice qu'Isabelle vivait me transperçait le cœur et me laissait sans idée, sans voix, paralysé.

Un mot punaisé sur la porte de sa maison, signé de la main d'Horace Christophoros, nous attendait : il nous invitait à venir le rejoindre sur l'embarcadère face à l'hôtel Dionysos.

— Bienvenue sur mon bateau ! nous lança-t-il en nous tendant son bras pour nous aider à monter dans ce qui ressemblait vaguement à une grande barque au fond de laquelle s'entassaient un filet et divers accessoires de pêche.

Horace Christophoros s'installa à l'arrière, près du gouvernail. Il souriait. Un chapeau en osier et de grandes lunettes de soleil démodées lui masquaient la moitié du visage. Nous prîmes place devant lui sur une planchette des plus sommaires.

Après avoir ôté d'un geste professionnel la corde d'amarrage, notre « capitaine » se pencha sur le moteur et le lança d'un coup. Je compris aussitôt qu'il ne nous restait plus qu'à contempler la mer, car les pétarades du vieux diesel empêchaient toute conversation.

— C'est un peu bruyant ! nous cria Horace Christophoros en soulignant ses mots par un grand geste d'impuissance.

Nous nous contentâmes d'acquiescer de la tête.

C'était la fin de l'après-midi. La surface de la mer, scintillante de myriades d'étincelles, était tranquille et lisse comme un lac. Le bateau semblait prendre la direction du soleil qui, ayant entamé sa descente vers la ligne d'horizon, nous enveloppait d'une clarté délicate à la douceur orangée.

Au fur et à mesure que nous nous éloignions, je sentis peu à peu une paix bienfaisante m'envahir. Quelque chose de rare coulait en moi. Mon corps sans doute se rééquilibrait, laissant derrière lui, là-bas, sur le rivage, des questions, des doutes, des fatalités pesantes et inutiles.

Ici, l'instant était limpide et plein comme un œuf. Dans cette harmonie, je retrouvais l'innocence de mon enfance. *Un enfant voguant vers l'aventure.* Je compris subitement l'infinie distance qui me séparait de la fraîcheur de mes rêves de jeune adolescent.

Je regardai ma coéquipière avec sympathie. Je remarquai un léger sourire qui se dessinait sur son visage. Elle était détendue, elle aussi. La douleur semblait l'avoir lâchée un instant.

Je posai ma main sur la sienne.

— Ça va mieux ?

— Oui, dit-elle sans me regarder. La morphine a fait son effet.

Nous voguâmes une bonne demi-heure sans échanger une parole. Subitement, Horace Christophoros coupa le moteur.

Le bateau poursuivit un moment sur sa lancée, puis s'arrêta lentement.

Horace Christophoros se leva, attrapa le filet de pêche et en tendit une des extrémités à Isabelle qui mit quelques secondes à comprendre qu'il lui demandait de l'aider. Elle se leva enfin et se saisit maladroitement du filet en lui adressant un regard interrogateur.

— À trois, vous le jetez à l'eau sur votre droite le plus loin possible ! lui demanda-t-il d'une voix ferme.

Il compta tout haut et, au moment où il balança le filet pardessus bord, Isabelle l'imita. Elle mit tant d'ardeur dans son mouvement que je dus la retenir pour qu'elle n'accompagne pas le filet à l'eau.

Le réseau maillé — déployé — flotta un instant avant de couler.

— Bravo ! fit Horace en émettant un léger sifflement. Vous saurez pêcher avant la fin de la journée.

Isabelle accepta le compliment en riant de bon cœur. Notre pêcheur remit les gaz et, après une centaine de mètres, immobilisa de nouveau le bateau.

— C'est le meilleur moment pour la pêche, nous expliqua-t-il en baissant la voix. Comme les êtres humains, les poissons apprécient la magie de la fin du jour. Je parle bas, pour ne pas les effrayer, mais je pense qu'ils savent pourquoi nous sommes là. Ils vont s'offrir à nous pour que la vie puisse se poursuivre. Les poissons possèdent cette intelligence cosmique qui nous fait défaut. Ils ne vont pas mourir — rien ne meurt vraiment —, au contraire, ils vont participer à la vaste chaîne de la vie. Ils vont revivre grâce à nous et à travers nous. Une énergie qui s'assimile à une autre : n'est-ce point là l'un des principes fondamentaux de la vie ?

Nous gardâmes le silence jusqu'au moment où le bord inférieur du disque de l'astre du jour toucha la limite entre ciel et mer. Le bateau tanguait à peine, au rythme des légers clapotis qui claquaient régulièrement contre la coque.

À l'instant où le soleil irradia de ses derniers feux, une larme au reflet d'or glissa le long de la joue d'Isabelle. Je sentis mes yeux devenir humides à leur tour. Je n'osai faire un geste pour essuyer mes larmes, troublé par ce qui m'arrivait.

Ma voisine se tourna vers moi et, d'un geste du doigt immensément tendre, elle assécha les perles d'émotion de mes joues.

Honteux, je me cachai le visage, mais Isabelle m'attira dans ses bras, et je m'abandonnai contre sa poitrine.

Le ciel s'assombrissait.

À l'arrière — dans notre dos —, notre capitaine comprenait ce qui se tramait dans le cœur de ses hôtes apprentis pêcheurs. Mais il ne parla pas. Ne fit aucun geste qui pût venir troubler la grâce que nous partagions.

Isabelle et moi.

Le ciel.

Et la mer.

Horace remonta son filet. Cinq poissons s'y débattaient en frétillant. Il les prit délicatement un par un et, après les avoir examinés, en rejeta trois à l'eau.

— C'est le moment de faire demi-tour, annonça-t-il sobrement.

Sur l'embarcadère, au moment de nous quitter, il se pencha vers Isabelle.

— Je vous attends demain à six heures.

Isabelle acquiesça… Elle fit quelques pas en direction de la route, puis elle se ravisa et revint vers lui.

Dans la voiture, sur le chemin de l'hôtel, elle se tourna vers moi.

— Je lui ai fait remarquer qu'on avait prévu d'aller en mer pour méditer, mais qu'on avait oublié de le faire.

— Et?…

— Il m'a répondu que nous n'avions pas oublié.

17.

Ce soir-là, Isabelle et moi dînâmes ensemble. La sortie en mer nous avait rapprochés. Nous étions face à face, attablés près de la piscine, au bord de laquelle un buffet généreux était élégamment présenté. Pourtant, bizarrement, nous manquions d'appétit. Nous contemplions nos assiettes dans un silence figé. De temps à autre, nous relevions la tête pour observer les tables voisines en évitant de laisser nos regards se croiser. Une gêne indéfinissable s'était interposée entre nous. Les gens alentour — dont quelques-uns ne s'étaient pas méfiés suffisamment des morsures du soleil, arborant nez brûlé et visage écarlate — se prenaient en photo, riaient de bon cœur, dégustaient leurs plats composés avec un plaisir manifeste.

— Vous ne mangez pas ?

— Les nuits ont tendance à être trop courtes, je suis très fatiguée.

Elle me dévisageait d'une drôle de façon. Je compris à son regard qu'une idée précise la préoccupait.

— Ne devez-vous pas accomplir une bonne action ? chuchota-t-elle enfin au moment où nous quittâmes la table.

Je souris, me levai… et la suivis.

Devant la porte de sa suite, face à elle, je baissai les yeux. J'étais embarrassé, de nouveau, comme si ce que je m'apprêtais à faire était répréhensible.

Je me détournai d'un rien et lui soufflai :

— Je passe un coup de fil dans ma chambre, et je vous rejoins.

Elle répondit par un léger signe de tête avant de rentrer chez elle.

Avant d'appeler ma femme, je m'assis quelques instants dans un des fauteuils de cuir, songeur. J'avais aussi à rendre des comptes à Van de Wedde… À ce moment, je remarquai qu'Isabelle vint discrètement entrouvrir la porte qui nous était commune.

Je décidai d'appeler ma femme plus tard dans la soirée, et d'envoyer mon rapport à mon « patron » par courriel aussitôt après. Chose curieuse, je constatai que je n'avais nulle envie de confier mes expériences de la journée à qui que ce soit. Ce que j'avais vécu aujourd'hui semblait m'appartenir en propre, comme une intimité à préserver.

Je me changeai rapidement : je passai un polo, enfilai un short propre et, pieds nus, pénétrai non sans nervosité dans la chambre à côté.

Tout était en place pour notre nouveau rituel. L'éclairage de l'appartement était tamisé. Isabelle m'attendait sur le lit — nue — étendue à plat ventre. Une nuance orangée satinait sa peau. Au pied du lit, sur une petite desserte, le flacon d'huile était ouvert.

Comme elle me l'avait conseillé lors de mon premier essai, je me frottai d'abord les mains pour les réchauffer ; puis, tombant directement du flacon que je tenais incliné, un mince filet de l'oint parfumé coula sur le dos d'Isabelle qui tressaillit. Je m'assis sur le bord du lit, étalai l'huile sur sa peau et me mis à la masser en silence.

Rapidement, ma position se révéla inconfortable et, un peu confus, je dus grimper sur le lit pour m'agenouiller à côté d'Isabelle. Elle ne broncha pas. Elle me laissait faire, les yeux fermés.

Je passais et repassais mes mains sur son corps en m'interrogeant sur le bien-fondé de mon comportement. À quoi servait tout ce tralala ? Moi — médecin et journaliste scientifique —, je passai mon temps à malaxer une femme pour l'aider à guérir d'un cancer. Cette situation était absurde.

— Vous n'êtes pas là, me dit Isabelle sur un ton de reproche. Je ne vous sens pas.

— Vous avez raison, je me demande si j'ai bien fait d'accepter cette mission et… aussi…

— Je n'aime pas l'idée que vous me massiez uniquement par… devoir ? Laissez pour une fois votre mental de côté et tentez d'être présent tout entier à ce moment, vous voulez bien essayer ?

Guère convaincu, je grommelai néanmoins un vague « oui ».

— Je ne vous plais pas, c'est ça ?

— Pardon ?

— Mon corps vous dégoûte ? C'est l'impression que transmettent vos mains. Est-ce parce que je suis malade ? Parce que je vais mourir bientôt ? Ou bien le mot « cancer » vous terrifie-t-il comme une bête féroce ?

J'arrêtai net tout mouvement.

— Je suis trop cérébral, c'est peut-être vrai, répondis-je après un long moment d'hésitation. Je suis désolé. Mon mental a repris le dessus. Je ne suis pas habitué à ce genre de chose. Et puis, je dois aussi l'avouer, caresser le dos d'une femme nue, et jolie de surcroît...

— J'aime mieux cela. Avez-vous jamais pensé que je pourrais avoir envie de faire l'amour avec vous ?

La franchise et la brusquerie de la question me désarçonnèrent un instant.

— Vous n'avez jamais pensé à moi comme à une femme, n'est-ce pas ?

— Si, bredouillai-je. Justement, c'est ce qui me trouble. J'étais rentré dans ma chambre pour appeler Leslie... c'est ma femme. Je n'ai pas pu. Je ne savais pas comment lui dire que j'allais vous retrouver sur votre lit pour vous toucher... ou vous... caresser. C'est un point qui me tracasse, en fait. Si vous ne comptiez pas du tout pour moi, cela ne créerait aucune espèce de problème.

Son visage se détendit, et le reflet d'une légère satisfaction y apparut.

— Alors, faites comme vous le pouvez, mais agissez maintenant, parce que mon corps commence à se refroidir.

Je ne répondis pas et m'appliquai autant que possible. J'étalai l'huile sur son dos et aussi sur ses jambes, mais en évitant les fesses. Mais ce que j'évitais à tout prix de rencontrer attirerait à coup sûr son attention. Je jetais un coup d'œil précis vers certaines de ses courbes... Il y avait malgré tout un problème : elles étaient adorables ! Encore un peu, et Isabelle me reprocherait de les éviter. Mais je ne me sentais pas le cran d'aller y balader les mains. Je me répétais pour bien m'en convaincre que je n'étais qu'un apprenti débutant dans l'art subtil du massage du corps à visée thérapeutique.

Au fur et à mesure de ma progression, je remarquai que je commençais à y prendre du plaisir. Et ma « patiente » aussi. Je sentais ses muscles se détendre un par un, et un murmure de satisfaction contenue s'échappait régulièrement de ses lèvres.

Subitement, elle se mit à parler :

« *Nous... allons... y arriver. Mon père... finira par lâcher... ce n'est qu'une question de temps... quelques mois au plus... après, on se retrouvera... je te le promets... aujourd'hui, c'est trop dur... nous sommes journalistes, pas serviteurs... non... je te le jure... c'est trop tôt... Je ne peux pas... pas maintenant... nous aurons d'autres occasions... La vie est grande ouverte devant nous... nous sommes encore jeunes...* »

Ce n'était manifestement pas à moi qu'Isabelle s'adressait. Elle parlait, elle parlait, mais comme dans un monologue intérieur. Comme pour chasser des fantômes du passé qui la tourmentaient. J'avais ralenti la cadence, et le massage devenait maintenant caresses — de légers frôlements qui l'incitaient à la confidence.

Elle répétait les mêmes mots.

Mais à qui s'adressait-elle ?

« *C'est trop tôt... je te le promets... il va lâcher... nous réussirons alors... nous sommes journalistes... L'avenir est devant nous... je ne peux pas... pas maintenant... juste quelques mois... Non !* »

Elle poussa un cri, son corps se crispa, s'arc-bouta, puis retomba brutalement sur le lit.

Subitement devenu de marbre, le corps d'Isabelle restait sans mouvement aucun. Je contrôlai instinctivement le rythme de son pouls, qui, de frénétique, se calma néanmoins rapidement. Je l'entendais à peine respirer ; Isabelle était maintenant insensible au contact de mes mains, à ma présence, comme prostrée. Je continuai cependant mon massage pendant quelques minutes encore. Le temps qu'elle se calme et s'endorme. Un répit de quelques heures... en paix avec elle-même...

Je soulevai le drap et l'en recouvris délicatement, comme on borde un bébé.

Je sortis sur la pointe des pieds.

Je n'appelai pas Leslie ce soir-là. Je ne rédigeai pas non plus mon rapport à Van de Wedde.

Je me couchai immédiatement, mais, agité intérieurement, bouleversé, je ne parvins à m'endormir que très tardivement.

Ma nuit fut peuplée par des ombres fantastiques et des fantômes qui ne portaient pas de noms.

18.

08 : 41

Je jetai un coup d'œil sur le cadran luminescent du radio-réveil.

Je me levai en sursaut et, bien qu'encore épuisé par ma nuit tourmentée, je compris aussitôt que j'avais déjà plus de trois heures de retard sur le rendez-vous habituel. Je commençai à culpabiliser — n'avais-je pas déjà manqué trois rendez-vous au cours de ces douze dernières heures ? — en me demandant aussi ce qu'Horace était en train, *en mon absence*, de manigancer sur le psychisme et le corps d'Isabelle — ne m'étais-je pas aussi engagé formellement à la surveiller de près, et n'étais-je pas de plus censé être son ange gardien ? — quand je découvris un petit mot glissé sous la porte.

Vous savez bien que je ne peux en aucun cas vous attendre. Je vous laisse récupérer de vos « émotions ». Ne vous faites aucun souci pour moi : je suis entre les mains — ou les bras — de mon « inciseur » ! À tout à l'heure.

Isabelle

Je n'étais pas sûr de goûter parfaitement à son genre particulier d'humour — pourquoi ne m'avait-elle pas réveillé ? — et pourquoi ce besoin de « remuer le couteau dans la plaie » ? Je me sentais pris en faute.

Après avoir ouvert les rideaux, accoudé à la balustrade de la terrasse, je constatai que, pour la première fois depuis notre arrivée, des nuages assombrissaient le ciel. Il faisait gris, et la température était plus fraîche. La mer était agitée et — plaisir inattendu et inédit — le paysage changeait sans cesse de forme et de couleur. Je compris que la contemplation du paradis tous les jours pouvait vite agir comme un puissant anesthésiant.

Ce qui m'apparut à ce moment comme une évidence, c'est qu'écrire un livre sur un prétendu « escroc-guérisseur à l'envergure internationale », élaboré sur une enquête qui n'avait rien d'exceptionnel, et qui pourrait être récompensé par un prix Hermès ! me semblait maintenant complètement risible. Les craintes que nourrissait Raymond Van de Wedde à propos d'Horace Christophoros étaient à la vérité plutôt ridicules. Un ancien médecin, à la faveur des « circonstances historiques », avait vécu une « illumination » ; cet individu vivotait maintenant en enseignant la pêche à quelques malades et leur offrait un peu d'espoir avant la fin… Tout cela semblait bien peu redoutable. Horace n'allait pas révolutionner la médecine avec ses « méthodes ». Ni moi le journalisme avec des « procédés douteux ».

Malgré un petit vent frais, je décidai d'aller prendre mon petit-déjeuner à l'extérieur. J'avais une faim de loup. Je posai sur mon plateau croissants, petits pains au chocolat et yaourt. Plus quelques fruits du pays. Et un litre de café noir pour réveiller le journaliste qui recommençait déjà à s'assoupir.

De timides rayons de soleil parvenaient à percer les nuages pour aller se noyer dans l'immensité marine.

Je sortis mon téléphone portable dernier cri — acheté la veille à la boutique-comptoir de l'hôtel afin de vérifier si ma « carte magique » fonctionnait toujours — et composai le numéro du portable de Leslie. Elle décrocha presque aussitôt et commença par me reprocher de ne pas l'avoir appelée la veille au soir. La petite aussi attendait, car elle disait qu'elle avait « mal à sa blessure ». Je n'étais bien qu'un égoïste qui ne pensait qu'à lui. J'étais finalement bien content d'être à l'autre bout du monde avec une autre femme — jeune, brillante et *désespérée* —, et j'avais sûrement bien d'autres choses à faire que de penser à lui téléphoner.

Après avoir tant bien que mal essayé de la rassurer, je lui confiai qu'il n'y aurait sûrement pas grand-chose à tirer de mon enquête. Horace Christophoros était plus inoffensif que certains de nos illustres médecins. Il *soignait* — enfin, c'était un grand mot — en apportant un peu de réconfort aux malades condamnés par une sentence sans appel. Il les bichonnait, les motivait… il leur remontait le moral. Il n'y a pas grand-chose à lui reprocher.

— Ces attentions me font penser à des soins palliatifs. Dans le cas d'Isabelle, c'est peut-être même ce qu'il y a de mieux à lui offrir… Mais de là à le poursuivre dans l'intention de lui nuire… c'est complètement excessif. J'ai décidé de rédiger un rapport circonstancié pour monsieur Raymond Van de Wedde — président-directeur général de l'Organisation mondiale pour les intérêts pharmaceutiques, OMIP-GENÈVE — et puis de rendre mon tablier. Tu as tout à fait raison : j'ai beaucoup d'autres choses plus intéressantes à faire, et bien plus sérieuses. À commencer par rentrer chez nous au plus vite.

Je promis à ma femme de l'appeler dans la soirée pour lui donner de nouvelles précisions. Nous échangeâmes finalement quelques mots doux avant de nous séparer.

Je montai dans ma chambre, branchai mon ordinateur portable et commençai à rédiger mon rapport quand l'idée me vint : *Homère Majorka*. Cet homme qu'Isabelle avait rencontré et qui logeait à l'hôtel Dionysos… Elle ne m'en avait pas dit grand-chose. Pourtant, cette rencontre avait contribué à forger sa détermination, à lui faire croire possible l'éventualité d'une guérison. De plus, cet homme l'avait raccompagnée la première nuit jusque dans sa chambre ; une voix masculine entendue dans la nuit m'en avait convaincu.

Ma curiosité naturelle reprit le dessus. Je devais en avoir le cœur net. J'allais tenter une ultime démarche, et puis, si celle-ci aussi me menait vers le « flou artistique », je lâcherais tout.

Je fis appeler un taxi.

La réceptionniste de l'hôtel Dionysos appela la chambre d'Homère qui ne répondit pas.

— Il se promène au bord de la mer. D'habitude, il va s'asseoir près des rochers, me dit la demoiselle en m'indiquant la direction de la main.

Je contournai la piscine. Il était près de midi et, malgré la grisaille, celle-ci était prise d'assaut. Les touristes étaient étendus sur des chaises longues, leurs regards abrités derrière des lunettes de soleil qui semblaient superflues par ce temps couvert.

Le vent soufflait fort en bord de mer ; des fauteuils de plage restaient inoccupés. Je cherchais Homère Majorka en scrutant les alentours et en dévisageant chaque homme que je croisais tout en ayant clairement conscience que je ne l'avais jamais rencontré.

J'errai jusqu'au bout de la plage, près des récifs. Je distinguai au loin une silhouette immobile : un homme, en short, le torse nu offert au vent, fixait la mer, assis sur un rocher. Il portait des lunettes noires, lui aussi. J'eus l'intuition que j'avais atteint mon but. Tandis que je m'approchais, il fit un grand geste dans ma direction, comme pour me confirmer qu'il était bien mon homme.

— Je vous attendais, dit-il lorsque je fus arrivé près de lui. Isabelle m'a prévenu de votre visite.

— Comment pouvait-elle ?... Je viens de prendre cette décision moi-même il y a moins d'une heure.

— Appelez ça si vous voulez... l'intuition féminine ?

D'un geste du bras, il désigna la mer en effervescence.

— De simples gouttelettes d'eau qui, accumulées, ont la force de faire échouer des pétroliers, de faire tourner des turbines, de remodeler des côtes. Quel prodige que la nature !

— Oui, repris-je bêtement, quel prodige.

Nous restâmes quelques instants à contempler le chaos des flots en mouvement. Puis, lentement, il tourna son visage vers moi.

— Alors, c'est vous le spécialiste qui faites une enquête sur les guérisons mystérieuses ? lança-t-il en souriant. Je crois que vous ne trouverez rien ici d'intéressant pour votre public, si je puis me permettre, monsieur LeBlanc.

Il se poussa légèrement pour me faire de la place.

— Venez donc par ici, j'ai toujours aimé sentir le contact d'un ami à mes côtés.

— Merci, fis-je, un peu étonné, en m'asseyant prudemment auprès de lui.

Il me désigna une direction à l'horizon.

— Regardez là-bas : un bateau de marchandises — plus de trois cents automobiles de luxe dans ses soutes — s'est enlisé là, parmi les récifs, il y a quatre ans. Un jour de forte tempête. Il a mal évalué les lieux. Les assureurs ont décidé de l'abandonner là ; trop cher pour le désensabler. Ils vont l'oublier, le temps lui fera son affaire. Le temps a toujours le dernier mot. Vous pouvez manger bio, ingurgiter des compléments alimentaires, des antioxydants, entretenir votre santé en faisant du sport, vous accorder des vacances pour évacuer votre stress, pratiquer le yoga, aller vous coucher à des heures raisonnables. Vous pouvez tenter d'éviter tout ce qui peut réduire votre temps de vie, c'est pourtant la vie, qui se fiche éperdument de votre façon de vous sauvegarder, c'est la vie et elle seule qui décide du moment. Nous protégeons notre petite existence pour éviter de la perdre, c'est alors que nous la perdons. La meilleure façon de prolonger notre vie, c'est de la vivre pleinement.

Je l'écoutais avec amusement.

— Belle entrée en matière, dis-je. Êtes-vous philosophe ?

— Je suis désolé pour ce laïus, je ne peux pas m'empêcher de prêcher, c'est une déformation. Peut-être étais-je curé d'une paroisse dans une vie antérieure ? Depuis ma re-naissance, j'ai l'impression d'avoir une mission, celle de « réveiller les consciences ». Mais personne ne veut entendre, peut-être est-ce moi qui ai besoin d'écouter les autres. Je suis Homère Majorka… Je suis ravi de vous rencontrer. Vous êtes journaliste, je crois ? Isabelle m'a beaucoup parlé de vous.

— Je suis heureux moi aussi de vous rencontrer. Par contre, elle ne m'a rien dit sur vous. Je sais que vous vous êtes vus, je pense même que vous l'avez rejointe le premier soir à notre hôtel, mais j'ignore pour quelle raison. Votre ami Horace Christophoros nous a raconté votre guérison spontanée et m'a suggéré de vous rencontrer. Pourquoi ?

Il ignorait la réponse à ce pourquoi.

— Isabelle vit dans un état de confusion existentielle. Discuter avec elle est un réel plaisir, car elle écoute avec une extrême vigilance, mais elle refuse de se livrer entièrement. Elle a un secret en elle. Quelque chose de lourd à porter. Une culpabilité. Qui a décidé de se manifester sous la forme d'un cancer. Il lui faut encore un peu de temps pour analyser et comprendre. Espérons que le choc provoqué par l'annonce de sa mort prochaine jouera le rôle d'un accélérateur de particules…

« Comment chacun d'entre nous réagirait-il si on lui annonçait brutalement sa fin prochaine ? Moi, je le sais, puisque je suis passé par là. J'ai commencé par la nier, la mort. Puis je me suis rebellé.

Pourquoi ? J'ai consacré toute ma vie aux autres, j'ai créé un centre d'écoute antisuicide que je dirige. J'engage des collaborateurs et je leur apprends à écouter la détresse du monde. Moi-même, plusieurs fois par semaine, je suis en faction pour répondre aux appels. J'écoute la mort m'appeler et me parler au téléphone tous les jours. Et puis, par un bel après-midi, c'est elle en personne qui a décidé de venir frapper à ma propre porte. Mais, moi, je n'avais personne avec qui en parler. Je n'avais aucune envie d'en parler à quiconque, à vrai dire. Je savais que personne ne pourrait rien pour moi, sinon moi-même. C'est ce que j'apprends aux auxiliaires qui reçoivent les appels. Je leur recommande d'écouter. Les gens n'ont pas besoin de conseils. Juste d'écoute. L'écoute, c'est de l'amour. »

Une énorme vague se brisa à cet instant contre le rocher pour ponctuer cette assertion, et nous fûmes aspergés. Mes vêtements étaient trempés. Surpris, je restai sous le choc à fixer ma chemise dégoulinante. Homère Majorka éclata de rire. Il caressa son torse mouillé.

— J'étais un peu comme vous à cet instant précis : anéanti par la violence de la sentence !

Il se tourna vers moi.

— Dieu merci, maintenant, nous ne sommes éclaboussés que par de l'eau. Mais ne sommes-nous pas constitués que de liquide ? Venez, rentrons, il semble que le temps n'ait pas l'air de s'améliorer. Mouillé comme ça et avec ce vent, je crains d'attraper froid.

Il se leva et me tendit le bras comme s'il s'attendait à ce que je le saisisse.

Et tandis que je restai à le fixer, interdit, il précisa :

— Pouvez-vous me guider jusqu'à l'entrée ? J'avais oublié ce détail : je suis aveugle de naissance.

Je sentis une pointe de fierté percer dans cette déclaration finale.

19.

Homère Majorka m'invita à déjeuner à la taverne de son hôtel : calamars farcis, huile d'olive, citron... Un vrai délice. Je restai longtemps sidéré par sa révélation, il était non-voyant de naissance ! Et dire que je n'avais rien deviné.

Alors que nous choquions l'un contre l'autre nos deux verres de vin rosé glacé, je lui demandai :

— Comment avez-vous su que c'était moi qui étais en train de vous chercher, près des rochers ? Ne m'avez-vous pas fait signe d'approcher ?

Il rit de bon cœur.

— Vous êtes extraordinaires, vous, les voyants ! Isabelle m'avait prévenu que vous chercheriez à me rencontrer, je vous l'ai déjà dit ! Et puis, j'ai obtenu d'elle qu'elle me livre un secret vous concernant.

— Un secret qui me concerne ? repris-je, piqué au vif. Elle ne connaît aucun de mes secrets.

— Elle m'a révélé la marque de votre eau de toilette. Le vent soufflait de vous vers moi, j'ai perçu quelques émanations — ou effluves — de celui-ci. Les deux indices étaient probants. Ce n'est pas de la magie, mais de la déduction. C'est ma façon à moi de « voir ».

Je restai un instant songeur en pensant à cette incroyable sensibilité olfactive.

Nous restâmes attablés face à face plus de deux heures pendant lesquelles il me relata, dans un long monologue, son expérience de guérison miraculeuse.

— Le jour où un médecin m'a annoncé que je n'en avais plus que pour quelques mois à vivre, une année en étant optimiste, ç'a été une véritable déflagration, un coup de tonnerre qui m'a traversé de part en part. J'étais déjà mort une première fois au monde le jour où j'avais entendu que l'on parlait de moi en utilisant le mot « handicapé » — moi qui n'avais jamais vu les couleurs, comment aurais-je pu savoir qu'elles existaient ? —, et voilà maintenant que l'on m'annonçait un cancer au stade terminal. Cette nouvelle m'a paralysé. Pourquoi le sort s'acharnait-il ainsi contre moi ? Qu'étais-je donc censé payer ?

« Quand je suis rentré chez moi, j'ai constaté toute l'ampleur du désastre. J'allais mourir. Je n'avais rien vu du monde, de ses infinies variétés, rien connu de ses saveurs que déjà le rideau noir tombait.

« Ce jour-là restera gravé dans ma mémoire jusqu'à la fin de ma vie. Des hommes déconnectés de leur humanité peuvent-ils imaginer le mal que peuvent faire les mots qu'ils prononcent ? Le spécialiste m'avait annoncé ma mort imminente comme une simple évidence, un diagnostic inéluctable.

« Mais puisque j'étais non-voyant, peut-être perdais-je moins que les autres... Tout homme est destiné à mourir... ce n'est qu'une question de temps. J'exagère à peine, ces propos résument en gros cet entretien expéditif, car il était *overbooké*, naturellement — pour pouvoir espérer le consulter, il fallait prendre rendez-vous trois mois à l'avance, sauf passe-droit ou honoraires "libres", c'est-à-dire pratiquement sans limites —, comme tout bon chef de clinique ou spécialiste qui se respecte. Vous n'ignorez pas que, pour devenir médecin en France, les carabins font sept ou huit longues années d'études. Mais, durant cette période, savez-vous combien de temps est consacré à la relation humaine médecin-malade ? Non ?... Vous l'ignorez ?... Dans les programmes officiels, *une seule séance de quatre heures*, intitulée pompeusement « Psychologie relationnelle », est prévue !...

« Après quelques jours, donc, une fois le premier choc passé, j'ai réagi d'instinct : J'AI DÉCIDÉ QUE JE N'ÉTAIS PAS CONDAMNÉ. J'ai tout rejeté en bloc : cancer, analyses, examens, médecins, diagnostics, mots assassins... J'ai reconsidéré mon existence depuis le début, mais, cette fois, j'ai décidé d'ouvrir les yeux en grand. Avant mon cancer, je tentais de consoler les personnes dans le malheur, mais le malheur, je ne le connaissais pas. J'étais aveugle. À partir de ce jour, je commençai à comprendre de quoi l'on me parlait. Chaque personne qui appelle SOS SUICIDE a maintenant au bout du fil un homme qui l'écoute. »

Il me confia comment sa guérison avait eu lieu : en une nuit, pendant son sommeil, quelque chose avait transmué sa maladie en guérison.

Il avait eu la *certitude* qu'il était rétabli.

— Une conviction inébranlable qui ne s'explique pas, qui ne se transmet que très mal, qui ne s'acquiert pas non plus. Je me suis réveillé un beau matin avec cette révélation : *j'allais vivre !* Dans cet état d'exaltation, je suis retourné voir mon médecin traitant pour lui faire part de cette certitude incontestable : ma maladie n'avait *purement et simplement* jamais existé ! Le praticien m'a écouté avec prudence, puis il m'a examiné par pure routine. Peut-être m'a-t-il pris pour un fou.

« "Je vous conseille de commencer les traitements sans plus tarder comme prévu par notre protocole. Nier la maladie est chose courante, beaucoup de patients passent par cette phase 'critique', mais les examens sont irréfutables. Désolé, mais il faut savoir regarder la réalité en face, vous devez vous prendre en main."

« J'ai tellement insisté que, pour me calmer et pouvoir me donner tort, ils se sont obligés à refaire des examens complets. Plus que complets : fouillés, approfondis, détaillés, vérifiés, recoupés, car, après les premières analyses, ils ont dû se rendre à l'évidence : *plus de cancer*. Assez vite ils ont rectifié : *jamais eu de cancer*. Il y avait eu erreur d'examens la première fois. Quelque dysfonctionnement de la grande machine administrative hospitalière. "On s'excuse, vous aviez raison."

« En revanche, jamais personne n'a cherché à comprendre d'où était surgie ma conviction, car c'est cette conviction soudaine même qui était suspecte, voire menaçante. Comment avais-je eu l'absolue conviction que j'étais en bonne santé ? Comment ma tête et mon corps le savaient-ils mieux que les médecins eux-mêmes ? Qu'en dites-vous, monsieur LeBlanc ? »

Tout en l'écoutant, je sentais qu'il parlait vrai. Il me semblait sincère. J'avais l'habitude de juger de l'honnêteté des propos à partir de l'intonation des personnes que j'interviewais. Et lui, en outre, n'avait rien à vendre.

Pourtant quelque chose en moi résistait.

Une part inconsciente de lui-même savait pertinemment qu'il n'était pas malade, et cette part obscure l'avait prévenu : une espèce de sixième sens — pourquoi pas ? —, mais cela ne voulait pas dire pour autant qu'il avait eu un cancer fatal qui s'était subitement dissipé comme par magie en une nuit.

— Je crois en ce que vous me racontez, commençai-je. Mais les erreurs d'examens ne sont pas rares, les médecins ne sont que des hommes, et leurs machines et instruments sont à leur service, les premiers peuvent se tromper et les autres se détraquer, avez-vous envisagé cette solution ?

— Et vous, avez-vous envisagé un seul instant la possibilité d'une rémission spontanée ? répliqua-t-il. Je vous comprends, j'étais comme vous, avant.

« Moi, j'ai refusé le diagnostic en bloc. Sans même y réfléchir. Je ne pouvais y croire un seul instant sans que ma tête risque d'exploser.

« "On a dû se tromper de dossier, cela arrive." Mais moi, je savais que je vivais un phénomène seulement explicable dans l'univers imprévisible et a-logique de l'énergie quantique. J'étais le sujet d'une rémission spontanée. Et j'en étais l'instigateur, tant était absolue ma détermination à refuser la maladie. La *conviction*, voilà le secret. Il ne se glissait *aucun doute* dans le fait que j'étais bien portant. Vous comprenez ce que je vous dis là ? Ceux qui guérissent sont ceux qui se lèvent par un clair matin avec la *certitude* qu'ils sont guéris. Mais voilà évidemment le hic : comment acquérir cette certitude ? Tout le problème est là. »

Je pouvais admettre ce qu'il prétendait, mais une drôle d'idée me traversa soudain l'esprit : pourquoi n'avait-il pas la même certitude au sujet de sa cécité ? Je lui posai la question.

— Là, je suis atteint par mes limites. J'ai peur de voir. Je n'ai jamais vu, je ne peux donc pas m'imaginer ce qu'est un voyant. Je n'ai aucun repère. Je ne connais pas votre monde. Je l'appréhende. Il y a conflit. C'est pour cette raison que je viens régulièrement à Chypre. Mes rencontres avec Horace Christophoros ont pour but de régler ce genre de conflit intérieur, lever le doute et installer la *conviction*. Ce qui permettrait — notez bien cet emploi du conditionnel — à la « guérison » d'émerger. Je ne sais pas si je suis clair.

Je lui répondis que son explication était somme toute bien alambiquée. Il y avait eu erreur de dossier et son inconscient avait capté l'erreur. Voilà tout !

Il n'était pas d'accord avec ma proposition. Il fallait avoir vécu ce qu'il avait vécu pour percevoir cette énigme singulière qu'il tentait de verbaliser.

Nous continuâmes la discussion en défendant chacun notre position.

Alors que j'allais le quitter, il me lança un avertissement qui me désarma :

— Votre infirmité à vous, monsieur LeBlanc, s'appelle « l'éducation ». C'est votre effroyable limite. Comme moi, vous n'êtes qu'une particule de l'Univers, particule qui est reliée au *tout*. Vous et moi, Horace Christophoros, la mer, le vent — poissons volants comme oiseaux marins —, nous partageons ensemble les mêmes molécules atomiques. À chaque respiration, vous me respirez, ainsi que toute la Création. Vous êtes moi et je suis vous. Vous refusez cette évidence, mais vous êtes en même temps tenté — ou séduit — par cette idée. Mais, à force de chercher ici et là, un jour vous serez contraint d'ouvrir votre perception au tout, j'espère que vous serez bien préparé parce que ce que vous percevrez alors dépassera votre entendement, c'est-à-dire tout ce à quoi vous vous serez raccroché jusque-là.

« La seule vraie différence entre vous et moi, c'est que, moi, je sais que je suis aveugle ! »

Me revinrent en mémoire tous ces mythes et légendes mettant en scène cette figure de l'aveugle mi-mage mi-devin, à la fois sage et clairvoyant — ce prénom d'Homère, l'aède aveugle, auteur d'épopées — et je me demandais si je devais y ajouter foi.

20.

En longeant la plage et en traînant les pieds mélancoliquement, j'aperçus la demeure d'Horace Christophoros. Je mis instinctivement le cap vers la maisonnette. Je savais pertinemment qu'Isabelle avait quitté les lieux depuis longtemps. Pourquoi alors aller retrouver cet étrange personnage qui prétendait guérir en allant pêcher la dorade ?

Au moment où j'allais frapper, il ouvrit la porte.

— Isabelle est rentrée à l'hôtel au début de l'après-midi, m'annonça-t-il. Je vous ai gardé des gâteaux au miel pour le cas où vous passeriez. Je viens juste de faire du thé. Vous avez déjeuné avec mon ami Homère, je crois ? Entrez.

Il était vêtu d'une djellaba blanche et de babouches sorties des contes des *Mille et Une Nuits*. Un prince oriental. Je lui fis remarquer son élégance. Il se défendit en assurant qu'il s'habillait seulement avec les vêtements offerts par ses patients.

— Ce cadeau provient d'un ministre marocain, précisa-t-il.

J'entrai et me dirigeai spontanément vers la terrasse où un plateau garni de baklavas, de loukoums et d'autres délicatesses semblait nous attendre.

Le ciel s'était encore assombri. Il commençait à pleuviner. La mer était déchaînée.

— Ce n'est pas ce soir que nous allons *méditer* en mer, lui lançai-je sur un ton légèrement provocant.

— Sauf si vous êtes bon nageur ! rétorqua-t-il avec humour. C'est bien que vous soyez venu, j'ai une bonne nouvelle à vous annoncer. Isabelle progresse vers la guérison.

Je gardai le silence tout en maintenant stupidement le regard fixé sur les baklavas.

— Ils sont là pour ça, allez-y, ils ont été confectionnés par le Grand Pâtissier. Vous voyez à qui je fais allusion…

Mon hôte se leva et me servit le thé à la menthe à l'orientale.

— Merci, dis-je, la bouche pleine.

Il me regardait savourer l'un de ses gâteaux avec contentement.

— Présents du ministre marocain.

— Il a décidément bon goût.

Puis je repris un peu brutalement :

— Comment savez-vous qu'Isabelle progresse ?

— Elle est en train de douter, de perdre ses repères. Elle commence à envisager sa guérison comme concevable.

— Comment en êtes-vous si sûr ? On peut affirmer des choses tout en n'étant pas convaincu.

— Elle parle du futur, de *son* avenir, c'est un signe. Mais un conflit existentiel grave l'empêche pour l'instant d'être totalement alignée avec elle-même. Quand le conflit sera levé, la guérison pourra surgir.

— Quel conflit ?

— Ah, ça ! Ses secrets intimes sont enfouis au centre d'un labyrinthe tortueux auquel je n'ai pas encore accès. Elle non plus, pour l'instant. Cela pourrait même ne jamais revenir au jour. Mais j'ai bon espoir. Peut-être d'ailleurs en savez-vous plus que moi à ce sujet.

Je le dévisageai sans comprendre.

— Ne la massez-vous pas ? Vous la caressez, donc vous êtes plus proche d'elle que moi. Le toucher court-circuite le mental. Vous vous approchez du *noyau* retenu prisonnier à l'intérieur des méandres de son psychisme, qui constitue sa personnalité. Ne vous parle-t-elle pas pendant les séances ?

— Non, prétendis-je. Elle ferme les yeux et se laisse faire sans broncher. Ensuite, elle glisse dans un sommeil profond. Je la recouvre alors d'un drap et je quitte la chambre en silence.

Horace Christophoros s'approcha du plateau de gâteaux et choisit un loukoum qu'il savoura avec un plaisir manifeste.

— Pourtant, la caresse… déverrouille… l'inconscient…, articula-t-il difficilement tout en avalant. Cela devrait arriver. Restez en alerte.

On frappa au même instant à la porte. Mon hôte s'excusa avant d'aller ouvrir. Je fus impressionné de l'entendre parler en arabe. Il s'effaça pour laisser entrer les visiteurs. Trois hommes et deux femmes. Des Arabes, évidemment... peut-être le fameux ministre marocain et sa suite, pensai-je. Voilà donc la raison pour laquelle Horace Christophoros s'était accoutré ainsi. Et les gâteaux... Il les attendait ! Pourtant, lui seul était déguisé à l'orientale. Je saluai ses hôtes d'un léger mouvement de tête et me préparais à me sauver quand Horace me retint doucement par le bras.

— Jidah est atteinte d'un cancer de la peau généralisé en phase terminale, m'informa-t-il en me présentant. Depuis qu'elle a accepté de changer ses croyances et présupposés, son mal est stationnaire et — qui sait ? — en voie de régression.

Une jeune femme d'une trentaine d'années aux yeux noirs me gratifia d'un regard d'une immense douceur.

— Monsieur LeBlanc est médecin, lança Horace à la ronde.

Tous m'adressèrent un sourire bienveillant, puis prirent place sur divers sièges de fortune.

Il pleuvait à verse. Ciel et mer fusionnaient. Parfois, quelques minces rayons de soleil à l'éclat métallique traversaient les nuées grisâtres et venaient illuminer quelques instants tel ou tel point de l'horizon.

Horace nous offrit ses douceurs au miel. La deuxième des invitées, connaissant manifestement les lieux, fila dans la cuisine et revint quelques instants plus tard avec un plateau en métal repoussé sur lequel étaient posés une demi-douzaine de ravissants petits verres décorés de fleurs d'oranger dans lesquels elle nous versa le thé.

Tout le monde goûtait à présent les gâteaux avec gourmandise.

Pendant ce temps, Horace Christophoros avait dégagé la partie la plus abritée de la terrasse pour y installer sa table de massage.

Il invita Jidah à s'y coucher sur le dos et à fermer les yeux.

La pluie crépitait contre les cannes de bambou alignées qui les protégeaient contre l'averse.

Horace Christophoros se pencha sur la jeune femme et se mit à passer ses mains très lentement un peu au-dessus de son corps, sans la toucher, en décrivant des arabesques, destinées — précisa-t-il — à « rééquilibrer les énergies ».

Cette pratique que j'assimilais à de la pure et simple escroquerie me mit mal à l'aise.

Je me fis violence pour ne pas intervenir. Cette femme allait mourir. Un mélanome malin généralisé est sans pardon. Toute la médecine le sait. Cette mascarade était indigne. Une soudaine animosité à l'égard de ce charlatan m'agitait intérieurement. À quoi jouait-il ? Je me levai, gagnai le bord extérieur de la terrasse et fixai la mer pour me calmer. Je commençai justement à le trouver plutôt sympathique, à croire que l'OMIP faisait un drame de pas grand-chose, mais là, en cet instant précis, il représentait la caricature de tout ce que j'abhorrais. J'allais déployer toute l'énergie dont j'étais capable pour dénoncer de telles pratiques et l'empêcher de nuire. Il était légitime que le public en soit averti.

La séance dura une demi-heure en passes mystérieuses, pendant laquelle régna un silence liturgique que chacun se faisait un devoir de respecter scrupuleusement.

Les éléments contribuaient à la mise en scène ; la violence des vagues se fracassant contre les récifs, le vent, la pluie fournissaient une atmosphère à la fois électrisante et grotesque.

Je me demandai si Isabelle de Dieudonné avait subi le même sort un peu plus tôt. Décidément, il était bien de mon devoir de l'accompagner partout — *sans la lâcher d'une semelle* — pour la protéger contre elle-même.

Quand Jidah et sa tribu eurent quitté les lieux après avoir gratifié Horace Christophoros de mille vénérables courbettes, je ne pus me contenir très longtemps. J'étais son invité, je le sais, ce n'était guère courtois, mais nous étions seuls et je n'aurais peut-être plus jamais l'occasion de lui balancer ses quatre vérités. Je le priai de s'asseoir et de m'écouter. Il me demanda quelques secondes, le temps de replier sa table de massage, ce qu'il fit avec une lenteur calculée. Puis il disparut à l'étage et revint habillé de façon plus conventionnelle, chemise bariolée, short de plage et espadrilles.

Il s'assit en face de moi sur un tabouret, puis me fixa longuement, comme s'il attendait paisiblement que j'entame ma diatribe.

— Je crois que vous devinez ce que je pense de tout ceci, n'est-ce pas ?

Il resta impassible sans me quitter des yeux.

— Cette jeune fille, Jidah, qui va mourir s'imagine que vos tours de passe-passe vont la guérir, c'est grave de lui laisser croire cela. Il est vrai que c'est tout aussi grave d'apprendre que l'on est condamné, mais, à choisir, je préfère encore la vérité. La vérité est une question de principe, avec laquelle on ne transige pas. Cette femme est atteinte d'un mélanome généralisé, elle est perdue, et vous le savez aussi bien que moi. À quoi riment toutes vos gesticulations ?... Vous y croyez vraiment ?

Il attendit que je me calme un peu avant de me répondre.

— Il semble précisément que vous y croyez plus que moi, commença-t-il calmement. Et tous vos pseudo-spécialistes ont l'air bien persuadés du « mal » que mes méthodes sont supposées causer à autrui. Cela confère du pouvoir à ce que vous appelez mes « gesticulations ». C'est vous qui leur donnez de la valeur. Pour être franc, moi, je n'ai aucune certitude à l'égard de ce que j'entreprends. Je fais. C'est tout. Et s'il arrive que des gens guérissent, ils guérissent grâce à leur propre conviction. C'est une alchimie très subtile, complexe et très délicate. Vos laboratoires ne fabriquent-ils pas d'ailleurs à prix d'or de magnifiques médicaments ne contenant strictement aucune molécule pharmaceutique : vous connaissez la merveilleuse efficacité de l'effet placebo, n'est-ce pas ? Alors, illusions contre illusions...

Je hochai la tête et soulevai les épaules en manière d'impuissance. Il ne m'écoutait pas. Il avait ses arguments tout prêts, bien entraîné qu'il était à se défendre contre les attaques incessantes de la Faculté.

— *Leur foi les a sauvés, en quelque sorte.* Il me semble avoir déjà entendu cela quelque part.

— C'est pourtant ce qui se passe effectivement. Écoutez, monsieur LeBlanc, nous sommes tous les deux médecins, nous marchons en vérité sur la même route, même si cela ne vous apparaît pas clairement. Comprenez bien, je ne suis pas votre ennemi. Chaque jour, la vie m'apporte son lot de tragédies et de désespérances. Je tâche d'alléger à ma façon les malheurs des hommes, comme vous le faites à votre façon en ayant décidé de vulgariser les découvertes scientifiques. Les personnes qui viennent me voir viennent avec leurs bagages, c'est-à-dire leurs croyances, ou appelons-les leurs « illusions » si vous préférez.

Je commence à faire un premier pas vers elles en entrant dans leurs illusions. Cette famille marocaine croit aux énergies subtiles et est très sensible à un certain décorum. Je m'habille en prince arabe. Pourquoi pas? Que font les grands pontes de la médecine accoutrés avec leurs longues blouses blanches, suivis par leur cohorte de béni-oui-oui prenant des notes ésotériques sur leurs calepins? De la magie aussi. Mais ils font partie intégrante de votre système de référence, de vos valeurs, de votre culture. Ne remettez-vous jamais en doute l'ensemble de ce fonctionnement? Avec Isabelle de Dieudonné, je tente d'ouvrir une brèche dans son système de référence. Ce n'est pas chose aisée; comme vous, elle a ses principes, sa culture, sa morale. Vis-à-vis de la guérison, elle oscille en permanence entre un « c'est impossible » et un « je crois en la possibilité d'un miracle ». Elle se bat contre elle-même. Pourtant, il lui arrive l'espace de quelques instants d'oublier ce qu'elle a été, et de vouloir percer un mur vers l'inconnu. Mais son pire ennemi en ce moment n'est pas embusqué au plus profond d'elle-même; son pire ennemi, c'est vous! Votre façon de l'accompagner, même si vous semblez aller dans son sens, la freine dans son « lâcher prise ». Au fond de vous-même, vous ne lui donnez aucune chance, vous l'avez déjà condamnée. Et vous ne pouvez éviter de le lui faire sentir.

J'accusai le coup sans broncher. Le vent redoublait de puissance. Des vagues incessantes frappaient le rivage avec une force inouïe en créant un épais brouillard composé d'une infinité de minuscules particules d'eau en suspension dans l'atmosphère.

— En évoquant le chapitre de la *croyance*, on peut se permettre de croire en tout et en n'importe quoi, répliquai-je. C'est trop simple, comme doctrine. Et cela vous donne l'autorisation de faire ce que vous voulez.

— Vrai. Mais c'est vrai aussi dans « votre camp ». Car n'est-ce pas la façon dont ont toujours pratiqué les scientifiques? Qui peut prouver réellement ce qu'ils affirment? Les mathématiques et les équations ne sont-elles pas des jongleries intellectuelles? Einstein lui-même a fini par le reconnaître vers la fin de sa vie. Il était convaincu de tout pouvoir comprendre, ordonner, calculer, démontrer du cosmos, il professait haut et fort que l'Univers était organisé. Jusqu'au jour où la science a basculé dans l'irrationnel. L'infiniment petit — la physique quantique — a dévoilé que rien n'était prévisible. La façon qu'a un quantum d'apparaître, de se mouvoir et de disparaître est aléatoire. Imprévisible ! La nouvelle physique est d'ordre aléatoire. Cela semble proprement incroyable, n'est-ce pas ? Les prix Nobel acceptent aujourd'hui l'idée que le monde s'accorde de façon hasardeuse ! Et comment cette belle machine humaine se détraque-t-elle ? Et comment guérit-elle ? Je vais vous le dire, moi, même si c'est difficile à admettre : le hasard ! Quelque chose d'infiniment petit, de l'ordre d'une pensée, d'un photon, d'un quantum, file à gauche plutôt qu'à droite. Cela suffit. Pour guérir, c'est un mécanisme semblable. Mon rôle à moi est de donner l'impulsion à l'infiniment petit de filer dans tous les sens, d'explorer toutes les routes de façon à trouver celle qui convient à la guérison. L'impulsion, la force, le moteur qui fait mouvoir le quantum est le *mental*. C'est dans le noyau de la pensée que naît l'infiniment petit. Dans l'imagination, donc dans l'illusion. Les grands scientifiques vous énonceraient la même chose que moi, avec l'aide d'équations pour soutenir leurs thèses. Ce qui est plus étrange avec moi, c'est que c'est sans équations.

Il était fort, le bougre. Il se servait de la science à son avantage pour étayer ses propres arguments. Je connaissais parfaitement la méthode qu'il employait pour se justifier. Quoi que je dise, de toute façon, il aurait le dernier mot.

— Nous avons tous les deux raison dans la façon de défendre nos convictions, mais la différence, c'est que, moi, je donne une chance au « possible » de se manifester. Pas vous.

Nous fûmes interrompus par l'apparition de trois hommes qui vinrent frapper doucement contre la baie vitrée de la terrasse.

— Un autre rendez-vous, cette fois avec des « élèves », dit mon hôte. Je ne peux plus faire face à toutes les sollicitations venant de l'extérieur... Depuis quelques années, à leur demande, je transmets mon expérience. Nous établissons une sorte de relais.

Je ne voulais plus en entendre davantage, je me levai et lui dis qu'il me reverrait *peut-être* avec Isabelle le lendemain matin.

Il me fallait maintenant songer à rentrer à l'hôtel.

J'avais hâte de consigner par écrit le contenu de cette « séance improvisée », puis de la transmettre à Raymond Van de Wedde.

Nous étions bien en présence d'un filou de haut vol.

Mon livre remporterait du succès.

21.

Après que le taxi m'eut déposé devant l'hôtel Athéna, de retour dans ma chambre, j'appelai Isabelle pour prendre de ses nouvelles. À en juger par le ton enjoué de sa voix, elle était en pleine forme. Tout excitée, elle m'annonça que, ce matin, Horace et elle avaient repris le bateau pour aller en mer. Elle avait fait de la plongée sous-marine. Avec masque, tuba et palmes. Des dauphins s'étaient approchés d'elle et, elle, elle avait nagé avec eux !

— Là-bas, au large des côtes, Horace a coupé le moteur, allumé une chaîne stéréo portable et fait jouer de la musique de jazz. Oui, parfaitement : de jazz ! On a attendu une bonne heure, puis une bande de dauphins nous a rejoints. Ils tournaient autour du bateau avec une gaieté espiègle. Nous avons enfilé nos accessoires de plongée et nous nous sommes glissés sous l'eau. La musique continuait à jouer… les dauphins adorent ça ! C'était… majestueux !… difficilement exprimable. Je vous raconterai. Une connexion d'ordre magique s'est produite avec eux, j'en suis sûre, elle a déclenché quelque chose tout à l'intérieur de mon être profond, ce qui permettra peut-être de favoriser une issue positive à ma maladie. Je sens des choses… comment dire ?… je ne sais pas comment expliquer. Demain, vous venez avec nous. Plus question de dormir !

Je reconnaissais certains des mots et expressions d'Horace Christophoros dans la façon qu'avait Isabelle de me restituer son « expérience »… Le conditionnement mental avait parfaitement fonctionné.

— Sébastien, je ne pourrai pas dîner avec vous, j'allais justement partir pour rejoindre l'hôtel d'Homère Majorka, je passe la soirée avec lui.

— Mais à quelle heure avons-nous rendez-vous demain matin ?

— À six heures, comme d'habitude ! Vous le savez bien, pourquoi cette question ?

— Et le massage de ce soir ? Il n'est pas question de le louper.

— Je ne rentrerai pas tard, je viendrai frapper à votre porte. Attendez-vous d'ailleurs à une... surprise !

Isabelle raccrocha avant même que je ne puisse réagir.

Je ne savais vraiment plus ce que je devais penser. De la musique de jazz en compagnie des dauphins ! Et dire qu'Horace ne m'en avait même pas dit le premier mot ! J'avais déjà entendu parler d'expériences avec les dauphins — considérés par certains comme les mammifères les plus proches de l'homme, et paradoxalement bien davantage que les primates —, de tentatives de communication avec eux, d'apprentissage de notre — ou de leur — langage, et même d'accouchements sous-marins en leur présence.

Mais qu'est-ce qu'elle avait bien pu vouloir insinuer avec cette « surprise » qui m'attendait tout à l'heure ?...

J'appelai la réception et commandai une salade grecque et quelques fruits. Je pris une douche, dégustai mon frugal repas en regardant la télévision, puis décidai de téléphoner à ma femme.

Quand Leslie me demanda où en était mon enquête, je faillis m'esclaffer. Mon enquête ? Quelle enquête ? Je ne savais plus dans quel monde exactement j'évoluais. Je lui racontai mes mésaventures en vrac et dans le désordre, et elle dut sûrement sentir que je n'étais pas dans mon assiette. Non-voyant qui voit « autre chose », ministre marocain accompagné de sa smala espérant un miracle grâce aux mystérieuses passes prodiguées par un Horace déguisé en sultan, ésotérique « savoir » se transmettant de maître à élèves, dauphins dansant sur un air de jazz ou de tango, que sais-je ?... et même — je ne sais pourquoi j'eus besoin de le lui révéler —, massages en chambre prodigués par votre serviteur en personne !

À ce moment de mon discours, évidemment, elle voulut en savoir un peu plus. Je pris un ton quasi doctoral pour lui parler de la « mission » un peu particulière dont j'avais été chargé.

— Et alors ?

— Et alors quoi ?

— Qu'est-ce que tu as ressenti?

— Après deux séances, j'ai trouvé l'exercice plutôt… agréable. Nous devrions essayer, nous aussi.

— Elle était nue?

— Pas tout à fait.

— Ça lui a fait quoi, à elle?

— Je ne dois pas être très doué, car elle s'est endormie après quelques minutes et je suis sorti sur la pointe des pieds.

— Mouais…, fit-elle. Moi, je trouve tout ça bien suspect.

— Tu oublies que je suis avant tout médecin. C'est pour un but uniquement thérapeutique.

Nous restâmes longtemps au téléphone. Leslie, qui a les pieds bien sur terre, s'employa avec toute sa bonne volonté à me remonter le moral. « Il y a plein de choses que nous ignorons », me répétait-elle. Mes parents lui avaient téléphoné, ils m'envoyaient des baisers.

— Tu manques à ta mère. Dès que tu seras rentré, elle veut nous inviter pour un bon repas tous ensemble…

Puis elle embraya sur son travail.

— Tu ne devineras jamais ce que j'ai obtenu ?… Une commande pour concevoir l'aménagement et la décoration d'un magasin de vêtements pour enfants de marque internationale, une boutique-test. Si ça marche, je m'occuperai de l'installation des boutiques à venir dans le monde entier : Madrid, Rome, New York, Tokyo, Séoul… C'est moi alors qui voyagerai et pratiquerai des massages à des hommes *presque* nus dans leur chambre d'hôtel. Mais cela restera strictement dans un but… professionnel, bien entendu !

Après m'avoir ainsi taquiné, elle me passa Emily. Son bras allait mieux, il était en voie de guérison. Elle avait eu la meilleure note de sa classe à sa dictée préparée. Elle venait de se faire une nouvelle amie qui s'appelait Nathalie et qui s'occupait d'un poney toute seule. Elle me demanda encore une fois quand je comptais rentrer, puis produisit une série de petits chuintements caractéristiques de ses petits bisous à laquelle je répondis en l'imitant.

Je m'installai devant mon ordinateur portable et j'écrivis un long texte à l'intention de Raymond Van de Wedde, en tâchant cette fois de réaliser un début de synthèse et en décrivant les événements selon leur ordre chronologique. Je lui contai les derniers épisodes en soulignant les passes énergétiques d'Horace Christophoros habillé en calife des califes, l'aveugle qui ne voyait pas uniquement parce qu'il *doutait*, la plongée d'Isabelle de Dieudonné accompagnée par des airs de jazz et les danses des cétacés et — là, surtout, il allait se frotter les mains — la formation d'individus « sélectionnés » qui allaient propager les connaissances du maître afin de soulager les souffrances de la terre. J'ajoutai que je commençais ce soir même la rédaction de mon livre qui relaterait l'enquête depuis son début. Que je sentais bien le sujet et ses divers angles d'attaque, que cet ouvrage pourrait en effet avoir du succès. Je le remerciai encore de la chance qu'il m'avait donnée en me confiant cette mission.

Je me connectai au réseau Internet et, d'un clic, lui envoyai le contenu de mon message.

Puis, grâce au logiciel de traitement de texte, je commençai à taper le début du premier chapitre de mon livre.

Un soir du début de septembre 2000, une suave voix féminine m'annonça qu'elle me mettait en communication avec le président de l'Organisation mondiale pour les intérêts pharmaceutiques, monsieur Raymond Van de Wedde en personne…

Je n'arrivais pas à me concentrer. Mon message… Me revenaient constamment en mémoire les tout derniers mots d'Isabelle de Dieudonné. Une surprise m'attendait ce soir… tout à l'heure… un massage… Je faisais mille et une suppositions ; je mis mon ordinateur en veille, baissai la lumière, m'étendis sur le lit, fixai le plafond les yeux ouverts.

Je l'attendais…

22.

J'étais simplement assoupi, aussi entendis-je distinctement trois petits coups contre notre porte commune. Je me levai d'un bond, passai mes doigts dans les cheveux, ajustai mon tee-shirt et allai ouvrir.

Je découvris Isabelle de Dieudonné, en peignoir, pieds nus, l'index devant sa bouche comme pour m'imposer le silence. Dans l'autre main, elle tenait le flacon d'huile essentielle. Elle entra avec une démarche traînante, langoureuse, et tandis que je refermai instinctivement la porte, elle avait déjà gagné la chambre.

Debout devant le lit — le flacon posé sur la table de chevet —, elle m'attendait. D'un petit signe de tête, elle me demanda de m'approcher. Ce que je fis, non sans appréhension. Lorsque je fus à sa portée, elle leva mes bras, puis ôta mon tee-shirt. Je la laissai faire. Ensuite, elle défit ma ceinture et enleva mon short.

J'étais en slip. Debout devant le lit. Sans doute avec l'air ridicule.

Elle fila dans la salle de bains et revint avec une serviette qu'elle étala sur le couvre-lit. D'un geste tendre, elle m'invita à m'allonger. Je me couchai sur le ventre et fermai les yeux. Je l'entendis se frotter les mains, puis sentis quelques gouttes d'huile tomber sur le creux de mes reins.

Elle s'apprêtait à me masser.

— Hé ! ce n'est pas prévu dans le protocole, protestai-je faiblement.

Elle avait enlevé son peignoir, et m'avait rejoint sur le lit. Je sentais le contact de ses jambes tout contre les miennes. Ses mains, qui me semblèrent brûlantes, se posèrent délicatement sur mon dos.

Ses doigts passaient et repassaient sans monotonie sur mes épaules, mes flancs, mes reins. Elle savait alterner savamment massages, caresses et effleurements.

Après un moment, elle commença à murmurer des phrases remontant de son passé. Mais, comme la veille, il m'était difficile de saisir le sens de ses propos, tant ceux-ci semblaient décousus. Elle se parlait à elle-même, je suppose. Elle marmonnait tandis que je me laissais emporter par les vagues de plaisir qui revenaient à un rythme de plus en plus soutenu. Je sombrais dans de courts moments de rêverie entrecoupés par la voix vaporeuse d'Isabelle, arrivant comme de très loin.

— Tu sais, Sébastien, j'ai été élevée dans une famille aisée. Quand on est enfant et que nos parents possèdent une certaine fortune, on ne se pose pas la question de savoir si on est riche ou non. Tout semble normal: l'appartement de rêve, le mobilier recherché, les vêtements griffés, les repas excellents, les vacances dans des pays exotiques... Mais, à mesure que je grandissais, on tentait de m'expliquer que je faisais partie d'une caste privilégiée. Mes copines d'école évoluaient dans la même bulle que moi. J'ai fréquenté un collège privé puis un lycée privé; donc, je pensais naturellement que tout le monde évoluait dans ce genre de sphère, mais non, je faisais partie de la caste des « privilégiés », il n'y a pas d'autre mot. Ce n'est qu'en rencontrant Marc que je l'ai compris — qu'il existait des différences, des frontières, des distances, des barrières. Et que même l'amour — le grand amour — ne pouvait anéantir totalement le mur de démarcation invisible mais intériorisé de la catégorie sociale. J'étais prisonnière de mon milieu. Moi qui croyais être libre.

« Mon père s'est battu pour réussir. Il a employé son énergie et sa détermination pour abattre ce mur et pour passer de "l'autre côté". Il nous a raconté combien ç'avait été difficile, les coups qu'il avait reçus, et ceux qu'en contrepartie il avait dû rendre. Parce que tu sais, Sébastien, on ne s'assied pas facilement à la même table que celle des élus. C'est un monde bien protégé, bien cadenassé. Les puissants se méfient des arrivistes. Ils tentent de les casser avant qu'ils ne deviennent trop dangereux. Oh! tant que cela ne va pas trop loin, ils tolèrent, mais si jamais on dépasse une limite... alors là... inutile de te faire un dessin. Tu dois bien le savoir, toi aussi, tu es journaliste, après tout, non ? Tu sais tout cela, Sébastien. Tu sais ce que mon père a dû endurer.

« Il a fini par créer sa propre maison de production pour pouvoir réaliser plus vite les multiples idées qui germaient incessamment dans son cerveau. À ses débuts, dans les années 1960, la télévision était encore balbutiante : programmes de "variétés", jeux populaires : combien exactement d'émissions a-t-il animées, favorisées ou réalisées ? Lui-même ne le sait pas au juste ; il créait des émissions, des jeux pour tout public, tu sais, ce genre de shows ou de séries décriés par les élites mais dont raffole le grand public. La majorité des émissions grand public, c'est lui qui les a inventées !...

« La télé, l'argent, le pouvoir. Ces trois-là se côtoient et flirtent très souvent ensemble. Je ne sais pas exactement comment il s'y est pris, tant d'anecdotes, de bruits, de rumeurs, de légendes courent sur son compte, je ne sais pas ce qui est vrai ou faux, lui-même laisse dire et ne prend pas la peine de valider ou de démentir, mais il est sûr qu'il est parvenu à pénétrer dans le saint des saints.

« Il m'a guidé vers des études de communication en me faisant miroiter une carrière éclatante. Et de son point de vue, à lui, il a eu raison. Avec ou sans diplôme, mon avenir était tout tracé. Le monde de l'audiovisuel était prêt à me faire les yeux doux. Je n'ai pas véritablement cherché ma place, celle-ci m'attendait bien au chaud.

« Seulement, un grain de sable était venu enrayer ce projet trop bien huilé : ma rencontre avec Marc. L'amour. Tu sais, le grand amour. Comme dans les contes de fées. Quelque chose qui vous tourmente jour et nuit et qui vous rend fou. Ce genre d'histoire qui vous marque et qui vous brûle à vie, à jamais.

« Au début, ce n'était qu'un flirt d'étudiants. J'avais, comme lui, d'autres relations, des amourettes. Mais, entre Marc et moi, entre nos deux corps, le charme s'est manifesté. Tu sais, notre corps physique est bien plus intelligent que notre mental, ma peau l'a su bien avant ma tête. Quand nous nous abandonnions l'un à l'autre, quelque chose nous transportait au-delà de nous-mêmes. Je ne savais pas que l'on pouvait *faire l'amour* avec autant d'acharnement, de convulsion, de rage... À chaque fois, ç'a été une déflagration et une révélation.

« Nous n'étions jamais repus l'un de l'autre. Je n'ai *jamais, jamais* connu cela à nouveau, avec aucun de mes partenaires après lui. Car il y en a eu un après lui, et puis un deuxième, et puis un autre, et puis d'autres, et puis des partenaires à n'en plus finir. Mon Dieu ! Quand je l'ai perdu, l'angoisse que m'a procurée son absence a été telle qu'elle m'a poussée paradoxalement vers d'autres hommes. Toute ma vie, je l'ai cherché. Je pensais, avec la tête, que j'allais pouvoir le remplacer. Mais voilà, ce sont jusqu'à mes propres entrailles qui portent son empreinte.

« Je l'ai quitté, Sébastien, tu comprends, je l'ai quitté. C'est moi qui l'ai abandonné, moi, *sa femme* ! Quelle infamie ! Nous vivions ensemble dans un tout petit appartement. Mon père m'a coupé les vivres brutalement à la fin de mes études, il voulait me persuader que je devais le quitter… *pour mon bien !* J'étais jolie, l'avenir m'attendait à bras ouverts devant moi, me répétait-il, ainsi que des soupirants fortunés à mes pieds à ne plus savoir qu'en faire, de ceux qui font la pluie et le beau temps. Ce fameux clan des élus…

« Comme un papillon par la lumière, j'ai d'abord été attirée, puis je m'en suis approchée… et enfin je m'y suis consumée. »

Ses mains s'immobilisèrent soudain. Elle s'arrêta de parler. Puis elle s'affaissa lentement sur moi jusqu'à ce que son corps me recouvre entièrement. Je sentis ses seins s'écraser délicatement sur mon dos. Son visage toucha le mien. Elle s'était totalement abandonnée, terrassée à la fois par l'épuisement provoqué par cette succession de nuits très courtes et aussi par l'angoisse suscitée par des souvenirs qu'elle ressassait et qui semblaient très douloureux.

Elle poussait régulièrement de longs soupirs. Ses larmes coulèrent le long de mes joues.

Elle sombra dans le sommeil, couchée sur mon corps.

Après quelques minutes pendant lesquelles je luttai mentalement contre son poids et l'engourdissement, souhaitant la laisser entrer dans un sommeil profond, je me dégageai tant bien que mal.

La séance de massage transmuée en confession tourmentée m'avait littéralement exténué, moi aussi ; je me jetai sur le divan tout proche, fermai les yeux et m'endormis aussitôt.

23.

On frappa à la porte. J'ouvris péniblement les yeux, allumai la lampe de chevet et mis un moment à comprendre que la nuit s'était volatilisée et que nous avions vaguement rendez-vous avec des dauphins. « Mon Dieu ! » pensai-je en découvrant l'heure d'un œil hagard : 05:18 ! « Encore les ténèbres ! »

En catastrophe, essoufflé, je rejoignis Isabelle, déjà installée, pimpante, au volant de la jeep, le moteur ronronnant, prête à démarrer.

— Il vous restait encore cent vingt secondes avant que je ne démarre : pourquoi vous êtes-vous précipité ? me lança-t-elle, l'air goguenard, en consultant sa montre-bracelet qu'elle gardait toujours au fond de son sac, tandis que je prenais place à ses côtés.

J'étais franchement de mauvaise humeur de m'être levé si tôt. Pourquoi diable cet homme nous fixait-il des rendez-vous à des heures impossibles ? Pendant le trajet, j'eus envie de questionner Isabelle au sujet de quelques-uns de ses propos de la veille au soir — il y avait seulement quelques heures —, mais, en observant son air déterminé, son attention tout entière accaparée par la route, je devinai que hier était hier, que hier peut-être même n'avait jamais existé. Ou Isabelle, gênée, ne souhaitait plus en parler, ou bien l'état de transe dans lequel elle sombrait au terme de chaque séance de massage lui faisait oublier le contenu de ses révélations. Toujours est-il que je décidai de respecter son silence.

Cette discrétion — cette réserve — me donnerait d'ailleurs plus de chances d'en savoir davantage un peu plus tard sur cette âme torturée qui, je dois l'avouer, commençait à me fasciner. Dois-je aussi préciser que le rituel *inversé* de la veille — quand *elle m'avait caressé* — avait suscité en moi des désirs pour le moins équivoques ? Mais je m'efforçais de chasser de mon esprit cette excitation passagère, tâchant de me concentrer sur mes sacro-saintes missions : aussi bien celle assignée par Raymond Van de Wedde, président-directeur de l'OMIP, que celle suggérée — et que j'avais acceptée — par Horace Christophoros, missions qui finalement se rejoignaient pour le même but. Je songeai qu'entre « garde du corps » et « ange gardien », il y avait peut-être seulement une différence de vocabulaire. Je détournai mon regard vers l'horizon et contemplai la mer.

La route, sinueuse, longeait la côte. La ligne d'horizon, les linéaments qui composaient le paysage, révélés à peine par la lumière lactescente de l'aube, rendaient l'atmosphère tout à fait fantastique. L'univers s'éveillait au jour nouveau. Lors de cet hymne quotidien, pourtant, l'homme est la seule espèce qui renaît chaque jour au passé en traînant derrière lui chacune de ses blessures tel un fardeau. Mais la vie, elle, se moque éperdument de ses états d'âme. Elle poursuit inexorablement son évolution, insensible aux tourments.

De loin, nous aperçûmes Horace Christophoros debout dans son rafiot en train de faire de larges signes avec les bras, comme pour nous inciter à nous hâter. Tandis que nous nous approchions de l'embarcadère, des salves de musique se firent entendre. Un air de fanfare avec grosse caisse, cymbales et cuivres — une parade ! Je ne pus m'empêcher de sourire. Nous allions au cirque. C'était bien vu — ou bien orchestré.

Consignant aujourd'hui les événements de cette fin d'été, je pense que ce matin-là fut déterminant pour chacun d'entre nous. Celui qui changea radicalement le cours de nos existences à tous les trois. Car même le destin d'Horace Christophoros bascula à cet instant.

Aussitôt que nous fûmes installés sur la planche qui faisait office de banc, Horace lança le moteur, et le bateau s'éloigna de la côte, accompagné par la musique de cirque qui tentait de lutter contre les pétarades. Une fois au large, après quelques minutes de navigation, il sortit un panier en osier et, ôtant d'un grand geste une serviette blanche à carreaux bleus — comme l'aurait fait un magicien —, il nous présenta notre petit-déjeuner, sans doute pour respecter un rituel devenu tacite. « Belle surprise et belle intention », songeai-je spontanément. Pourtant, même si nous n'avions eu ni elle ni moi le temps d'avaler quoi que ce soit ce matin-là, Isabelle déclara qu'elle n'avait pas faim, toute son attention tendue vers les flots qu'elle semblait guetter avidement.

Horace avait emporté deux thermos, thé et café. Une variété de céréales. Et des fruits à profusion. Je choisis un petit pain aux noix et le portai à ma bouche. Ce ne fut qu'à cet instant que je pris conscience que, de notre côté, chaque jour, nous arrivions chez lui les mains vides. Isabelle le suppliait, elle espérait, attendait, exigeait de lui un regain de santé — jamais il n'avait été question pour lui d'une quelconque contrepartie. Notre hôte se mettait tout naturellement à notre service, ne mesurant ni son temps ni son énergie, et ne demandant rien en retour. Et, malgré cette générosité, il m'arrivait pourtant de l'accabler de mes remarques insidieuses ou désobligeantes ! Qui donc se cachait exactement sous le nom d'*Horace Christophoros* ? En vérité, la sérénité qu'il renvoyait imperturbablement et en toute occasion me dérangeait, ou m'agaçait. Je cherchai comme instinctivement une faiblesse à son armure, un défaut à la carapace.

Pourquoi déployait-il toute cette énergie ? Pour qui ? Quelle était sa cause, son but, sa chapelle ? Sa quête ? Était-il marié ? Avait-il fondé une famille ? En quel genre de dieu croyait-il ? Quel genre d'existence avait-il menée ? Pourquoi n'en parlait-il jamais ?

J'avais beau l'observer, en toutes circonstances, son visage restait paisible et détendu. Pour l'heure, il semblait savoir parfaitement bien où il nous menait.

— Là ! cria soudain Isabelle en se levant d'un bond. Les dauphins !

Je posai pain et café et bondis à mon tour. Mais j'eus beau scruter intensément l'horizon, je ne distinguais que les reflets argentés de la mer assoupie.

— Là ! Là-bas ! insista-t-elle en pointant frénétiquement son doigt vers l'avant du bateau.

Je ne voyais toujours rien. Je consultai notre capitaine du regard qui me fit un sourire tranquille.

— Ils sont là, ils nous attendent, mais vous, monsieur Sébastien, vous ne les attendez pas, c'est pour cette raison que vous ne les voyez pas.

J'enregistrai simplement sa remarque et continuai à sonder les flots alentour. Rien. La mer était lisse comme un miroir. Le bateau semblait flotter sur une mer d'huile.

Les côtes étaient loin, à présent. Horace coupa soudainement le moteur. Debout, j'épiais tour à tour le regard d'Isabelle et les flots, toujours à l'affût d'une apparition soudaine. Le bateau finit par s'immobiliser en douceur…

Notre homme jeta l'ancre. Il s'affaira sur la stéréo portable pour changer le CD. La musique de cirque fit place au jazz. En ce lieu et en cette circonstance, cette musique me semblait tout à fait inappropriée, troublant l'ordre cosmique. Un concerto de Mozart aurait été préférable, mais Isabelle m'avait fait comprendre que les dauphins, eux, *appréciaient* le jazz, c'est-à-dire le rythme — be-bop, swing… Alors, évidemment…

Tout à coup, telle une apparition fantastique, à peut-être moins de cinq mètres du bateau, une forme fuselée surgit hors de l'eau en une verticale quasi parfaite et se maintint quelques secondes en l'air au mépris de toutes les lois de la gravité. Puis, se vrillant sur lui-même, le corps se propulsa en arrière avant de retomber sur le dos en faisant crépiter une formidable gerbe d'écume. Aussitôt, un prodigieux feu d'artifice éclata autour de nous, une dizaine de dauphins se manifestèrent en bondissant allègrement autour du bateau. C'était la première fois que je m'approchais de dauphins *pour de vrai*. J'étais suffoqué par le spectacle que ces cétacés semblaient offrir spécialement à notre intention : sauts, loopings, plongeons s'enchaînaient avec élégance et sans interruption… Ils bondissaient comme pour nous défier, pensai-je, intrigués qu'ils étaient par notre limitation d'humains terrestres — pauvrement terrestres. Tous les trois, debout dans la chaloupe, nous restions là — figés —, médusés par cette joyeuse célébration.

— À l'eau ! souffla Horace Christophoros. Prenez palmes et masques, et allez danser avec eux. Moi, je garde le bateau, et je veille à la programmation musicale !

Isabelle se débarrassa promptement de sa robe légère. Elle dévoila un maillot bleu ciel qui mettait ses formes en valeur. J'avais pu déjà la détailler à loisir dans sa stricte nudité, mais à cet instant je remarquai combien son corps — malgré une minceur excessive — était harmonieux, et tout particulièrement... son petit cul rebondi.

Elle attrapa un masque de plongée, l'ajusta, chaussa des palmes et en un rien de temps se retrouva accueillie, fêtée, adoptée par la bande des cétacés. Elle riait, exultant comme une enfant.

Submergé par l'émotion, sidéré par la pure contemplation du spectacle, je restai là, bras ballants, paralysé.

— Qu'est-ce que vous attendez?

Oui, oui, je sais, j'hésitais. La masse de ces grands mammifères marins m'impressionnait. J'enlevai mon short et ma chemise et, lentement, ajustai le matériel qui m'était destiné. Équipé enfin comme un plongeur, je considérai la situation — l'embarcation, les dauphins, la musique... et Isabelle qui venait de disparaître sous la mer. À côté de moi, Horace Christophoros m'observait. Il attendait que je me jette à l'eau. Si je tardais encore, il allait me pousser, pensai-je.

Au lieu de cela, il s'assit calmement à la barre. Mais la pression psychologique était la plus forte.

— Elle a l'air froide, maugréai-je en plaçant comme malgré moi l'extrémité du tuba dans ma bouche.

Je me mis prudemment à l'eau en me retenant d'une main à la coque. Bonne surprise, la température était tout à fait supportable. Isabelle, qui était remontée à la surface, me fit des signes pour que j'aille la rejoindre. Je lâchai l'embarcation et nageai dans sa direction. Une crainte sourde de ce que j'allais découvrir des fonds sous-marins — toute cette « gent poissonnière » qui y habitait — m'oppressait... aussi gardais-je prudemment la tête au-dessus de l'eau en espérant qu'aucune bestiole sous-marine ne vienne me taquiner par en dessous.

Au moment où je rejoignis Isabelle, les dauphins disparurent. D'après ce que je crus deviner des gestes d'Isabelle, ils nous invitaient à les suivre sous les flots. Oui, acquiesçai-je de la tête, attendant que ma partenaire plonge la première.

Je n'étais pas spécialement tranquille, au milieu des eaux, privé de tout repère — et quasi nu. Je ne maîtrisais en rien la situation, ici, abandonné à la merci et au *bon vouloir* de ces mammifères marins qui avaient d'impressionnantes doubles rangées de dents formidables... avec au ventre une peur sournoise et irraisonnée... J'avais entendu dire, certes, comme tout le monde, que les dauphins se distinguaient par une absence totale d'agressivité, par leur pacifisme, par leur *humanité*. Mais ce savoir paradoxalement ne m'était d'aucun secours : les humains, eux, justement, ne représentaient-ils pas l'espèce la plus inhumaine de la planète ?

Isabelle disparut de nouveau sous l'eau. Je jetai un coup d'œil vers le bateau. Au travers de la vitre du masque, je crus distinguer notre capitaine qui prenait paisiblement son petit-déjeuner. Son regard croisa un instant le mien, et il en profita pour me faire un petit signe de la main qui se voulait réconfortant. Vulnérable, à quelques milles des côtes, entouré d'une meute de dauphins amateurs de jazz — pataugeant comme un chiot lâché au beau milieu d'un lac immense —, je m'efforçais de me raisonner pour ne pas céder à la panique. Sous les échos d'un *big band new orleans*. Il avait le bon rôle, lui, sur le bateau, dégustant tranquillement son thé et choisissant des standards de Duke Ellington, de Ray Charles ou de Fats Domino.

Isabelle remonta à la surface, suivie par deux dauphins qui bondirent à trois mètres au-dessus de nos têtes pour s'évanouir tout aussitôt sous la mer. Elle les talonna. Je me sentais obligé d'y aller à mon tour. Je remplis mes poumons d'oxygène et me propulsai d'un coup brusque sous l'eau.

La magie fut immédiate, totale, vertigineuse, inouïe. En une fraction de seconde, je basculai dans un autre univers, tout autre, passant d'un milieu familier, compact, stable à une étendue fuyante, fluide et ondoyante. Je fus littéralement fasciné par le tableau animé de cette femme-naïade, nymphe des flots, frayant avec des chevaux marins. *Amphitrite, épouse de Neptune, chevauchant les Tritons, ou Vénus, emportée au large dans sa coquille tirée par des poissons volants.* Isabelle, d'ailleurs, ne nageait pas, elle ondoyait, elle ondulait, caressant les mammifères lorsque ceux-ci la frôlaient — ceux-ci la frôlant pour qu'elle les caresse. J'étais le témoin privilégié d'un agencement d'ordre spirituel qui échappait aux strictes catégories de la pure raison.

Je serais resté là encore longtemps à m'émerveiller de ce ballet aquatique improvisé — cette espèce de chorégraphie instinctive où les partenaires fusionnaient harmonieusement —, mais je manquai d'oxygène, et il me fallut quelques secondes pour remonter à l'air libre. Lorsque je plongeai de nouveau et tentai de localiser Isabelle, la toile de fond s'était modifiée. J'aperçus d'abord le masque et le tuba qui remontaient à la surface et qui me frôlèrent en passant. Je réalisai soudain que je n'avais pas vu Isabelle remonter… elle devait être à bout de souffle… Inquiet, j'examinai vivement les alentours : les dauphins tournaient, viraient, virevoltaient, s'agitaient nerveusement autour de moi de façon incohérente, comme pour m'avertir d'un danger… Un mauvais pressentiment m'envahit… Bien que ne connaissant pas exactement tous les paramètres de la situation, je sentais planer comme la menace d'un péril. Je descendis plus profondément, et c'est là que je compris. Isabelle se laissait couler, les bras levés ; elle descendait insensiblement vers les profondeurs. Mon Dieu ! Que faire ? Aller la chercher ? Impossible, je n'étais pas un assez bon nageur, et surtout je manquais déjà d'air. Il me fallait penser vite, très vite. D'instinct, je pris ce que je pensais être la meilleure décision : à l'instant, je résolus de remonter. Horace Christophoros aurait peut-être une quelconque idée… ou du matériel pour pouvoir la sauver de la noyade. Juste avant de remonter, je jetai un ultime coup d'œil dans sa direction — j'aperçus distinctement son visage, elle… oui… elle gardait les yeux grands ouverts, contemplant le milieu environnant avec une sorte de béatitude, une grande quiétude intérieure — comme si elle méditait profondément. Elle partait en direction d'un autre monde, un mystérieux sourire flottant sur son visage.

Revenu à la surface, j'arrachai mon masque et, en me propulsant de toutes mes forces hors de l'eau, je hurlai en direction du bateau :

— Au secours, elle se noie ! elle se noie ! au secours !

À la même seconde, Horace Christophoros plongea à l'eau, tout habillé. Il disparut un très long moment. J'étais remonté sur le bateau, et comptais mentalement les secondes qui s'égrenaient avec une inquiétude croissante. Une minute déjà… deux… trois… ils devaient s'être noyés l'un et l'autre.

Au bout d'un temps qui me sembla interminable, Horace refit surface, et je le vis hocher paisiblement la tête, comme pour me signifier que tout allait bien. Je ne comprenais pas ce qui pouvait aller si bien, car Isabelle restait toujours invisible.

J'allais l'interpeller *quand la chose se produisit.*

Deux dauphins côte à côte apparurent à la surface, et, soutenu entre leurs deux corps aussi lisses que le marbre, nous aperçûmes le corps abandonné d'Isabelle que les deux mammifères amenèrent au plus près du bateau.

Dès qu'ils furent assurés que nous étions prêts à la prendre en charge, comme nous passant le relais, les dauphins disparurent.

Il y eut alors une scène inoubliable — prodigieuse —, un moment exceptionnel : bondissant des deux extrémités opposées du bateau, en des mouvements d'une coordination parfaite, nos deux amis sauveteurs sautèrent transversalement par-dessus l'embarcation — les courbes de leur évolution aérienne se croisèrent à la verticale exacte de mon corps… deux masses lourdes de trois cents kilogrammes chacune planèrent l'instant d'une éternité au-dessus de nos têtes.

« Un instant miraculeux », pensai-je l'espace d'une fraction de seconde.

Passé l'éblouissement, Horace Christophoros saisit Isabelle par la taille et tenta de la soulever hors de l'eau. En l'attrapant sous les aisselles, je la hissai dans le canot où je l'allongeai tant bien que mal, trébuchant ou m'affalant au rythme du tangage de la frêle embarcation.

Je tremblais de tous mes membres, exténué, prêt à m'écrouler. Horace m'appela à l'aide, il avait peine à remonter. Je lui pris le bras et le tirai vigoureusement à bord.

— Elle ne réagit pas, lui dis-je en m'agenouillant à côté d'elle.

Je lui soulevai les paupières pour examiner ses pupilles. Je lui pris le pouls : il battait faiblement, mais il battait toujours. J'entrepris de lui pratiquer le bouche-à-bouche, puis poussai énergiquement sur son thorax avec mes mains à plat pour vider ses poumons, lointains souvenirs de mes cours de secourisme. Tandis que je m'escrimais ainsi pour elle, je me surpris à supplier intérieurement le Ciel, le Cosmos — et toutes les « forces mystérieuses » — de venir à sa rescousse et implorais tous les Dieux et les Esprits de voler à son secours.

Après quelques minutes, elle se cambra soudain dans une violente convulsion, puis sembla cracher toute l'eau de la mer.

— Bienvenue à la vie..., murmura Horace Christophoros, debout derrière moi.

Je la laissai hoqueter, crachouiller, vomir.

Constatant qu'elle était tirée d'affaire, je m'effondrai à mon tour...

Je pense avoir perdu connaissance quelques minutes...

Quand je rouvris les paupières, je la vis, penchée sur moi, me couvant des yeux.

Nous sommes rentrés, sans un mot. La mer s'était réveillée ; le bateau — escorté de loin en loin par deux dauphins —, filant à vive allure, nous secouait sans ménagement.

J'avais des tas de questions à poser à Isabelle aussi bien qu'à Horace, mais j'étais trop assommé par les événements que je venais de vivre pour pouvoir les aborder. Et puis, je sentais que le moment des explications n'était pas encore venu.

Sur l'embarcadère, Isabelle embrassa Horace sur la joue. Je l'entendis lui murmurer un « merci » du bout des lèvres.

Comment devais-je me comporter en le saluant à mon tour ? Je le tenais pour responsable de ce qui était arrivé, il s'en était fallu de très peu pour que notre équipée musicale ne tourne à la pure et simple tragédie.

— Voulez-vous m'attendre dans la voiture ? demandai-je à Isabelle. Je vous y rejoins.

Je dévisageais Horace en silence, attendant qu'Isabelle se fût suffisamment éloignée. Devais-je le remercier pour l'avoir sauvée de la noyade ou tout au contraire le blâmer pour l'avoir incitée à rejoindre ces cétacés aux réactions imprévisibles ?

— Je suis trop épuisé pour tirer cela au clair, expliquai-je, je voudrais seulement savoir pourquoi les dauphins ne l'ont pas sauvée avant que vous ne vous en mêliez. J'avais entendu dire qu'ils secouraient systématiquement les humains en difficulté.

Horace Christophoros porta son regard vers le large, comme pour interroger les flots. Loin, au milieu de la houle, on pouvait apercevoir par instants l'arrondi d'un de leurs dos fuyant en direction de l'horizon.

— Leur intelligence nous dépasse. Pour eux, tout ce qui est arrivé est juste. Les dauphins n'apportent leur aide qu'à ceux qui la demandent.

Il observa un silence.

— Qu'insinuez-vous ? demandai-je.

— En secourant Isabelle, ils ont respecté *notre* désir…

Encore un silence.

— … mais pas celui d'Isabelle.

24.

— Il y a tant de choses que je ne t'ai pas dites sur moi, commença Isabelle d'une voix brisée, tant de choses que les gens qui prétendent être proches de moi ignorent. Je ne t'ai encore rien dit, rien. Personne ne sait rien.

Après que nous fûmes restés écroulés dans nos chambres respectives tout l'après-midi pour récupérer et nous remettre un peu de nos émotions, j'étais en train de la masser, le soir de cet épisode pour le moins mouvementé, selon un rituel désormais bien établi. Aussitôt mes mains posées sur son corps, elle se mit à s'épancher, les yeux fermés. À cet instant, je l'écoutais vraiment, et ses propos m'apparurent cette fois beaucoup moins décousus. Peut-être mon cœur était-il enfin prêt à entendre les secrets que voulait bien me confier Isabelle.

— Tu ne sais rien, Sébastien. On s'aimait; d'ailleurs, tous les jeunes amoureux s'aiment, non, n'est-ce pas dans la logique des choses? Et pourtant, moi, je l'ai quitté. Je lui ai annoncé cette décision un après-midi, après une vague dispute, vulgairement, comme on raconterait une banalité sans importance, une anecdote, sans y mettre aucune émotion ni affectivité.

« Après m'avoir écoutée, le premier moment de surprise passé, Marc, anéanti, m'a simplement demandé pourquoi... Tu sais, ce genre de question idiote, comme si je pouvais lui dire la vérité, comme si d'ailleurs je la connaissais moi-même: j'aurais dû lui avouer, oui, que je suivais les recommandations et suggestions de mon père, que j'étais finalement comme lui — c'est-à-dire une ambitieuse, une arriviste, un être cynique et sans scrupules. C'est ça le pire, tu sais, avoir été incapable de lui dire le fond de ma pensée, et débiter des salades à celui qui aurait dû être le père de mon enfant. Oui, nous avions des projets en commun. Comme tous les couples qui s'aiment.

« C'était au mois de juin — je revois parfaitement la scène —, il faisait très chaud. Nous habitions au dernier étage d'un immeuble ancien, un minuscule deux-pièces aménagé sous les toits. Depuis déjà plus d'un an, nous avions terminé nos études, diplômes en poche. Je te l'ai déjà dit, nous ne trouvions pas de travail en tant que journalistes, mon père nous en avait barré l'accès. Il voulait que je quitte Marc, il n'était pas de mon rang, m'expliquait-il. Moi, j'étais née pour côtoyer les grands, les "seigneurs de ta terre", j'étais de la même race qu'eux, prétendait-il.

« Par nécessité, nous avions fini par dénicher du travail, moi comme serveuse dans un night-club-restaurant, lui comme veilleur de nuit dans un hôtel. Nous rentrions tous les deux au petit matin, exténués, et nous passions alors la journée à dormir avant de reprendre nos boulots respectifs. Ce qui tue l'amour, c'est aussi la fatigue. Le désir que nous avions l'un pour l'autre s'émoussait de jour en jour, et, chose plus désolante encore, nous commencions à éprouver du ressentiment l'un envers l'autre. Et pendant ce temps, mon père, lui, telle une araignée au centre attendant que sa proie s'enferre d'elle-même dans l'architecture de sa toile, patientait tranquillement, espérant que je finisse par me lasser, c'est-à-dire par craquer… et il a eu raison de moi, puisque j'ai fini par me lasser… j'ai craqué… exactement comme il l'avait prévu…

« Il me harcelait, il me relançait sans cesse : "À quoi t'ont servi toutes tes études !… Tu sers des pizzas dégueulasses et des cocktails multicolores à des débauchés et à des imbéciles ; la nuit, c'est le repaire par excellence des vauriens."

« Tu dois comprendre, Sébastien, j'ai toujours connu le plus beau, le plus cher, le plus luxueux ; je ne pouvais évidemment que concevoir une vie semblable pour élever mes enfants. Avec Marc, je savais que je n'allais nulle part. Un moment, nous avions même envisagé de quitter la France pour recommencer une vie ailleurs…

« Pendant que je lui parlais, Marc sanglotait. Ça aussi, tu vois, cet après-midi-là, je le lui ai reproché… sa faiblesse, il était trop sensible. Ce qui m'avait attirée au début chez lui, cette espèce de fragilité intérieure — ce manque apparent d'assurance — me rebutait maintenant. *Un homme, ça ne pleure pas*, prétendait mon père. Dans notre chambre sous les toits en zinc, la température était épouvantable. Sur le visage ravagé de Marc, les larmes se mélangeaient à la transpiration.

« Marc était petit, mais trapu. C'était une force de la nature. On ne se retournait pas spontanément sur son passage, mais son naturel touchant possédait un charme certain. Sa mère était décédée dans un accident de voiture alors qu'il n'avait que cinq ans. C'est son père qui l'avait élevé. Il s'était remarié assez vite. Marc a toujours souffert du manque de l'affection d'une *vraie* mère. À présent, je le laissais seul une deuxième fois. Ç'a été un choc terrible pour lui, que je l'abandonne de cette façon. Comme sur un simple coup de tête. Sur le moment, je n'ai pas compris la douleur que je lui infligeais. Sébastien, si tu savais le mal que l'on peut faire aux autres inconsciemment, à cause de nos actes irréfléchis, de notre égoïsme. Oui, je dis bien "irréfléchis", car j'ignorais alors à quel point en réalité je l'aimais. C'est quand je l'ai perdu pour de bon, quand il n'y a eu aucun retour en arrière possible, que mon calvaire, mon horrible calvaire a commencé. »

Elle poussa un hurlement désespéré, atroce, si angoissant que je craignis un instant que quelqu'un ne vînt frapper à la porte. Son corps était incroyablement tendu — d'une rigidité dite « cadavérique » —, et j'essayai de la calmer par mes tentatives de « massage à visée… thérapeutique ».

— Je n'ai jamais eu que ce que je méritais, Sébastien… Mon cancer n'est que le juste châtiment de ma faute, je paie pour mes actes. Tant mieux, j'ai fait trop de mal, beaucoup trop de mal. Mon corps s'est vengé, il y a une justice, il fallait que je sois punie.

— Tais-toi, Isabelle, je t'en prie ! lui ordonnai-je d'un ton ferme. À l'âge que tu avais, tu as fait ce que font beaucoup d'amoureux, tu l'as quitté sur une impulsion, sans trop penser au lendemain. On ne paie pas de sa vie pour avoir quitté un amoureux, même si on peut le regretter. Vous vous étiez connus très jeunes, durant vos études, hors de la réalité. Quand vous êtes enfin entrés dans la vraie vie, avec tout ce que cela implique, les priorités et les repères ont changé. C'est normal. Vous n'étiez plus ni l'un ni l'autre les mêmes. Vous n'aviez plus les mêmes objectifs, les mêmes désirs ou les mêmes envies. Moi, je t'affirme que tu étais bien faite pour les médias. Ton parcours brillant, ton succès à la télé le prouvent. Ton père avait raison, il a tracé la route devant toi et, toi, tu as fini par l'emprunter parce qu'elle te fascinait. Si tu lui avais tourné le dos, à ton avenir, et continué à servir des spaghettis, qui sait le mur de reproches qui se serait élevé petit à petit entre vous ? C'est peut-être Marc qui t'aurait quittée, un jour, à cause d'un trop-plein de griefs ! Tu te tortures pour quelque chose dont tu n'es nullement responsable.

Elle se retourna brusquement, s'assit sur le lit, et me fixa droit dans les yeux. Je n'osai regarder vraiment ses petits seins. Je n'osai plus la toucher. Troublé, je lui murmurai, en la vouvoyant stupidement :

— N'avez-vous jamais essayé de reprendre contact avec Marc ?

— Je ne t'ai pas tout dit, Sébastien.

Elle hésitait encore à livrer quelque chose. Tout son corps se mit à trembler.

— Quand je me suis mariée, deux ans et demi après notre séparation, il… eh bien… je l'ai perdu, perdu à jamais… *Marc a fini par se suicider.*

Elle prit mes mains et les posa doucement sur ses seins.

25.

La nuit et le jour qui ont suivi la tentative de noyade d'Isabelle — parce qu'il était clair pour moi que ce n'était pas un simple accident, je l'avais vue de mes propres yeux se laisser couler dans une attitude d'abandon quasi extatique — furent la nuit et le jour les plus fantastiques que j'ai vécus à Chypre et peut-être bien les moments les plus extraordinaires de toute ma vie.

Après avoir posé mes mains sur ses seins, elle commença à délirer, à maudire son passé en se chargeant de toutes les responsabilités à propos du suicide de Marc. J'essayais de la calmer, mais sans succès ; une énergie longtemps contenue cherchait brusquement à s'échapper d'elle, comme la lave d'un volcan en éruption.

Subitement, elle m'attira d'un geste brusque tout contre sa poitrine.

— Ô Sébastien ! implora-t-elle, prends-moi dans tes bras, serre-moi fort, j'en ai tellement besoin.

Je répondis d'abord timidement à sa demande, puis un élan irrépressible me conduisit à l'enlacer plus tendrement… et par étapes successives, insensiblement, je la caressai de plus en plus intimement.

Nous nous jetâmes enfin l'un sur l'autre pour nous goûter mutuellement avec une avidité quasi animale.

Nous passâmes des heures à nous aimer, sans retenue aucune, dépliant une par une les diverses facettes du désir jusqu'à succomber ensemble à une vaste onde de plaisir qui nous laissa pantelants, au bord de l'abîme.

Nous nous endormîmes dans les bras l'un de l'autre.

Un peu avant cinq heures du matin, Isabelle commença à délirer. Elle transpirait abondamment et ne pouvait ouvrir les yeux.

« *Je vais mourir*, murmurait-elle, *ça y est, je vais mourir.* »

Je pris son pouls : il battait exagérément.

Des phases cataleptiques succédaient à des phases d'agitation extrême — comme si elle se débattait contre un démon intérieur. Une mousse blanche écumait aux commissures de ses lèvres. Je posai ma main sur son front qui me sembla excessivement brûlant. Elle avait une fièvre de cheval. J'étais certes médecin, mais, pour la première fois de mon existence, je vécus un bref moment de panique. Selon moi — mais il ne s'agissait pas précisément d'un diagnostic établi en bonne et due forme —, elle agonisait. Sa maladie prenait le dessus. Phase ultime... c'était la fin... c'était trop tard...

Je filai à la réception à toute allure et réclamai une ambulance pour l'hôpital le plus proche — d'urgence.

Quand on vint la chercher, elle ne m'entendait déjà plus, ses pupilles étaient révulsées. J'accompagnai le brancard, puis entrai dans l'ambulance en tenant la main inerte d'Isabelle.

En un éclair, nous fûmes devant l'hôpital général de Paphos.

Tandis qu'on l'emmenait vers le service d'urgence, le médecin de garde vint à ma rencontre et me demanda — en anglais — si je savais ce qui lui était arrivé. Je me présentai comme médecin et ami d'Isabelle, et lui relatai brièvement les étapes de sa longue maladie... cancer du sein... puis extension vers les poumons... condamnation par la médecine... aucun espoir... phase terminale...

Je vis un instant ses mâchoires se crisper en une vilaine grimace.

— Je pense qu'elle est au plus mal, dis-je, mais je ne n'exerce plus la médecine en tant que praticien depuis quelques années, j'espère bien me tromper dans mon diagnostic.

— Auriez-vous ses dernières analyses ?

— Je ne crois pas, je pense que son dossier est resté à Paris... À vrai dire, je n'en sais rien. Je pourrais peut-être essayer de contacter son médecin, mais à cette heure-ci...

— Nous allons d'abord tenter de la réanimer, puis l'examiner, et peut-être même faire de nouvelles analyses, décida-t-il. Cela exige trois à quatre heures de délai, vous n'avez pas besoin de rester. Ne revenez pas avant neuf heures. Et avec ses papiers d'identité, si possible.

Et comme j'hésitais, il ajouta :

— Je m'occupe d'elle personnellement, soyez rassuré. Donnez-moi un numéro où je peux vous joindre. Et le nom de votre amie.

— Elle s'appelle Isabelle de Dieudonné, elle est Française, elle habite Paris, elle a une petite fille. C'est une très grande journaliste. Son père est puissant et excessivement riche. En France, elle est connue, admirée et aimée par beaucoup de gens parce qu'elle présentait jusqu'à il y a quelques semaines encore le journal télévisé du soir sur la première chaîne de télévision.

J'avais débité tout ça d'un souffle, en un seul élan, et dans un anglais qui était pour lui parfaitement compréhensible.

Je lui donnai aussi mon numéro de portable et celui de ma suite à l'hôtel Athéna.

Je n'eus pas le temps de le remercier : il avait déjà disparu tout au fond d'un couloir faiblement éclairé par la lumière blafarde d'une série de néons.

Même si j'étais vaguement écœuré par l'odeur caractéristique du désinfectant, je ne parvenais pas à quitter l'hôpital… Je savais pourtant pertinemment, pour avoir connu autrefois la situation des dizaines de fois en tant qu'interne, qu'attendre trois heures dans le couloir ne servait strictement à rien. Mais, ce petit matin-là, c'était différent : j'étais de l'autre côté de la barrière…

Isabelle était désormais prise en charge par la médecine… Bizarrement, cette formule qui trottait dans ma tête ne me rassurait pas le moins du monde…

Je dégotai finalement un taxi non loin de l'hôpital qui me ramena à l'hôtel…

Je montai immédiatement dans ma chambre, passai dans celle d'Isabelle par la porte mitoyenne laissée par chance entrouverte et me mis à la recherche de son sac à main que je trouvai simplement posé à côté de la table basse du salon. Je le fouillai fébrilement. Ouf ! la clef de la jeep était bien là. Par la même occasion, je découvris ses papiers d'identité, deux enveloppes cachetées à son nom et son téléphone portable… et des médicaments aussi… des antidouleurs, me sembla-t-il, de la morphine… J'allais quitter la chambre avec tout ça dans les mains quand je me ravisai. Je retournai dans le salon et remis logiquement les papiers, le téléphone et les médicaments dans le sac que j'emportai avec moi.

Je ressentais le besoin de me rendre sur-le-champ chez Horace, car je devais absolument comprendre un certain nombre de choses. Je ruminais aussi dix mille reproches que je voulais lui formuler : ses traitements hautement fantaisistes n'avaient contribué en rien à l'amélioration de son état physique, bien au contraire… Je m'arrêtai à la réception pour laisser mon numéro de téléphone portable — si besoin était —, et tentai tant bien que mal de rassurer le jeune réceptionniste qui avait vu les brancardiers emporter Isabelle — le même qui nous avait vus passer chaque matin aux aurores en toute hâte : mon amie était en observation à l'hôpital, j'attendais des nouvelles très vite.

En sortant par le grand hall principal, je me trouvai nez à nez avec… Horace Christophoros ! Il m'avait devancé ! Il était vêtu d'une longue djellaba blanche et chaussé de sandales à lanières ; ses longs cheveux blancs ondulés étaient réunis en queue de cheval.

« Il s'est déguisé en gourou », pensai-je.

Je fis un pas en arrière, saisi par son apparition-surprise.

— Où alliez-vous ? lui demandai-je d'un air ahuri.

— Chez vous.

— Savez-vous pour Isabelle ?

— Je suis venu justement pour elle. Quand, à six heures et quelques, je ne vous ai pas vus arriver comme d'habitude, j'ai compris que quelque chose était arrivé, et j'ai décidé de venir vous rejoindre. Où est-elle ? Puis-je lui parler ?

Il tourna la tête pour examiner les lieux.

— Peut-on prendre un petit-déjeuner, à cette heure-ci ?

— Isabelle est à l'hôpital, lui appris-je d'un ton lourd de reproches.

Horace Christophoros me dévisagea avec stupéfaction. Je crus qu'il réalisait enfin l'ampleur des dégâts que pouvaient occasionner ses traitements pour le moins loufoques.

— À l'hôpital ?…

Il réfléchit pendant un long moment tout en se grattant la joue.

— C'est bien…, lâcha-t-il, songeur, c'est fort bien ainsi.

Puis il se mit à sourire.

— On va fêter ça ! dit-il en m'entraînant par le bras. Où peut-on s'installer pour ce fameux petit-déjeuner ?

Je résistai en m'écartant de lui. Où voulait-il en venir ? Jouait-il encore à celui qui n'avait rien entendu ? Était-il définitivement irresponsable ?

— Isabelle est à l'hôpital, elle agonise. C'est la fin, lui soufflai-je au visage. Elle se meurt ! et vous, pendant ce temps-là, vous ne pensez qu'à vous restaurer !

— Calmez-vous ! lança-t-il. Si vous ne souhaitez pas déjeuner, allons nous installer dans ce coin, là-bas, nous serons tranquilles…

« Isabelle est guérie », ajouta-t-il en me désignant les confortables fauteuils en rotin, en face de la réception.

Je le suivis comme un égaré, le sac d'Isabelle serré contre moi, craignant de n'avoir pas bien entendu. Comment pouvait-il prétendre qu'Isabelle était guérie ? Comment le savait-il ? Qui le lui avait dit ? Était-il passé déjà par l'hôpital ? Mais comment en aurait-il eu le temps ?… J'en revenais à l'instant. Des dizaines de questions s'entrechoquaient furieusement entre les parois de mon crâne.

— Vous pouvez poser votre sac à main sur la petite table, si vous voulez, déclara-t-il avec un soupçon d'ironie.

Je n'étais pas d'humeur à plaisanter et je me retins pour ne pas exploser d'emblée.

— Les heures qui précèdent une guérison spontanée sont souvent trompeuses, reprit-il très posément. Le corps traverse une phase critique — celle d'un bouleversement total —, et donc l'organisme est au plus mal. La majorité des personnes qui sont passées par une expérience similaire ont vécu les mêmes affres par lesquelles est passée votre amie. C'est un leurre de la maladie. Je pressentais ce qui allait arriver cette nuit. Le fait qu'Isabelle ait fait une *tentative* de suicide et qu'elle ait décidé au moment ultime de la transformer en un élan de vie salvateur est révélateur d'un véritable *retournement intérieur*. Tout à l'heure, au large, il y a environ vingt-quatre heures, Isabelle s'est d'abord laissée couler. Puis elle a ouvert les yeux et elle a senti que les dauphins étaient affolés. Les cétacés comprennent nos appels à l'aide, mais hier ils se sont d'abord heurtés contre la femme qui avait décidé de se noyer et ils sont devenus comme fous. Pour eux, la vie est sacrée. Ils voulaient agir mais ils ne pouvaient rien faire, car *elle désirait mourir*. Au moment où vous êtes remonté et que j'ai plongé, les dauphins étaient en train de parler avec Isabelle. Ne soyez pas sceptique, écoutez-moi, je suis sérieux. Ils lui ont *demandé* si elle avait envie de vivre. Alors, à ce moment précis, Isabelle les a suppliés de la sauver. Je ne sais pas par quel prodige, mais, subitement, elle voulait re-vivre, et cela, avec une intensité absolument prodigieuse. C'est pourquoi ils l'ont escortée jusqu'au bateau. À nouveau, Aphrodite surgissait des eaux. Une seconde naissance. Je ne suis pas intervenu. J'ai plongé par réflexe. D'ailleurs, comme les dauphins, je ne peux aider quiconque ne le souhaite pas vraiment. Mais les dauphins sont malins, bien plus intelligents que les hommes. Ils ont agi comme il le fallait.

« Pour en revenir à ici et maintenant, oui, je sens intimement qu'Isabelle est guérie, elle devait d'abord en passer par cette épreuve épouvantable, des moments sans doute atroces.

« Je venais en quelque sorte pour fêter sa guérison en partageant un vrai petit-déjeuner... et que vous m'auriez offert, pour une fois, puisque vous me recevez chez vous ! »

Il souriait à présent franchement, apaisé et apparemment satisfait.

— Je suis content qu'elle soit passée entre les mains de la médecine dite « officielle », car vous pourrez bientôt avoir en main les analyses scientifiques irréfutables qui prouveront sa guérison. Si je puis vous donner un conseil, monsieur LeBlanc, trouvez un huissier et amenez-le à l'hôpital. Car, après une guérison « miraculeuse », les informations ont souvent tendance à se perdre... malencontreusement. C'est par expérience que je dis cela, demandez donc à Homère. Leur objectif sera d'effacer toutes les traces. Si vous laissez faire, dans deux jours, les dossiers se seront volatilisés !

— Écoutez-moi bien, répondis-je après quelques minutes de silence pendant lesquelles je tentai d'analyser la situation, ce que vous prétendez, ce que vous m'avancez là, est tout simplement insensé. Je n'ai jamais entendu de toute ma vie fable aussi délirante. Si ce que vous dites se vérifie, alors, et alors seulement je consacrerai tous mes efforts à témoigner et à publier mon témoignage. Mais si ce que vous me dites est pure fantasmagorie de votre part, laissez-moi vous annoncer solennellement que je vous accuserai et que je ferai tout pour dénoncer vos fameuses méthodes et toutes vos théories farfelues : massages, prières, ange gardien, bains dans l'eau de mer et pêche à la ligne...

Je pointai mon index en direction de son torse.

— Avez-vous bien compris ?... La femme dont vous avez décidé de vous occuper se débat en ce moment même entre la vie et la mort... Bien évidemment, j'ai envie de vous croire, vous avez l'air tellement sûr de vous... Mais je suis médecin aussi, et je crois savoir reconnaître les débuts d'une agonie.

— Voici ce que je vous propose, reprit Horace : nous allons prendre tranquillement notre petit-déjeuner, face à face, en silence, concentrés sereinement sur cette unique pensée : *Isabelle est guérie, elle a recouvré pleine et entière santé.* À neuf heures, vous vous rendrez à l'hôpital, vous pourrez alors constater par vous-même qu'Isabelle s'est réveillée et qu'elle se sent en pleine forme... Êtes-vous d'accord avec ce petit protocole ? Ça vous permettra d'ailleurs d'être moins nerveux en attendant l'heure fatidique.

— Oui, acquiesçai-je simplement. Je n'ai de toute façon rien de mieux à proposer pour le moment.

Lorsque je vis les chiffres 08:58 s'afficher sur le cadran de mon portable, je ne tins pas davantage, je me levai d'un bond — le sac à main d'Isabelle plaqué tout contre ma poitrine —, et me dirigeai en trombe vers le parking.

Oppressé, au comble de l'impatience, j'avais planté là Horace sans autre cérémonie.

26.

Durant le trajet entre l'hôtel Athéna et l'hôpital général de Paphos, que je fis en pilotage automatique, ma pensée flottant comme au-dessus d'un brouillard, me revenaient incessamment en mémoire les quatre messages de Leslie LeBlanc, mon épouse, qui me demandait de plus en plus expressément de la rappeler, et ceux — le premier neutre, le deuxième agressif et le dernier presque menaçant — de Raymond Van de Wedde, président de l'Organisation mondiale pour les intérêts pharmaceutiques, qui désirait lui aussi à peu près la même chose.

Tous messages laissés sur mon téléphone portable et auxquels je m'étais appliqué à ne pas répondre, n'y donnant aucune suite, manquant depuis ces deux derniers jours et de temps, et d'énergie, et de clairvoyance — les événements se bousculant à un rythme insensé —, tandis que je manquais aussi terriblement de sommeil, sombrant chaque après-midi dans une sieste réparatrice.

Quelle que soit l'issue — fatale, tragique, irréversible et abominable, ou incroyablement miraculeuse —, dans un cas comme dans l'autre, je le comprenais désormais en parfaite lucidité : *j'allais maintenant devoir rendre des comptes.*

27.

L'interne de nuit qui m'avait accueilli quelques heures plus tôt venait à l'instant de quitter l'hôpital, m'apprit-on à la réception située dans le hall d'entrée principal. Je ne savais trop comment interpréter le fait qu'il ne m'avait pas attendu. On ne pouvait me donner aucune information sur Isabelle de Dieudonné, et l'on m'indiqua, à l'aide d'un petit plan, la direction du bureau d'un certain Andreas Georgiou — le médecin-chef en personne — qui me reçut comme il se devait en blouse blanche après plus de vingt minutes d'attente qui me parurent un siècle. Il était arrivé depuis peu, me fit-il comprendre, mais il avait eu le temps déjà de faire le tour des « nouveaux entrants » de la nuit, et il avait été mis au courant. Lorsque je fus assis en face de lui, Andreas Georgiou — la quarantaine, cheveux noirs et courts, visage tanné par le soleil de Chypre — se saisit ostensiblement des analyses d'Isabelle qu'il consulta avec tout le sérieux nécessaire. De l'autre côté de son bureau métallique, il me gratifia d'un sourire professionnel.

— Votre amie n'avait rien d'alarmant, commença-t-il. À son réveil, elle a appris à notre interne de garde qu'elle avait failli se noyer la veille. Le délire et la fièvre étaient probablement dus à la frayeur dont elle a été victime hier matin en mer, il ne faut pas chercher plus loin. Une espèce de contrecoup psychologique. Toutes les analyses et les radios sont normales. Je peux à peine lui conseiller le repos, car votre amie est en pleine forme et déborde de projets, d'enthousiasme et d'énergie. Peut-être que si elle pouvait éviter la natation pendant quelques jours, afin que le temps fasse son œuvre, quoique… certains préconisent bien de remonter en selle aussitôt après une chute de cheval, alors… En tout cas, elle peut quitter l'établissement immédiatement, c'est d'ailleurs le souhait qu'elle a exprimé, il est inutile de la garder plus longtemps.

J'avais écouté cette courte introduction avec un ahurissement croissant. Aucun mot sur sa maladie. L'air dubitatif, je fixai longuement Andreas Georgiou sans pouvoir réagir. Celui-ci me renvoya un regard interrogateur.

— Je suis médecin, l'informai-je enfin. Madame Isabelle de Dieudonné, en arrivant ici, était en phase terminale d'un cancer du poumon. Elle était sous morphine. Et voilà que vous m'annoncez qu'elle est en pleine forme et que ses examens sont bons. Il y a encore trois heures, elle se mourait, j'étais présent à ses côtés, j'en ai été témoin. Vous comprenez ma stupéfaction.

Il m'observait bizarrement, me sembla-t-il, comme s'il cherchait à savoir si j'étais un simple plaisantin ou un vrai dingue.

— À vrai dire, je ne suis pas sûr de bien comprendre ce que vous essayez d'insinuer…

Je me sentis obligé de lui présenter ma carte de presse et mon passeport, pour prouver ma bonne foi.

— Je travaille comme journaliste scientifique, j'ai écrit dans de nombreuses revues médicales de renommée internationale, même si je n'ai exercé réellement la médecine que pendant très peu de temps. Vu l'état critique d'Isabelle depuis maintenant plusieurs mois, il m'est difficile d'admettre que vous n'ayez rien décelé, aussi bien dans ses analyses que sur ses radios. Dans ce cas, si l'on exclut l'erreur de dossier, peut-être devrions-nous envisager…

Je fis une petite pause… Je réfléchissais en parlant.

— Oui ?… fit-il pour m'obliger à aller jusqu'au bout de mon raisonnement.

— … nous devrions envisager… une *rémission miraculeuse.*

C'était sûrement la première fois que quelqu'un prononçait les mots « rémission miraculeuse » dans son service. Ce fut lui cette fois qui me regarda d'un air ahuri — il me prenait sans doute pour un illuminé, une espèce de mystique. Il déposa le dossier d'Isabelle sur son bureau et se leva.

— Suivez-moi ! lança-t-il avec un sourire laissant transparaître une légère ironie. Nous allons rendre visite à la miraculée du jour.

Nous voilà lancés à travers les dédales de couloirs de l'hôpital général de Paphos. Après cinq minutes de marche, traversant des sortes d'alcôves où se reposaient des infirmières, montant et descendant des escaliers, prenant une direction puis une autre, nous nous immobilisâmes devant la chambre 122.

Le docteur, avec une main posée sur la poignée et l'autre m'invitant à entrer, ouvrit la porte en grand.

Le sourire avenant, les mots préparés au bout des lèvres, je fis quelques pas dans la chambre où je ne vis qu'un seul et unique lit, sur lequel était étendue une femme d'âge mûr, assistée par une infirmière qui s'affairait autour d'elle.

Tandis que je cherchais encore Isabelle du regard, un éclair se fit soudain dans mon cerveau : il y avait eu quiproquo ! On avait confondu entre elles deux patientes ! Leurs dossiers avaient été intervertis !

Avec un grand sourire, le médecin-chef Georgiou entra alors, prit délicatement un nouveau-né dans les bras qu'il vint présenter à la maman, une Chypriote en pleine béatitude.

— Clié vient d'avoir son premier enfant à cinquante et un ans. Elle n'y croyait plus ! annonça-t-il fièrement avant de se tourner vers moi et de m'adresser un franc clin d'œil de connivence au moment où j'allais m'insurger.

Il s'avança et tendit précautionneusement le bébé à sa mère.

— C'est l'enfant du miracle ! annonça-t-il sur un ton de défi. Dans cet établissement, nous assistons à des prodiges tous les jours !

Il salua la nouvelle maman... et nous voilà repartis pour une marche à allure forcée à travers les couloirs de ce grand labyrinthe.

— Au tour de l'autre miraculée, à présent ! lança-t-il enfin en poussant la porte d'une autre chambre et en me priant d'y entrer le premier.

Cette fois, c'est bien Isabelle que je trouvai, habillée, légèrement maquillée... et prenant tranquillement son petit-déjeuner. Au lieu de lui demander comment elle allait, je restai planté là, la gorge nouée, à la considérer comme un véritable phénomène de foire. Le médecin m'observait du coin de l'œil, amusé de mon effarement.

— Pas trop fatiguée, madame ? demanda-t-il avec ménagement.

— Je ne me suis jamais sentie aussi bien, répondit-elle. Je vais passer à l'accueil aussitôt ce café avalé pour régler les frais occasionnés par ce court séjour parmi vous. Je tiens à remercier toute votre équipe pour son attention. Quand je suis entrée ici, je devais être dans un lamentable état. Quelques heures après et... me voici débarrassée d'une terrible maladie... et je repars avec un cadeau sans prix: une nouvelle vie!

— Mis à part votre immense stress d'hier, vos analyses sont normales, vous êtes tout à fait en bonne santé. D'où vous vient l'idée que vous aviez un...

Le clinicien s'arrêta de parler, ne sachant pas s'il pouvait répéter ce que je lui avais révélé dans son bureau. Isabelle le tira d'embarras.

— En arrivant à Chypre il y a moins d'une semaine, j'avais un cancer en phase terminale. Plus aucun traitement n'avait de prise sur la maladie. J'étais condamnée. J'étais sous morphine. Je suis venue consulter Horace Christophoros, un homme que la plupart des sommités médicales prennent pour un charlatan. Et voilà, je ne sais trop comment, mais, en quelques jours, me voilà guérie, réparée, intacte, vierge de toute atteinte. Je sais que cela peut vous paraître inconcevable, absolument incroyable, mais c'est pourtant la stricte vérité.

Isabelle avait la voix ferme et décidée, celle que je lui connaissais à l'époque des débats politiques qu'il lui était arrivé de mener. Je ne l'avais pas encore vue aussi resplendissante depuis notre arrivée. J'avais devant moi une femme visiblement métamorphosée.

Isabelle, ayant aperçu son sac à main, se leva, me l'enleva, fouilla à l'intérieur et tendit les deux enveloppes et le flacon de morphine au docteur.

— C'est en français, mais je tiens à vous prévenir que mon bilan médical est sans équivoque.

— Je lis le français, murmura-t-il en prenant connaissance des deux documents.

Son visage glissait de seconde en seconde, comme le mien quelques minutes auparavant, vers un état de pur effarement. Il se mit ensuite à déchiffrer l'étiquette du flacon de morphine dans tous les sens.

— Je ne comprends pas, lâcha-t-il en nous dévisageant, embarrassé, c'est impossible. Je me demande si nous ne ferions pas mieux d'effectuer de nouveaux examens avant de vous laisser repartir…

* * *

Le docteur Georgiou avait tenu à nous accompagner personnellement jusqu'à la sortie. Nous étions là, en plein soleil déjà, devant les larges portes coulissantes vitrées.

— Tout à l'heure, Isabelle a prononcé un nom devant vous, celui d'un certain Horace Christophoros, ce nom vous dit-il quelque chose ?

Là, il secoua la tête et ses lèvres firent la moue.

— Qui, et surtout quel médecin, n'a jamais entendu parler de cet individu à Chypre ? Il est médecin, mais surtout un peu guérisseur, d'après ce qu'on dit. Il emploie des thérapies à la limite de la charlatanerie, et des procédés pour le moins douteux, diététique et massages, rien de bien méchant. Mais nous ne pouvons rien contre lui, car il n'y a aucune plainte, et les gens des environs l'apprécient. On prétend même qu'il ne se fait pas payer. C'est un homme bon et tranquille. On ne peut même pas lui reprocher une concurrence déloyale, car il soigne essentiellement des étrangers, ses patients débarquent de tous les coins du globe. De plus, ses visiteurs sont nombreux et séjournent dans les hôtels de la région ; on pourrait dire que, d'une certaine façon, Horace Christophoros participe à la prospérité du pays…

Il se tut, comme s'il réfléchissait à quelque chose avant de reprendre brusquement :

— Monsieur LeBlanc, vous êtes journaliste, alors comprenez que ce que je viens de vous dire est strictement entre nous — *off*, comme on dit dans votre métier —, et je vous interdis formellement de le répéter, de l'utiliser… et évidemment de le publier.

Il me tendit alors la main et tourna les talons pour rejoindre ses quartiers.

28.

Tandis qu'Isabelle tentait de battre un nouveau record de vitesse au volant de la jeep, je songeai à l'attitude du médecin-chef Andreas Georgiou : celui-ci avait laissé Isabelle sortir après s'être bien assuré qu'« ils » ne s'étaient pas trompés d'analyses. À l'issue d'un dernier contrôle où il s'était senti obligé de reprendre la tension de sa patiente et de lui poser quelques questions de routine, il l'avait relâchée sans être tout à fait sûr de son affaire. Je lisais dans ses pensées. Georgiou était confronté à une expérience inédite. Il ignorait quelle décision serait la bonne, surtout après que je lui eus demandé de bien vouloir nous remettre une copie des analyses et du diagnostic. Il n'avait pu refuser, j'étais médecin et... journaliste. Mais je voyais bien qu'il se sentait dépassé par toute cette affaire. Être le témoin indirect d'une rémission spontanée — d'un *miracle* — perturberait chacun d'entre nous — particulièrement un homme de l'art.

Nous rentrâmes à l'Athéna un peu après midi. J'aurais aimé y retrouver Horace. J'avais tant de choses à lui raconter. Dès que nous posâmes un pied dans l'hôtel, la réceptionniste de jour — une jeune femme aux yeux noisette et aux cheveux courts, d'une vingtaine d'années — nous appela pour nous remettre un message de sa part, sur un feuillet plié en deux.

Félicitations pour votre guérison, Isabelle !
Désolé de ne pas pouvoir vous accueillir, j'ai rendez-vous avec d'autres « patients »... impatients. Je vous attends pour dîner dans la soirée.
Horace

Une demi-heure plus tard, au restaurant de poisson de la plage, nous commandâmes du homard grillé avec une bouteille de champagne pour fêter la guérison. C'était encore aux frais de la Confédération helvétique. Je me doutais bien que cela n'allait pas durer encore très longtemps, alors… autant en profiter !

Il faisait très chaud. Le soleil était à son zénith, l'heure préférée des touristes inconscients. Abrités sous un vaste parasol de paille, en maillot, nous déjeunâmes à quelques mètres du bord de l'eau. Tandis que nous dégustions ce repas avec les doigts, Isabelle se précipita soudain jusqu'à la mer pour s'y rincer les mains, en profita pour se rafraîchir en s'aspergeant généreusement et revint se rasseoir en riant aux éclats. Mais, de temps à autre, elle s'arrêtait pendant un bref moment de manger, posait ses bras de chaque côté de l'assiette et, en silence, fixait le large au loin. Ses yeux verts opalescents devenaient alors étrangement vagues, comme transparents, humides, et tout à fait impénétrables.

Après avoir suçoté, aspiré, tété tout ce qui ressemblait à de la chair de homard, nous finîmes par nous allonger sur des chaises longues en sirotant le reste de la bouteille de champagne — tiède —, les vagues venant mourir à nos pieds.

Ma tête allait éclater. Isabelle était arrivée à Chypre il y avait à peine une semaine, condamnée par la médecine, et voilà qu'elle était sauvée. Que devenait dans ce cas l'enquête que j'étais censé mener ? Et mon best-seller annoncé ? Et le prix Hermès ? Et Van de Wedde ? Et ma carte de crédit ? Je sentais que j'allais avoir les vivres coupés d'ici peu avec quelques problèmes à la clé.

— J'ai un aveu à te faire, me lançai-je comme si je plongeai une seconde fois sous l'eau. Raymond Van de Wedde ne m'a pas seulement demandé de t'accompagner jusqu'ici, à Chypre… il m'a demandé aussi d'écrire un long compte rendu sur les pratiques prétendument douteuses d'Horace Christophoros. J'étais aussi rémunéré pour coincer un charlatan, et le problème maintenant, c'est… toi ! Un témoin encombrant, lâchai-je à Isabelle en riant. Je ne comprends pas comment tout ça s'est passé, mais puisque tu es maintenant tirée d'affaire, maintenant je suis… grillé.

Elle me dévisagea d'un air amusé. Son visage se métamorphosait de minute en minute. En ce qui me concernait, tout examen complémentaire me semblait superflu, Isabelle respirait bel et bien la santé. Elle avait retrouvé son âme. Une flamme de vie pétillait tout au fond de ses yeux. J'étais moi aussi transporté et — sous son influence — métamorphosé : toutes mes croyances les mieux établies n'étaient-elles pas aussi remises en cause ?

Les questions sans réponse butaient contre les parois de mon crâne devenu trop étroit. Je me demandais comment je pourrais rebondir si jamais je perdais mon travail. Dans le milieu de la communication pharmaco-médicale, où la plupart des revues étaient financées par la publicité émanant des laboratoires, tout se savait, surtout si l'OMIP voulait me faire une « publicité négative ». J'étais devenu — malgré moi — *l'homme par qui les miracles arrivent*, autant dire un original, un fantaisiste qui n'avait plus toute sa raison, voire quelqu'un de dangereux. Je n'avais plus qu'à me faire moine.

— Trompes-tu ta femme, Sébastien ?

Cette question aussi brutale qu'insolite me tira de mes angoisses. Trompais-je ma femme ? « Pas vraiment », allais-je lui répondre. C'est ce que je répondais d'ordinaire à mes potes, car tromper, c'est aimer… et ainsi de suite… tout le blabla ridicule des hommes confrontés à cette situation et qui tentent de se justifier.

— Oui, répondis-je sans la regarder.

— J'ai compris pourquoi la maladie est venue se loger au plus intime de mon être, en *son sein*. Ma vie n'était pas alignée sur mes valeurs. Je vivais en plein désordre. J'ai des amants, je n'aime pas mon mari, et Marc s'est suicidé par ma faute. Mes parents me font horreur : à cause d'eux, j'ai gâché ma vie. Et pourtant, malgré le chaos, je donnais le change autour de moi. Je survivais. La plupart des gens survivent, tu le sais bien, Sébastien. Il y a une différence majeure entre la vie que l'on se choisit librement et celle que l'on subit. Une différence majeure quand on vit en sachant quel est le sens de sa vie. J'ai interviewé des personnalités qui affichent une respectabilité sans faille devant la caméra et qui sont pourtant de pures crapules. C'est le jeu, pensais-je, le monde entier est ainsi fait. Disons plutôt que c'est ce que j'avais besoin de croire. En réalité, je ne valais guère plus que ces crapules. Moi aussi, devant la caméra, j'acceptais leurs fausses réponses à mes fausses questions et abondais dans leur non-sens. Toute ma vie était truquée. Mon Dieu ! Tu ne sais pas le pire, Sébastien, comment puis-je formuler cela ?... Je dois le dire, pourtant, je dois *te* le dire...

Elle rapprocha son transat en gardant le silence — son regard fuyant au loin. Le soleil s'était adouci. Nous tenant par la main, nous nous sentions intimement reliés, autant par les révélations personnelles échangées que par notre nuit partagée.

Trompais-je ma femme ? Cette question me troublait. Je la trompais depuis presque le début de notre mariage. Pourquoi est-ce que j'agissais comme ça ? Avais-je conservé mes habitudes de célibataire ? Et Leslie ? Me trompait-elle ? Que voulait dire le mot « aimer » ? Comment voulais-je vivre le reste de ma vie, et avec qui ? Étais-je heureux ? C'était la première fois que j'examinais sérieusement, *honnêtement*, mon chemin de vie, et je ne fus pas long à me rendre compte que je me contentais de toute une série d'à-peu-près. Je me levais tous les matins sans véritable but, par habitude. Sans passion. Non, je n'étais pas heureux. Je n'étais pas aligné sur mes valeurs. Quelles étaient donc mes valeurs ? Quand j'étais enfant, je voulais soulager quelques-uns des maux de l'humanité, c'est pourquoi j'avais décidé de faire de la médecine. Aider les autres, était-ce là ma vraie vocation ? Si seulement je le savais...

Notre méditation au bord de l'eau fut subitement interrompue par un garçon venu nous débarrasser de nos verres et me demander de signer au bas d'une addition à l'en-tête du restaurant de l'hôtel. Isabelle attendit qu'il se fût éloigné pour me confier ce que je crus être son ultime aveu :

— Sébastien, jamais je n'ai dit cela à personne. Même à moi-même, j'ai du mal à me l'avouer. Tu entends, c'est affreux. Je suis une mère indigne, vraiment, je ne vaux rien, je suis une moins que rien. Comment vivre avec une telle pensée ? Car je suis obligée de vivre maintenant. Tu m'entends ? Ce que je voudrais te dire, eh bien, c'est au sujet... de ma fille...

Elle me serra le bras. Son visage se rapprocha du mien comme pour me confier un secret à l'oreille. Je fixais l'horizon, évitant ses yeux, ne voulant pas troubler sa confession.

— *Je n'aime pas ma fille...* Voilà, c'est dit ! Tu peux penser de moi ce que tu veux. Ce que tu veux, tu entends ? Je suis une mauvaise mère, c'est comme ça. Depuis qu'elle est née. Non, c'est inexact… depuis que je l'ai portée. Elle n'est pas l'enfant de l'amour, puisque je n'aime pas non plus son père. J'ai tout essayé, pourtant, un enfant n'est responsable de rien, je le sais, ma raison le sait, mais mon cœur la repousse, pour moi elle représente… comment te dire?… elle me rappelle que j'ai autrefois aimé… aimé véritablement… que j'aime encore peut-être… mais ce n'est pas son père — mon soi-disant époux —, non, c'est un autre… un autre homme qui est mort d'amour pour moi… et c'est cet homme-là précisément que j'ai quitté.

« Tu peux me juger, Sébastien, et tu aurais raison, je suis une… femme indigne. J'allais dire : une mère indigne, mais je ne suis pas une mère, je ne l'ai jamais été. Alors, tu vois, mon cancer, il était somme toute bien mérité, il m'a rendu service. Maintenant, que vais-je faire ? Comment puis-je continuer à me lever chaque matin que Dieu fait avec toute cette culpabilité que je sens peser sur mes épaules ? Pourquoi les dauphins ont-ils tant tenu à me porter secours ? Pour que j'expie ici-bas, pour me punir pendant tout le reste de ma vie pour cette faute qui me ronge encore et encore ? Ô Sébastien ! comment vais-je assumer à présent que mon ennemi juré a abdiqué ? Je me retrouve seule tout à coup avec des années ouvertes devant moi comme un gouffre. Avec quoi vais-les remplir, ces jours et ces nuits à venir ? Où trouverais-je la force ? Pour qui et pour quoi ? Je n'arrive plus à aimer personne, car en fait j'aime encore et pour toujours un… fantôme. »

Le chagrin submergea son visage à l'instant même où un nuage — le seul et unique présent dans le ciel à ce moment-là — passa devant le soleil.

— Le simple fait que tu te reproches de ne pas aimer assez, ou mal, ou maladroitement ta fille, est une preuve de ton amour pour elle, tentai-je pour la réconforter. Cette pensée est presque noble de ta part.

— Quand les dauphins ont commencé à paniquer, j'ai pensé : « Je dois mettre de l'ordre dans mon chaos, je ne peux pas partir ainsi. » Ils m'ont entendue, je te demande de me croire, ils m'ont entendue penser et ils sont venus me porter secours. Et au moment où ils se sont approchés, je savais que j'allais vivre — ou renaître —, que le miracle s'accomplirait pour moi, là, sous l'eau, avec l'animal comme intermédiaire. Dieu était présent, tu sais, je l'ai vu comme je te vois, *il était ces dauphins*. Je ne sais pas si tu peux me comprendre. Il faut mourir et ressusciter, sinon tu ne sais rien. Le dauphin a compris qu'il me fallait du temps pour mettre de l'ordre dans ma vie et il m'en a accordé. Je dois rentrer en France, Sébastien, le plus tôt possible. Je n'ai plus une seconde à perdre. Ce soir même, je rentre à Paris avec la ferme intention de parler avec les miens. Mais attends-moi, s'il te plaît, je ne serai pas longue. Dans quelques jours, je reviendrai ici, à Chypre, et ma mission sera accomplie.

Je ne perçus pas la menace voilée qui planait sur ses propos, je pensais égoïstement à moi, et à mon enquête avortée. Je n'entendis donc pas son avertissement. L'aurais-je capté, je ne sais pas si j'aurais pu changer le cours des événements. Les dauphins ne l'avaient pas sauvée, ils lui avaient seulement accordé un sursis : ils lui donnaient *le choix*. Isabelle n'était plus condamnée, mais il lui restait à décider de vivre.

— Et notre invitation chez Horace ?

— Il sait déjà. *Ô mon Dieu ! toi seul, tu sais tout, tu vois tout et tu es tout.*

Elle recommençait à donner des signes de délire, comme durant nos séances de massage. Je me surpris à penser qu'elle n'était en réalité pas tout à fait guérie, du moins pas dans sa tête.

— Dis-lui que je reviendrai, que j'ai rendez-vous avec les dauphins. Mais il le sait parfaitement, il sait déjà tout. Là, dans les profondeurs, je suis morte et j'ai vu. Lui, il était là, il orchestrait tout. Ils ne peuvent rien contre Horace Christophoros ; lui, il est au-dessus des lois, il est la loi même. Le vrai miracle, c'est lui.

Je promis à Isabelle d'expliquer à Horace les raisons de son départ précipité.

Elle me donna un petit baiser sur la bouche et me laissa seul au bord de la plage. Le soleil avait amorcé sa descente, mais la température restait caniculaire.

Je me levai pour examiner soigneusement la surface de la mer.

Ni requin ni dauphin en vue, me rassurai-je.

La voie était libre.

Je me jetai à l'eau.

29.

Une fois rentré à l'hôtel, je m'aperçus que les volets de la large baie vitrée donnant sur le balcon d'Isabelle, tout comme la porte de communication entre nos deux appartements, avaient été fermés. Le numéro correspondant à sa chambre ne répondait pas : la réception me confirma qu'elle venait de quitter l'hôtel à l'instant.

« Elle s'est quasiment enfuie… », songeai-je.

Isabelle ne pouvait pas deviner que ses interrogations avaient aussi provoqué les miennes. Aimais-je Leslie ? Oui et… non. Le fait de ne pas être sûr, cela voulait-il dire *non* ? Dans les ténèbres grandissantes, une lueur d'espoir : je tenais beaucoup à ma fille Emily. En y réfléchissant, je me rendis compte que je n'avais pas de vrais amis non plus pour me soutenir, pas de vieux complice pour me consoler durant les jours de malheur. Chez qui donc aurais-je accepté de me réfugier en cas de coup dur ? Peut-être me serais-je finalement tourné encore vers mes parents aujourd'hui âgés. Aussi banal et immature que cela puisse paraître. Ma seule famille véritable. Avec Leslie et Emily.

Je mis en marche mon ordinateur portable et repris méthodiquement la rédaction de mon livre, qui — je le compris alors en toute lucidité — s'engageait maintenant dans un sens radicalement différent de l'intention première.

Cela fait trois heures que j'écris sans conviction, que j'efface tout et que je recommence. Des doutes sur ma mission, sur Horace Christophoros, sur Homère Majorka, sur Isabelle de Dieudonné, se sont implantés subrepticement, se sont incrustés petit à petit, et assaillent maintenant chaque cellule de mon cerveau. Je sais qu'Horace ne peut pas avoir agi ainsi, « comme ça », sur Isabelle. Je suis médecin et j'ai foi en la science. Rien de connu, de reproductible à ce jour ne peut guérir un cancer généralisé en phase terminale. Je soupçonne une habile et géniale manipulation. Oui, je suis manipulé comme un débutant. J'ai été littéralement envoûté. Ravi. Retourné comme une crêpe. Horace Christophoros n'a pas pu m'abuser à lui tout seul, il se fait aider par des complices... Homère ?... Est-il vraiment aveugle ?... Il se déplace comme un chat... Le lendemain de notre arrivée, il s'est glissé en douce dans la chambre d'Isabelle. J'ai tout entendu, ils sont intimes, Isabelle et lui. Ils se connaissaient bien avant notre arrivée à Chypre. Le gentil Homère, handicapé de surcroît. Un non-voyant attire toujours la sympathie. C'est clair.

De plus, Horace Christophoros attendait notre venue. Des disciples l'en avaient informé. Est-il possible que ce soit Isabelle ? Tout ça sent la magouille à plein nez. La présentatrice de télévision m'a tendu un piège ! Elle m'a monté un coup. J'en suis presque sûr, à présent : elle n'était pas malade. Ils l'ont trouvée en pleine forme à l'hôpital de Paphos, tout simplement parce qu'elle n'avait pas de cancer ! Elle n'en a jamais eu ! Pas de maladie, et donc pas de guérison miraculeuse.

Je suis utilisé. Mais dans quel but ? Je deviens fou. Tout se brouille dans ma tête. J'ai la conviction que ce que l'on désire me faire voir n'est pas la réalité, qu'il existe un écran de fumée.

J'appelai Octave à Paris. Mon ami d'enfance, secrétaire de rédaction d'un magazine de psychologie grand public. Un vieux de la vieille, question journalisme. Un fouineur de première. Je lui demandai d'enquêter tout de suite sur Horace Christophoros.

— Oui, il est tard, je le sais, mais j'en ai rudement besoin, de cette information !

Il maugréa ostensiblement, mais il me répondit finalement qu'il allait faire son possible.

Alors que j'attendais qu'il me rappelle, les soupçons m'assaillaient de plus belle. Ma tête allait éclater. Je me servis un whisky, ce qui n'arrangea rien. La douleur s'intensifia. La nervosité m'atteignait de plein fouet. Je descendis à la réception pour demander de l'aspirine. Oui, un médicament, un analgésique, alors que je savais pertinemment que la douleur provoquée par la migraine avait décidé de m'adresser un message, un avertissement, que la vérité était là, devant moi, mais que je la repoussais.

Octave me rappela. Il n'avait rien trouvé de probant sur Horace Christophoros. Inconnu au bataillon, ou presque. Je dus lui exposer les grandes lignes de ma mission. Sans demander de détails, il m'exhorta à tout laisser tomber et à rentrer au plus vite à Paris. Il pensait aussi que toute cette mise en scène cachait en réalité un traquenard. Les emprisonnements pour exercice illégal de la médecine sont nombreux en Europe, et notamment en France. Les prévenus sont jugés discrètement et sans tapage. Pour protéger le peuple d'on ne sait trop quoi, la justice, à la solde de la médecine et des laboratoires pharmaceutiques, dispose de tous les droits, notamment de vie et de mort sur tous les hérétiques et les non-croyants. Octave me cita le cas d'un médecin allemand extradé en 2004 d'Espagne et incarcéré en France tout simplement parce qu'il avait écrit un livre sur la médecine nouvelle.

— Il guérirait des cancers par la résolution de conflits psychologiques. Des théories abracadabrantes qui ne reposent sur rien. Pas vraiment dangereux, le bonhomme, mais de tels propos, s'ils étaient suivis, pourraient remettre en question le fondement de toute la thérapeutique officielle. Des enjeux colossaux, tu penses. Ils ne peuvent pas laisser passer ça sans le sanctionner. Ils ont mis le médecin hors circuit en fabriquant de toutes pièces de soi-disant infractions médicales. Il a eu droit à un jugement bidon. En prison, il reçoit du soutien de la part de quelques illuminés comme lui. Tu peux consulter un site Internet qui lui est dédié, où tout est relaté. L'injustice est manifeste, mais tout le monde s'en fiche. Sébastien, tu joues avec ton avenir, sinon avec ta vie. Ça n'en vaut pas la peine ! Je ne sais pas au juste ce que tu fais là-dedans, mais tu n'en sortiras pas indemne ! m'avertit Octave.

— Je voudrais juste comprendre un peu le but du jeu. Tu sais, Octave, c'est frustrant d'être pris pour un naïf. Je sais pertinemment que cette clique de Chypriotes me manœuvre. Maintenant que j'y repense, je me demande s'ils ne veulent pas contrer Raymond Van de Wedde sur son propre terrain. Tenter de faire plier la science, en quelque sorte ! Des fanatiques du retour à la nature, genre écolos extrémistes. Dire que j'ai douté de mon commanditaire ! Ai-je été assez stupide ! La médecine, c'est toute ma vie, c'est mon choix, mes études, ma vie. Mon père était médecin. Il n'y a qu'à ouvrir les yeux, la science avance à grands pas et ceci chaque jour. Il suffit de demander à des greffés du cœur qui vivent grâce aux formidables progrès chirurgicaux depuis plus de vingt… plus de trente… plus de quarante ans ! Merci, Octave. Je vais appeler mon patron. Il doit en savoir un peu plus sur lui, sur tout cela.

— Sébastien ?

— Oui.

— Tu devrais rentrer. Au son de ta voix, je vois bien que tu essaies seulement de te rassurer.

— Je te rappelle aussitôt que j'ai du nouveau, répondis-je fermement de peur de me laisser influencer.

J'appelai Raymond Van de Wedde sur son téléphone portable. Il était déjà tard dans la nuit. Il devait dormir, il ne répondit pas.

J'étais au comble de la nervosité. Que faire ? Je descendis pour prendre la jeep. J'irais voir Homère Majorka. Non, Horace Christophoros en personne. J'allais l'affronter. C'était encore ce qui pourrait le mieux me délivrer. J'allais lui dire en face ma façon de penser ! Qu'il m'avait dupé. Que le bastringue de jazz en pleine mer et les simulacres avec les dauphins n'étaient qu'une vaste fumisterie, et qu'il le paierait cher !

Je roulai pendant un moment presque au hasard, égaré, sans savoir où j'allais. En fait, je tournais en rond dans la nuit. Je ne cherchais même pas le chemin de sa maison, comme si j'avais oublié la route. J'arrêtai la voiture et me mis à rire nerveusement. Je respirai un grand coup et me calmai durant quelques minutes, avant de reprendre la route. Mais, de nouveau, je me perdis dans le noir parmi toutes ces pistes et chemins de terre qui se ressemblaient.

J'eus une idée : j'allais longer la mer pour rejoindre l'hôtel Dionysos. Oui, et de là, j'irais à pied jusque chez lui. L'hôtel Dionysos, lui, ne pouvait pas avoir disparu.

L'enseigne au néon bleu marine et rouge de l'hôtel me rassura. Je n'avais pas la berlue, je savais encore ce que je faisais. Je me garai devant l'entrée. À pied, je contournai le bâtiment pour gagner la plage. J'arriverais par-derrière, comme le premier jour de notre visite. Je marchai d'un pas assuré. J'écoutai un instant le bruissement léger de la mer. Elle était douce et calme, cette nuit-là. Pas un souffle de vent. Une singulière quiétude régnait sur les éléments. Moi, je fulminais de m'être laissé berner. Je devrais aller trouver immédiatement les autorités afin de les faire tous enfermer. Majorka?... Christophoros?... Des noms d'emprunt. Quel idiot je faisais! J'aurais dû prendre des photographies — en légende: *frictions énergétiques et autres pétrissages guérisseurs* — pour pouvoir les publier dans les journaux. Raymond Van de Wedde avait vu juste.

C'était une bonne idée, d'avertir la police. Elle devait avoir déjà reçu des plaintes.

Mon mal de tête s'accrut. Le sang tambourinait dans mon crâne. J'avais chaud. Il faisait chaud. Non, c'était l'énervement qui me donnait des sueurs froides. Isabelle de Dieudonné s'était enfuie après sa prétendue guérison, de crainte d'être démasquée. C'était clair. Elle m'avait joué la comédie... Dans quel but? Un scoop? UN MÉDECIN ABUSÉ PAR UN VULGAIRE FAISEUR DE PASSE-PASSE! Ce gros titre ferait la une des journaux.

Je n'arrivais pas y croire, pas elle. Ses mains sur ma peau... Mes mains sur son corps... Les accents déchirants qu'elle avait eus en racontant son effroyable passé... Elle n'avait pas pu inventer tous ces détails morbides. C'était impossible... les mots, le ton... la souffrance réelle qu'elle manifestait parfois sans possibilité de simuler... Aucun comédien n'aurait été capable de feindre l'angoisse de l'approche de la mort avec autant de justesse. Non, elle ne pouvait pas être dans le coup. Elle était victime, elle aussi. Mais de qui?

J'arrêtai un instant ma progression. Je m'assis sur un rocher et tentai de percer l'écran noir comme l'encre de la pieuvre. Du bout de la nuit ressurgirent des bribes de mon enfance. Oui, mon père était médecin. Mais c'était le genre de docteur qui « oubliait » de se faire payer quand son patient n'en avait pas les moyens. Ma mère ne cessait de lui rappeler que c'était son métier, que nous n'étions pas riches, qu'il fallait se nourrir, s'habiller et payer les factures et le loyer… Mais c'était pour la forme, car elle aussi fermait les yeux, elle comprenait. Elle partageait ses valeurs. Il était le Don en personne. Bon, accueillant, disponible. Il pratiquait à Paris, dans le dix-neuvième arrondissement, dans le quartier de la Villette et du Pont de Flandre. Depuis ses débuts, il avait drainé une clientèle simple, populaire. « Quand on est mal engagé, on ne peut plus faire marche arrière », avait-il coutume de répéter. Mon père était né pour aimer les gens. Pour alléger la souffrance. Consciemment ou non, il m'avait encouragé dans cette voie-là, c'était une évidence, aujourd'hui. J'avais résisté comme j'avais pu, de toutes mes forces. J'avais fait tout ce qu'il fallait pour échapper à la médiocrité… Je rêvais d'accéder un jour à la célébrité… Sortir du lot, être reconnu… Le journalisme scientifique, tel que je l'avais pratiqué, c'était pour m'éloigner au plus loin de lui. C'était seulement maintenant que je le comprenais en toute clarté. Et cette nuit, seul dans les ténèbres, je réalisai à quel point j'étais en réalité proche de lui. J'ai toujours admiré mon père.

Raymond Van de Wedde avait commis une grossière erreur en me choisissant comme « fin limier ». Il avait cru reconnaître en moi l'arriviste. Il n'avait pas décelé combien je tentais désespérément de m'éloigner de celui que j'étais vraiment. Aujourd'hui, ce que j'étais m'avait subitement rattrapé. Voilà pourquoi, malgré la rigueur de mon métier d'informateur scientifique, et le pont d'or qui m'était offert, avec en prime la reconnaissance due à la publication d'un livre récompensé par le prestigieux prix Hermès, voilà pourquoi je répugnais à crucifier un homme qui vouait sa vie à la guérison. Même s'il s'agissait d'un imposteur. Une pauvre femme condamnée par la médecine s'était retrouvée guérie du jour au lendemain. Cela me suffisait.

Le ronflement d'un vieux moteur diesel me fit relever la tête. J'aperçus le bateau de pêche d'Horace Christophoros qui approchait du rivage. Je restai là sans broncher, dissimulé dans l'obscurité, assistant avec satisfaction au rituel d'amarrage qui m'était devenu familier. Le vieil homme prenait tout son temps pour ranger son attirail de pêche avec un cérémonial étudié.

Je le regardai s'affairer, retenant mon souffle dans la nuit. Puis, lentement, il prit le chemin de sa petite maison. Il rentrait chez lui après une expédition en mer. Comme un vrai pêcheur qu'il était. Un simple pêcheur. À mon grand soulagement, une nouvelle certitude intérieure m'habitait. Même si cet individu était motivé par un désir utopique de sauver l'humanité tout entière — faisant front, seul, contre l'énorme et tentaculaire machine de guerre de l'Organisation mondiale pour les intérêts pharmaceutiques —, Isabelle de Dieudonné s'était retrouvée guérie. Et ce, à son contact. Je ne savais absolument pas comment s'était accompli le miracle, mais il s'est accompli. J'y étais.

C'était moi qui étais l'escroc en voulant m'introduire subrepticement chez lui pour le trahir. Toute ma vie, jusqu'à cette nuit, avait été dirigée par le mensonge. N'étais-je pas un journaliste qui publiait des informations scientifiques *telles qu'on* les lui dictait et *parce qu'on* les lui dictait ? En prenant bien soin de ne jamais trop en vérifier les sources, de peur de découvrir en toute clarté la propagande dissimulée derrière les bonnes intentions. Je pensai tout à coup à la vaccination *systématique, pratiquée sans discernement* sur tous les nourrissons contre la poliomyélite, la rubéole (qui ne touche que les femmes), la coqueluche, la rougeole… occasionnant bien plus de dégâts que les maladies elles-mêmes. Tous les médecins savent pertinemment que ces mesures préventives représentent des enjeux économiques énormes, mais personne n'a le courage de les dénoncer publiquement. Qui, à la Faculté, a jamais remis en question les invraisemblables évidences que l'on nous inculque ? Qui ose braver l'omnipotence des maîtres, au risque de se retrouver banni de la caste des soi-disant élus ?

Mon sens critique s'est émoussé au cours de ma formation médicale. En médecine, les doyens, les grands pontes, les mandarins sont censés tout connaître. La maladie est répertoriée, classifiée, ritualisée, et les thérapeutiques préconisées évoquent étrangement les articles du dogme prononcés *ex cathedra*. On use du *Vidal* comme de la Bible. Mon père m'avait souvent mis en garde : « La guérison est essentiellement une question de relation avec le patient, elle ne se trouve pas dans les livres. » Mais je me contentais de hausser les épaules… J'ai toujours eu honte de lui devant mes camarades qui décrivaient avec suffisance les éclatantes carrières de chefs de service de leur père, de leur grand-père, de leurs oncles et frères.

J'entendis le sable crisser à quelques pas de moi. Une ombre solitaire se mouvait entre ciel et terre. Subitement, il se mit à pleuvoir. Des tonnes d'eau. Que rien ne laissait prévoir. Mais je ne bougeai pas. J'accompagnai du regard Horace Christophoros qui rentrait chez lui en longeant la mer, tenant d'une main son chapeau de paille, et de l'autre son panier en osier dans lequel frétillaient encore les quelques poissons qu'il partagerait le lendemain avec le premier venu. Mon cœur esquissa un grand sourire, un sourire de réconciliation et d'apaisement. Je le reconnus, ce sourire-là : il prenait sa source dans l'âme même de mon enfance. Quand j'entendais mon père résumer avec emphase le sens de la vie : *se mettre au service des autres.*

Un éclair zébra l'horizon trois fois de suite. Le bruit formidable du tonnerre retentit, tandis que l'océan se dilata, semblant se soulever jusqu'au bout du monde. Et le déluge s'arrêta net.

Mon combat avec le démon avait pris fin.

Je venais d'être le sujet de ma propre guérison.

30.

Puisque Isabelle était guérie, moi, Sébastien LeBlanc, journaliste et médecin, j'avais été le témoin d'un prodige. Et il était de mon devoir de le révéler. Le monde entier en serait informé. Raymond Van de Wedde lui-même devrait en convenir : il existait dans le cas de certaines maladies des voies thérapeutiques encore inexplorées. Rien, non, plus rien ni personne ne pourrait plus jamais faire pression sur moi ou me contraindre. J'allais écrire mon livre en toute indépendance et en toute objectivité, en me contentant de décrire les faits, c'est-à-dire en respectant aussi scrupuleusement que possible la vérité… aussi adieu veaux, vaches, cochons et… prix Hermès ! Je commençais seulement à entrevoir le sens de ma vie, à entendre mon idéal d'adolescent, à comprendre véritablement ce que signifient les mots : « se mettre au service de l'humanité ». Horace Christophoros n'était en rien un grand prêtre dispensateur de vie ou de mort. Il agissait en tant que révélateur. C'était la détermination de ses patients, une inouïe capacité interne — ou je ne sais quoi d'autre — qui opérait la guérison spontanée. Moi, l'être le moins crédule de la création, je venais d'adopter instantanément une croyance à l'opposé absolu de l'ancienne. Il avait fallu pour réaliser ce miracle des prières, un cancer, un livre interdit, le directeur d'une des plus grandes puissances financières de la planète, une quasi-noyade, des dauphins, des massages, de la musique en mer…

… et Horace Christophoros.

Isabelle de Dieudonné avait désiré en finir — avant tout aussitôt de souhaiter ardemment sa renaissance. Une intelligence supérieure lui avait répondu.

Une intelligence de quel ordre exactement ?

Je tournais autour de cette question, mais ma pensée voltigeait et courait bien plus vite que mes doigts... Pourtant, je tapais des lettres sur le clavier, qui formaient des mots sur l'écran, qui engendraient des idées, qui commençaient à former un début de raisonnement.

Le téléphone de la chambre sonna. Je sursautai. Je pensai aussitôt à un appel d'Isabelle... Quelqu'un au standard m'annonça « monsieur... Raymond Van de Wedde ».

Oh non ! C'était bien trop tôt ! Je n'avais pas eu le temps de mettre en place une quelconque stratégie.

— Allô ?

— Que s'est-il passé ? hurla-t-il d'emblée.

Pourquoi exactement ? Peut-être à cause de son timbre de voix, j'étais persuadé qu'il était déjà au courant d'une partie de l'affaire. Je lui retraçai pourtant l'histoire au téléphone. Notre sortie en mer à bord du rafiot d'Horace, la musique de jazz et la danse aquatique, la noyade d'Isabelle et son sauvetage *in extremis* par les dauphins. Son agonie nocturne. Son transfert à l'hôpital. Et la guérison spontanée de son cancer. Plus aucune trace constatable de sa maladie. En parfaite forme physique.

— Elle est déjà rentrée à Paris pour mettre de l'ordre dans sa vie, elle reviendra à Chypre dans quelques jours, m'a-t-elle assuré.

Raymond Van de Wedde fulminait. Il ne savait quels mots employer pour me démolir.

— Vous avez dépassé toutes les limites tolérables, le comprenez-vous bien ? D'abord en ne m'appelant pas chaque jour comme convenu, ensuite en n'ayant pas respecté votre mission : ne venez-vous pas de m'affirmer qu'Isabelle avait failli se noyer sous vos yeux, vous qui étiez censé précisément la surveiller !

— Je crois que vous ne m'avez pas entendu, ou que vous n'avez pas bien compris : *I-sa-belle est gué-rie !* lui répétai-je en articulant distinctement. Toutes les données de notre contrat s'en trouvent évidemment bouleversées, et c'est une grande victoire remportée... sur la mort, non ?

— Elle est guérie, elle est guérie, mais comment pouvez-vous m'affirmer une chose comme ça de façon aussi catégorique ? Vous vous fiez à des analyses du premier médecin venu d'un vulgaire village de pêcheurs ? Je vais m'en occuper, moi — et sérieusement — de ses examens ! Comment avez-vous pu tomber aussi facilement dans le panneau ?... Un ange gardien protecteur et des dauphins guérisseurs ?... Je pense que ce genre d'élucubrations ne va pas faire très sérieux quand il sera connu dans votre milieu professionnel ! Et votre réputation ? Vous oubliez que vous êtes médecin !

— Calmez-vous, monsieur Van de Wedde, des analyses et des radios ont bien été effectuées, mais il vous suffira de rencontrer Isabelle pour vous faire une idée. Elle respire la santé. Ses yeux brillent. Préparez-vous à un choc ! Vous savez, vous devriez vous réjouir, car sa guérison ouvre des perspectives inimaginables. Ce qui s'est déroulé devant mes yeux, comme vous dites, est reproductible. Le corps d'Isabelle s'est reconstruit en quelques heures. C'est tout bonnement merveilleux ! inimaginable ! Nous nous devons maintenant d'étudier ce phénomène d'autoguérison pour le comprendre, puis tenter de délivrer la bonne nouvelle aux malades désespérés. Ma mission a échoué, monsieur Van de Wedde... lamentablement ! ou... magnifiquement ! Mais Horace Christophoros n'est pas un charlatan — j'en suis d'ailleurs vraiment désolé... pour vous ! —, tandis qu'une fondamentale et fantastique découverte vient d'être faite. Et vous êtes le premier à en prendre connaissance... Allô ? Allô ?...

Il avait raccroché.

« Qu'il aille au diable ! »

Tout à coup, je songeai à ma carte de crédit ! Je fis un rapide calcul mental, et la somme que je devais à l'hôtel Athéna me parut astronomique. Une vague de sueur froide m'inonda le dos. S'il me coupait brutalement les vivres, je ne pourrais pas payer ma note d'hôtel de beaucoup et avant longtemps. Isabelle avait-elle réglé la sienne ?

Je descendis aussitôt à la réception et demandai ma facture, ainsi que celle d'Isabelle.

— Je ne pars pas, précisai-je, je veux juste régler ce que je dois à ce jour, j'ai un plafond mensuel sur mon compte bancaire.

Comme je l'avais pressenti, Isabelle n'avait pas payé sa note. Le montant dû pour les deux suites était en effet exorbitant. Je présentai presque en tremblant la petite carte en plastique que l'employé fit passer d'un aller-retour machinal dans la fente du lecteur électronique. Pendant le temps de la transaction, le jeune homme me lançait des sourires de connivence. « Ça va aller », avait-il l'air de suggérer, comme s'il voulait me rassurer. « J'espère bien », lui répondis-je mentalement, tentant de conserver un air impassible et une mimique inexpressive.

En vérité, mon cœur battait la chamade.

— Ah ! fit-il en me regardant d'un air contrarié, votre carte ne passe pas. Ne vous inquiétez pas, cela arrive de temps en temps. Je recommence.

Je me concentrai un instant en respirant largement…

… et nous nous renvoyâmes la même risette.

— Ah ! lâcha-t-il d'un air grave, cette fois, la carte est refusée.

Son sourire de circonstance avait disparu. Ses yeux sombres avaient viré au noir de jais, me sembla-t-il.

— Je ne comprends pas, fis-je, embarrassé, en regardant autour de moi comme pour trouver de l'aide.

Raymond Van de Wedde avait tiré la première salve, pensai-je. Je l'avais bien cherché. Quel crétin je faisais ! J'aurais dû la boucler, régler d'abord ma note et lui dégoiser mes considérations après cette opération élémentaire, pas avant. Je m'étais mis tout seul dans de beaux draps !

— Essayez encore, dis-je pour gagner du temps. Peut-être est-elle démagnétisée…

À ce moment, une colombe blanche apparue de nulle part descendit se poser sur le bras nu du caissier, qui, saisi, en lâcha la carte de crédit. Il chassa l'oiseau avec de grands gestes agacés. La colombe lui tournait autour comme pour le défier, puis elle s'envola en direction du plafond où elle disparut derrière une poutre.

— Je veux bien essayer, mais je dois auparavant vous prévenir : si votre carte échoue pour la troisième fois, je serai obligé de vous la confisquer. J'ai pour ordre dans ce cas de figure de vous la bloquer.

— Allons-y, lançai-je. De toute façon, je n'ai plus le choix.

Je fixai le plafond et me mis à rire. Je me souvins de l'« apparition » qu'avait vue Isabelle sur son balcon le deuxième soir après notre arrivée, elle avait d'abord cru que cet oiseau était un fantôme, avant de décréter qu'il s'agissait d'un ange.

Quand je me tournai de nouveau vers le guichet, l'autre me tendait ma carte de crédit en m'assurant que le paiement avait été accepté et que tout était en ordre.

— Pour les deux chambres ? fis-je, étonné.

— Oui, tout est réglé, répondit-il en me remettant les deux notes sur lesquelles il avait apposé cachet et paraphe.

Je pris les factures et me dirigeai, perplexe, vers la sortie. Avant de remonter dans ma chambre, je restai un moment songeur, fixant la voûte du hall agencée grâce à de solides cannes en bambou.

— C'est peut-être mon ange gardien à moi, marmonnai-je en haussant les épaules.

Il me restait encore un peu de temps avant d'aller rendre visite à Horace Christophoros... Je me remis à écrire de plus belle.

Avant de quitter la chambre, je copiai mon texte sur une disquette de sauvegarde que je décidai d'emporter avec moi. Et, ultime précaution... j'effaçai mon texte de l'ordinateur.

Je m'étais résolu à adopter dorénavant une prudence extrême et de tous les instants.

31.

Un garçon du restaurant avait chargé à ma demande l'arrière de la jeep avec des préparations du buffet italien de ce soir-là. Festin en prévision, agrémenté d'une bonne bouteille de vin rouge du pays.

— Le meilleur, réclamai-je. Et mettez le tout sur la note.

Après tout, c'était à mon tour de régaler.

Quand j'arrivai chez Horace Christophoros, je trouvai d'abord sa porte entrouverte, puis celui-ci installé sur la terrasse, assis dans un antique fauteuil en osier. Les yeux protégés par des lunettes noires, il regardait en direction de l'horizon embrasé par l'astre du jour déclinant.

— Regardez ! dit-il en pointant son doigt au loin, sans se retourner.

Qu'est-ce que je devais regarder au juste. Le soleil qui se couchait ? La mer d'huile sombre aux reflets rouge sang ? Encore et à nouveau des dauphins ?

Son doigt restait fixé sur un objectif invisible.

— Regardez encore.

Je me forçai à examiner le moindre mouvement de l'eau quand je crus distinguer au loin une petite embarcation.

— Est-ce qu'il n'y a pas un bateau, là-bas ? lui demandai-je.

— Exact, et sur ce bateau, il y a un homme installé devant une motte d'argile en train de modeler quelque chose.

— Vous avez une vue exceptionnelle ! m'exclamai-je.

— En effet, ou peut-être une espèce de double vue… Cet homme, c'est Homère Majorka.

— Pardon ? m'écriai-je en me mettant à scruter intensément l'embarcation. Mais c'est impossible, puisqu'il ne voit pas…

— Disons plutôt qu'il ne voit pas… avec les yeux.

— Mais comment peut-il se diriger sur la mer ? Éviter les autres embarcations ? Revenir exactement à son point de départ ?

Horace Christophoros se leva et m'entraîna par le bras.

— Allons le lui demander.

— Attendez, dis-je, j'ai apporté avec moi de quoi dîner. Tout est dans le coffre de la voiture.

— Bonne idée, je suis sûr qu'Homère doit mourir de faim, cela fait plus de trois heures maintenant qu'il a quitté la côte et qu'il se confronte avec la matière, et presque trois heures que moi, en retour, je ne le quitte presque pas des yeux. Vous savez, Homère ne sort en mer que pour de très grandes occasions.

« Ça y est, me dis-je, me voilà bon pour un nouveau pique-nique en pleine mer — et nocturne cette fois. »

Sans doute était-ce devenu pour Horace une habitude que de manger perdu parmi les flots. Par chance, cette nuit-là était une nuit de pleine lune.

Nous embarquâmes sur son vieux rafiot avec plateaux et saladiers — les hors-d'œuvre, les pâtes et les fruits. Et le vin.

Je pris place sur le banc à l'avant à côté d'Horace qui, après avoir fait démarrer le moteur dans un bruit assourdissant, prit la barre du gouvernail pour mettre le cap en direction d'un point perdu de l'horizon où un homme seul sur une barque était censé modeler un univers invisible.

Je constatai qu'Horace n'avait pas fait la moindre allusion à l'absence d'Isabelle quand il se tourna vers moi pour me demander :

— Elle est rentrée à Paris, n'est-ce pas ?

— Comment le savez-vous ?

— C'était prévisible dans son cas. Guérie aussi soudainement, elle est pressée maintenant de mettre de l'ordre dans son chaos. De régler les choses restées en souffrance. Sa guérison a provoqué en elle une onde de choc. Mais elle reviendra. Car c'est ici qu'elle bouclera son histoire. Comme vous, d'ailleurs.

— Quoi ? Moi ? Je partirai et je reviendrai ?

— Un jour ou l'autre, nous comprenons qu'il est impératif de mettre de l'ordre dans notre vie. Vous pouvez tenter pendant quelque temps d'échapper à ce qui vous entoure, mais vous ne pourrez pas échapper éternellement à vous-même. Quoi que vous fassiez, votre destin vous rattrapera un beau matin. Croyez-vous que ce soit le hasard qui vous a mené jusqu'à moi ? Ou que c'est seulement l'œuvre de… Raymond Van de Wedde et de ses acolytes ?

Il rit de bon cœur en me regardant.

Le bateau s'enfonça brusquement dans le creux d'une vague.

J'en eus le souffle coupé.

J'étais sûr de n'avoir jamais prononcé devant lui le nom du président de l'Organisation mondiale pour les intérêts pharmaceutiques, de n'y avoir pas fait la moindre allusion.

Que savait-il exactement ? Isabelle lui avait-elle parlé de quelque chose ? Elle était d'ailleurs restée étrangement silencieuse après mon aveu — j'avais été payé par l'OMIP pour dénoncer le « thérapeute » qu'elle, elle s'était choisi ! —, affichant un sourire narquois et feignant une espèce de souveraine indifférence.

Nous étions arrivés à une cinquantaine de mètres du canot d'Homère. Mon capitaine coupa le moteur. Le bateau continua un instant sur son erre, s'approchant lentement de l'autre embarcation jusqu'à la frôler.

Le soleil venait à l'instant même de disparaître en son entier, basculant de l'autre côté du monde en laissant derrière lui une traînée orangée le long de la ligne d'horizon.

En contre-jour, comme une ombre chinoise se détachant sur l'écran du ciel, je distinguai de profil le meilleur ami d'Horace sur son bateau, debout devant un tour de potier surmonté d'un socle. Un évidoir serré entre les lèvres.

Nous l'abordâmes doucement, comme en une caresse, veillant à ne pas risquer de déséquilibrer l'artiste tout à son affaire. Dès qu'il nous sentit le toucher, Homère Majorka ôta son instrument de sa bouche et se retourna sur le banc pour nous accueillir. À ce moment, une blanche colombe que je n'avais d'abord pas remarquée battit des ailes un court instant sur la proue avant de prendre son envol en direction du large.

Son ange gardien pouvait quitter son poste de veille, pensai-je, nous étions venus pour prendre la relève.

— Il était temps, j'ai cru que vous m'aviez oublié! lâcha Homère en remuant lentement la tête d'avant en arrière. Bienvenue, monsieur LeBlanc.

Comment avait-il deviné ma présence?

Après avoir aidé mon capitaine à attacher ensemble les bateaux, je montai le premier à bord. Horace me passa les plats, les couverts et les serviettes que je posai sur une planchette, en vrac. Il se préparait à monter à bord à son tour, quand je lui rappelai l'existence d'une bonne bouteille de vin.

— C'est vrai, dit-il, et c'est essentiel pour pouvoir bénir comme il se doit la santé retrouvée d'Isabelle.

Il passa ensuite précautionneusement d'un canot à l'autre.

C'est alors que, mû par une curiosité irrépressible, je me permis de jeter un coup d'œil sur la forme trônant sur la planchette du tour. Mes cheveux se dressèrent sur la tête: la sculpture représentait le buste d'une jeune femme. Je voulus parler, mais mes cordes vocales refusèrent de prononcer un mot. Il me fallut quelques secondes avant de pouvoir balbutier:

— Mais comment est-ce possible?

Animé par le besoin vital de toucher, j'avais pris le visage entre mes deux mains, voulant comme saint Thomas être bien sûr que je ne rêvais pas.

Jamais l'expression «toucher du doigt un chef-d'œuvre» ne me sembla aussi appropriée.

— Et en plus, c'est elle..., ajoutai-je, éberlué. Je peux même préciser que vous avez représenté Isabelle guérie. Son regard irradie la vie. Cela tient du prodige.

Je la présentai à Horace qui l'examina à son tour.

— Vous avez reproduit une cicatrice infime, à droite de son front, releva-t-il.

— Oh! mon inconscient a dû percevoir chez elle comme l'ombre d'un souci. C'est pour pouvoir l'effacer qu'elle est rentrée en France, n'est-ce pas?

Horace ne répondit pas, il se tourna vers moi pour m'interroger du regard.

— Oui, répétai-je, elle est partie dans le but de mettre de l'ordre dans sa vie, m'a-t-elle dit, et elle reviendra ici ensuite.

— Le buste est pour elle, précisa Homère.

Jusqu'à notre retour à terre, le silence régna sur le bateau, comme si nous nous comprenions sans avoir plus rien à nous dire. La méditation des êtres et des éléments — qui, eux aussi, semblaient communiquer secrètement — occupa le vide.

Après avoir rangé précautionneusement la sculpture dans un recoin protégé du bateau, je préparai trois copieuses assiettes avec les divers ingrédients artistement présentés. J'entrepris de déboucher la bouteille et de servir mes hôtes dans de vrais verres à vin à pied — touche de raffinement surréaliste sur cet antique rafiot isolé au milieu des ondes.

Je ne sais pas pourquoi, mais je choquai mon verre contre ceux de mes deux nouveaux amis en bénissant silencieusement le ciel. La grâce accordée au moment présent me reliait à la totalité du monde. J'aurais aimé partager l'alchimie de cet instant précieux avec une certaine amie éloignée. Je notai en passant dans un coin de ma conscience que ce n'était pas à ma femme que je songeais, mais à Isabelle. C'était elle qui me manquait.

La majesté quasi inquiétante du crépuscule, celui-ci calme et apaisé — annonçant quelle terrible tempête ? —, nous enveloppa lentement comme pour nous envoûter. Des rythmes, des sons, des voix semblaient me traverser de part en part. J'interceptais un chant de larmes et de désolation. Mais aussi de joie et de célébration. Et d'amour.

Sujet d'un charme mystérieux, je finis par ouvrir les bras et, porté par les éléments, j'atteignis les contrées lointaines d'où émanait le chœur affligé des hommes.

Je l'entendis chanter. Et je chantai avec lui.

32.

— Je t'appelle d'une cabine téléphonique, sanglota Leslie. Cela fait maintenant presque trois jours que tu n'as pas appelé pour donner de tes nouvelles. Qu'est-ce qui se passe ? Deux hommes ont sonné à la maison ce matin, de la part de ton fameux « ami » Van de Wedde. Toute cette histoire était louche depuis le début, je le pressentais. Ils m'ont demandé si Emily travaillait bien à l'école, ce qu'elle voulait devenir plus tard ; ils m'ont dit qu'il fallait faire attention à notre fille, car beaucoup trop d'accidents malheureux surviennent de nos jours. Ils m'ont appris aussi que la mission pour laquelle tu étais rétribué avait lamentablement échoué. Tu serais passé dans le camp de leur adversaire, tu soutiens les charlatans... Des menaces... des menaces à peine déguisées, Sébastien, qu'est-ce que je dois faire ? Dis-moi ?

— Commence par te calmer, lui soufflai-je.

Cette phrase s'adressait d'abord à moi-même, tant j'étais secoué et révolté par ce que venait de m'apprendre Leslie.

Ma femme venait de me réveiller ; j'étais rentré très tard de chez Horace où, en compagnie d'Homère, nous avions fêté comme il se doit — avec une autre bonne bouteille de vin du pays — la guérison de notre « protégée ».

— S'ils te parlent comme cela, repris-je d'une voix aussi posée que possible, c'est parce qu'ils paniquent. Ce ne sont pas des gangsters de la mafia [ce dont je commençais à douter]. Je suis journaliste, et ils m'avertissent, à travers toi, de ne pas révéler une découverte qui, allant à l'encontre de leurs industries pharmaceutiques, pourrait menacer leurs profits. C'est juste de l'intimidation.

— Qu'est-ce que je dois faire ?

— Va dans un cybercafé, crée-toi une nouvelle adresse électronique, ensuite transmets-la-moi à l'adresse que je vais t'indiquer.

— Je ne te comprends pas.

— Donne-moi le numéro de ta cabine téléphonique. Ne bouge pas de là : je te rappelle dans une dizaine de minutes à peine.

Je notai le numéro et raccrochai, en proie à une violente rage intérieure. J'enfilai short et tee-shirt, puis courus jusqu'au parking pour démarrer la jeep et la conduire au plus vite vers une cabine téléphonique publique que j'avais repérée, à quelques minutes de l'hôtel. Par chance, elle était libre.

Je me saisis du combiné et entendis le signal. En faisant un effort pour me contrôler, je composai le numéro. Leslie décrocha immédiatement.

— Ça va ? demandai-je.

— Non, répondit-elle. Absolument pas. Mais pourquoi tu ne laisses pas tomber tout ce méli-mélo, pourquoi tu ne rentres pas ?

— C'est trop tôt, dis-je. Ne t'en fais pas, ici à Chypre, je suis en parfaite sécurité. [Je n'en croyais pas un mot.] Bon, maintenant, note bien mentalement mon adresse électronique. Elle est simple à retenir, ne l'écris surtout pas. Je l'ai justement créée hier après-midi au cas où, guidé par une sacrée intuition. Personne d'autre que toi ne la connaît. Tu vas partir quelque part à l'étranger, tout de suite. Ne préviens personne de ton départ, ni tes parents, ni les miens, ni une quelconque amie, car tu pourrais te mettre en danger. Prends un train pour Amsterdam, de là, vous prendrez un avion jusqu'à Athènes. Du Pirée, tu embarques sur un bateau en direction d'une île, de préférence très touristique. Tu dois loger chez l'habitant ; ne montre jamais ton passeport ; rends-toi aussi anonyme que possible. Je t'avertirai quand tu pourras sortir de ta cachette. Je ne t'appellerai pas, ni toi non plus, tu m'entends ! Jamais ! Toutes les lignes de l'hôtel doivent être sur écoute. Et mon téléphone portable aussi. Par contre, je communiquerai avec toi par courrier électronique. Et prends bien soin à chaque fois d'effacer les messages envoyés ou reçus. Autre chose, ne paie rien avec une carte de crédit. Est-ce que tu as bien tout compris ?

— Je t'ai entendu, dit-elle, on se croirait en plein dans une histoire d'espionnage. Je me demande si je ne vais pas rester tout bonnement à la maison. Je ne sais pas si j'aurai la force de faire tout cela.

— Ne t'en fais pas, toutes ces précautions sont à mon sens inutiles, je ne suis pas un agent secret et je n'ai pas découvert les plans d'une nouvelle arme secrète. Rien qui soit vraiment monnayable. J'ai simplement redécouvert ce que tu savais déjà, à savoir que la guérison peut survenir par un autre moyen que la consommation massive de médicaments. Je t'en dirai plus dans quelque temps. N'aie pas peur, si tu fais ce que je te dis, tu ne risques rien. Heureusement, mon métier joue en ma faveur, je connais pas mal de monde dans les médias. Ils n'ont aucune chance. Je vais faire un de ces foins ! Je m'en réjouis à l'avance ! Je vais mettre le feu aux poudres. Un vrai feu d'artifice ! Chérie, je vais être obligé de raccrocher : si le téléphone de l'hôtel est sur écoute, ils savent déjà que nous sommes dans une cabine en train de comploter.

Je pris encore une minute ou deux pour la rassurer avant de raccrocher.

Je restai un bon moment dans la cabine téléphonique surchauffée, suant en abondance, songeant aux actions immédiates à entreprendre... Je n'étais pas sûr d'avoir le cran de m'opposer de front à cette organisation tentaculaire aux multiples ramifications. Ne serait-il pas plus simple de m'écraser ? « J'ai foiré l'enquête, voilà tout. Je m'excuse. Vous n'avez qu'à claquer des doigts pour trouver quelqu'un d'autre. Quelqu'un d'autre de plus compétent ou de plus... discipliné. » Je reprenais mon métier de journaliste et la vie recommençait comme avant... Comme avant... Mais voilà, comment recommencer comme avant ? Comment pouvais-je jouer à celui qui n'avait rien vu quand, tout au contraire, il m'avait semblé apercevoir l'invisible et frôler l'impalpable ? Je ne pouvais pas envisager de protéger les laboratoires qui m'avaient embauché en favorisant la tromperie. Était-ce une raison suffisante, parce qu'ils me payaient, pour qu'ils puissent imposer la loi du plus fort ?

La maladie est l'expression d'un conflit qui divise l'être humain. Toute maladie est psychosomatique ; le corps est le reflet de l'âme. La Tradition répète tout cela depuis la nuit des temps. La guérison ne peut survenir qu'une fois le conflit reconnu et résolu. La santé règne en souveraine sur le corps quand la pensée et le corps sont alignés. Les médicaments sont incapables de réorganiser une vie chaotique. Ils ne font que rafistoler les dégâts pour un moment, n'étant pas capables évidemment d'agir sur la matrice désordonnée. Ils ne guérissent pas. C'est d'une telle évidence. La connexion avec la nature représente la connexion avec soi-même. Nous sommes la nature. Et la nature est guérisseuse. Voilà le message à transmettre à chacun d'entre nous.

Mais comment informer les gens ? Qui accepterait de publier une information de ce genre ? Si quelqu'un m'avait raconté ce genre de salade il y avait à peine un mois, je l'aurais écouté d'une oreille plus que distraite en opinant doctement du bonnet, mais en ricanant intérieurement. Mais voilà, il ne s'agissait pas d'une salade. J'en avais été le témoin, et Isabelle en était la preuve vivante.

Écrire. Je n'avais pas d'autre choix. Tout relater. Avec les lieux, les dates et les noms. Un éditeur oserait-il publier ce livre ? Il allait y avoir des pressions. « Calme-toi, pour l'instant, il s'agit seulement d'écrire, c'est tout. » Action.

33.

À partir de cet instant, les événements s'étant bousculés à un rythme insensé — et tandis que je cédais parfois à la panique —, je reconstitue ceux-ci de mémoire sans garantir de façon certaine leur exacte chronologie.

De retour à l'hôtel, je découvris une enveloppe qui avait été glissée sous la porte de ma chambre, et que je décachetai aussitôt.

Monsieur LeBlanc,

Votre mission est désormais achevée. Veuillez dès à présent quitter l'hôtel et rentrer chez vous au plus vite. Votre carte de crédit n'est plus valable, vous pouvez la jeter au large. En guise de dédommagement pour votre peine, et malgré l'échec de l'opération, nous considérons que vous n'aurez pas à rembourser la somme qui vous a été remise en liquide à titre d'avance à Genève. En échange, l'un de nos avocats passera à votre hôtel très vite pour vous faire signer une promesse de discrétion et de confidentialité nous garantissant que vous n'exploiterez en rien les circonstances, péripéties et aventures de votre mission ; vous voudrez bien aussi lui remettre les pellicules ou disquettes contenant les photos prises et les textes écrits au cours de cette enquête.

Vous avez reçu un joli petit pactole pour n'avoir somme toute rien accompli de concret ; songez seulement que vous avez profité de vacances de rêve ! Veuillez considérer cette expérience comme une chance. Nous vous saurions gré d'en rester là et de ne plus vous mêler, de près ou de loin, à cette histoire.

Êtes-vous tellement naïf pour être tombé si vite et si facilement dans le piège de la crédulité ? Comme un vulgaire débutant. Je ne vous blâme pas, d'autres avant vous s'y sont aussi trompés : la manipulation était adroitement orchestrée et le manipulateur des plus habiles.

Vous êtes considéré comme un bon journaliste, faites en sorte de pouvoir le rester, la presse médicale a besoin de vous. Sachez que personne ne doit avoir vent de cette fâcheuse aventure. Nous ferons tout de notre côté pour que votre réputation en sorte intacte et que vous puissiez reprendre vos activités dans votre domaine. Votre famille ne souffrira en rien de ce qui vous arrive, je m'en porte garant.

Comme vous pouvez le constater, nous ne vous tenons pas rigueur, etc., etc.

Cette lettre, arrivée par l'intermédiaire du fax de l'hôtel, imprimée par un quelconque ordinateur, n'était évidemment pas signée.

« Officiellement » — si j'ose dire —, j'étais viré comme un malpropre.

Cet enchaînement restait jusque-là dans la pure logique des choses.

Quand je devrais en outre leur avouer que je n'avais pas pris la moindre photo depuis mon arrivée — sinon quelques rares clichés de paysages et de levers ou de couchers de soleil comme le premier touriste venu —, je redoutais fort qu'ils refusent de me croire, et si par miracle ils acceptaient ma version des faits, ils penseraient que je n'avais de toute façon pas accompli le strict minimum tolérable de toute enquête digne de ce nom et donc pas même respecté les termes ou conditions de notre contrat initial.

34.

Il m'était devenu physiquement impossible de rester plus longtemps à l'intérieur de ces quelques pièces d'un luxueux palace au décor paradisiaque, à tourner en rond et à spéculer — cage dorée dans laquelle je me sentais oppressé, surveillé, assurément espionné.

Je ressentais le besoin urgent de sortir — ceci pour ne pas étouffer sur place.

D'abord, je devais absolument planquer ce fax pour qu'ils ne puissent pas le récupérer. Avec mes débuts et ébauches de comptes rendus. Et le plus vite possible. Mais où? Je pensai à aller chez Horace pour mettre le tout en lieu sûr, avant de réaliser qu'il vivait portes et fenêtres grandes ouvertes. N'importe qui pouvait entrer chez lui comme dans un moulin! Ç'aurait été pour eux un jeu d'enfant que d'y pénétrer pour mettre sens dessus dessous toute la maison.

Alors? Que faire? Où aller? Je ne connaissais personne à Chypre.

Homère! Mais oui, évidemment! Personne sans doute ne soupçonnait notre relation. Enfin, je l'espérais…

Je glissai la disquette de sauvegarde — après avoir effacé de mon ordinateur tous les fichiers ayant trait à l'affaire — dans la pochette de ma chemisette, tout contre mon cœur, et je sortis en emportant avec moi mon ordinateur.

« Au pire, si je fais une mauvaise rencontre, je leur abandonne mon portable. »

En ouvrant précautionneusement la porte, j'eus comme un mauvais pressentiment: des tueurs à gages m'attendaient derrière pour me faire la peau… Il n'y avait personne. Tout semblait calme. Une angoisse diffuse faisait sournoisement son effet. Une angoisse de quoi ? Ils n'allaient tout de même pas oser m'abattre de quelques coups de feu dans le dos comme un vulgaire truand. La substance du message de mon ex-employeur était claire : *Vous avez tout intérêt à vous aplatir et à oublier tout cela. Rentrez chez vous, faites-vous le plus petit et le plus discret possible, et retrouvez tranquillement toute votre petite famille...*

Malgré l'air conditionné, je transpirais déjà abondamment. Dans le couloir, je passai devant un couple qui chuchotait en allemand et que je n'avais jamais remarqué jusqu'ici. Ils fixaient mon portable que je tenais serré fermement contre ma poitrine. Dans l'escalier, derrière moi — c'était maintenant sûr —, ils s'élancèrent à ma poursuite, avant de... bifurquer au rez-de-chaussée vers la piscine en riant aux éclats. Fausse alerte. Je n'étais décidément pas taillé pour le rôle d'agent double.

Je me promis intérieurement que si toute cette aventure finissait bien, j'écrirais un jour des romans, de la fiction — une histoire totalement imaginaire. À moi la liberté !

Finis la science, la médecine et les labos. Et les missions bidon surpayées. Leslie, elle, avait tout compris depuis longtemps.

Homère Majorka mit un peu de temps avant de venir ouvrir.

— Je faisais une petite sieste, me dit-il en me faisant entrer dans sa chambre, la tête encore tout ébouriffée, et les yeux gonflés par le sommeil.

Il faisait sombre dans la pièce. Homère alla ouvrir les rideaux, et la lumière du soleil inonda soudain la pièce en m'éblouissant. Pourquoi un aveugle prenait-il la peine de fermer et d'ouvrir les rideaux ?

Quelques ébauches de sculptures et des modelages tout à fait saisissants traînaient ici et là dans la pièce. Des corps et des bustes de femmes, principalement... et des dauphins.

Homère sortit une bouteille d'eau minérale de son frigo et nous versa à boire. Après quoi, il s'assit sur le bord de son lit.

Nous bûmes en silence en gardant notre verre en main.

Pour la première fois, j'observais Homère sans ses lunettes noires, et je remarquai les efforts qu'il faisait pour tenter de diriger ses yeux éteints en direction de mon regard.

Il avait eu vent de ma mission — Isabelle ou Horace lui en avaient touché un mot —, mais je tins à lui conter l'histoire depuis mon entrevue avec Raymond Van de Wedde et son offre mirobolante, en Suisse.

Je récapitulai donc lentement et comme pour moi-même l'aventure depuis le début pendant qu'il m'écoutait attentivement en hochant régulièrement la tête… Je l'informai aussi de la visite-surprise faite à ma femme par deux individus pour le moins inquiétants. Je mentionnai enfin la teneur du message reçu quelques heures auparavant à l'hôtel. Homère insista pour que je le lui lise dans son intégralité — ce que je fis.

Il nous versa alors un autre verre d'eau que nous bûmes en silence, songeurs. Je ne sais pas s'il pensait à quelque chose ou s'il attendait que je reprenne la parole. Je me rendis compte à cet instant que je ne savais plus exactement pourquoi j'étais venu le voir. À l'origine, c'était pour lui demander de mettre mes documents en sécurité, mais, je le compris peu à peu, j'étais surtout venu pour trouver un refuge et une oreille amie: j'avais besoin de parler avec quelqu'un qui puisse me conseiller, me réconforter, me rassurer.

— Je relève au moins une contradiction flagrante dans ce message qu'ils vous ont adressé: « Veuillez dès à présent quitter l'hôtel et rentrer chez vous au plus vite », d'une part, mais aussi, plus loin: « L'un de nos avocats passera à votre hôtel très vite », d'autre part. Cela veut dire qu'ils sont aux abois. Ils ont peur de vous, de ce que vous pouvez entreprendre. Vous êtes journaliste, vous connaissez du monde, vous êtes introduit dans la presse, dans les médias… Les intimidations sont toujours l'œuvre de personnes démunies qui n'ont pas d'autre moyen à leur disposition. Que craignez-vous au juste? C'est à eux de se défendre. Votre seul argument rationnel à vous, c'est de rester sur votre position. Vous avez été le témoin d'une guérison spontanée et, comme tel, vous allez témoigner. Un point, c'est tout.

Sa voix devint malicieuse.

— Et je peux vous certifier qu'ils ne peuvent pas grand-chose contre vous. S'ils essaient de vous braquer, ils prennent le risque que vous alertiez l'opinion publique. En révélant aux malades l'histoire de cette guérison miraculeuse, vous pouvez introduire le germe du doute dans les consciences. Non, ce n'est guère dans leur intérêt de chercher à vous ennuyer. Qu'allez-vous faire ?

— Les affronter. Je ne suis pas médecin et journaliste pour rien. Je vais utiliser toutes mes forces.

C'est seulement en prononçant ces paroles spontanément que je sus clairement quelle était ma détermination.

— L'Organisation mondiale a envoyé déjà plusieurs enquêteurs avant vous, ils ont tous donné entière satisfaction. Aveuglés par leurs convictions, ils n'ont constaté aucune guérison.

— Mais alors, Raymond Van de Wedde aurait dû être satisfait !

— Justement non, car il sait qu'Horace Christophoros accomplit de vrais miracles. C'est un paradoxe. Il cherche une faille là où il n'y en a pas, et les hommes qu'il a envoyés avant vous n'étaient pas fiables, car persuadés d'avoir affaire à un charlatan avant même d'avoir vu l'homme à l'œuvre. Leur opinion ne pouvait en rien l'aider. Il lui fallait quelqu'un de crédible et d'expérimenté qui puisse trouver une faille pour compromettre Horace Christophoros. Il fallait du talent pour jouer cette partie. Le risque étant que l'enquêteur se retourne contre eux. C'est ce qui est arrivé. Vous avez été bouleversé par votre découverte. Vous êtes un homme *intègre*, ou vous l'êtes redevenu au contact d'Horace, d'Isabelle, de moi-même… ou — qui sait ? — de vous-même… Vous ne pouvez déjà plus faire marche arrière.

— Je le sais, admis-je en baissant la tête. Je vais tâcher de relater toute cette histoire et faire en sorte de la publier.

Je fis une copie de ma carte mémoire que je lui laissai. Il se leva, saisit une chaise qu'il déposa contre le mur, à l'aplomb de la grille de l'air conditionné, grimpa sur la chaise et jeta la carte mémoire dans l'ouverture du conduit. À le voir se déplacer ainsi avec une telle aisance, j'oubliais la plupart du temps qu'il était non-voyant.

— Ils n'auront pas l'idée de venir la chercher là, fit-il, amusé. Heureusement que vous possédez l'original, car il faudra démonter la grille pour la récupérer.

Je le remerciai de m'avoir écouté et renforcé dans ma conviction. Avant de le quitter, je lui promis de l'informer de la suite des événements.

— Reviendrez-vous un matin en mer avec nous pour méditer ?… me demanda-t-il enfin avec une pointe d'ironie.

— Peut-être… si je suis toujours… en vie !

— Attention ! Il y a malgré tout un passage de leur lettre où ils ont absolument raison : « Veuillez considérer cette expérience comme une chance. » Méditez là-dessus. C'est finalement une très bonne chose, ce qui vous arrive.

En sortant de l'hôtel, je me sentais plus sûr de moi que jamais. J'étais redevenu l'homme déterminé que j'avais toujours été. Un homme intègre, bien que j'eusse sûrement encore des choses à mettre en ordre dans mon couple.

Je m'étais garé comme d'habitude en bas de la ruelle descendant jusqu'à la plage — entre l'hôtel Dionysos, d'un côté, et la maison d'Horace Christophoros, de l'autre. En m'approchant de la jeep, je découvris *ma* colombe à l'intérieur de la voiture, perchée sur le haut du volant. Dès que je touchai la portière, elle s'envola et je remarquai qu'elle filait tout droit en direction de la terrasse de notre ami thaumaturge.

Après un demi-tour au bout de l'allée qui se terminait en cul-de-sac, je stoppai un instant ma voiture le long de son jardinet pour saluer Horace. Je le vis qui massait une personne allongée sur sa table de travail. Je klaxonnai d'un coup timide et bref.

Sans s'interrompre, il agita la main levée dans ma direction pour un petit signe amical.

Sans aucun doute, j'avais besoin de ses encouragements.

J'appuyai sur la pédale d'accélération pour m'élancer allègrement au-devant de mon destin.

35.

Dans la soirée, la sonnerie musicale du téléphone de la chambre résonna. Je décrochai le combiné.

— Monsieur LeBlanc?

— Oui.

— Je suis Alberto Agostini, l'avocat de monsieur Van de Wedde. Nous devons nous parler, je crois.

— Je vous attendais en effet, je descends.

— Ne vous donnez pas cette peine, nous sommes devant votre porte.

« Nous »?...

On sonnait maintenant à la porte. « Ils » étaient là. Je raccrochai.

Je me sentais d'attaque. Nerveux, la peur au ventre, mais prêt à me défendre bec et ongles. Sûr de porter haut et fort la vérité comme un flamboyant porte-étendard.

J'ouvris. Raymond Van de Wedde en personne se tenait en face de moi, les bras croisés, les deux jambes écartées fermement campées sur le sol, accompagné d'un homme légèrement en retrait, de la même stature que lui, un peu plus jeune cependant. Tous deux costumés et cravatés comme pour un mariage. Étaient-ils donc insensibles à la température du pays? Cela me rassura un peu; leurs habits révélaient une rigidité à toute épreuve. De toutes les espèces vivantes de la Création, seules les plus souples subsisteront, celles qui sauront s'adapter aux mutations. Ils n'en faisaient visiblement pas partie.

Je les accueillis avec un grand sourire forcé.

Raymond Van de Wedde entra le premier, suivi de son acolyte. Il jeta un coup d'œil faussement admiratif à l'appartement et prit place dans l'un des fauteuils. Alberto Agostini restait debout, bras croisés.

— Vous êtes royalement installé ici, dites-moi, railla Van de Wedde. Demain, malheureusement, il vous faudra trouver autre chose. Je doute que vos cachets de pigiste puissent un jour vous permettre de vous offrir à nouveau ce luxe. Nous vous avions proposé la renommée, la célébrité et tout ce qui en découle, et vous avez tout gâché. La fortune sourit aux audacieux, dit-on. Mais, vous, vous manquez précisément d'audace, monsieur LeBlanc. Vous êtes passé à côté de votre chance.

Je le laissai pérorer, son attitude arrogante renforçait ma détermination. Comment avais-je pu tomber aussi facilement, lors de notre première rencontre, dans des pièges aussi grossiers ?

— Monsieur Van de Wedde, permettez-moi de vous contredire pour vous apprendre que tout au contraire, grâce à vous, j'ai saisi ma chance au vol. J'aurais pu rater ma vie jusqu'au bout et continuer comme ça — comme un simple pigiste, comme vous le dites —, toute ma vie à la botte des laboratoires, désinformant au lieu d'instruire... Cette expérience m'a permis de m'élever jusqu'au niveau de ma propre humanité. Je l'avais perdue sur le bord du chemin, je ne savais plus pourquoi je vivais. Vous pouvez rire et vous moquer de moi, peu m'importe votre opinion...

— Soit, dit-il en changeant de ton. Nous allons en finir, si vous le voulez bien. Vous voudrez bien nous restituer les documents que vous possédez, et signer une promesse écrite que vous ne divulguerez rien de votre mission. Vous n'avez qu'à signer les documents que vous a préparés maître Agostini ici présent.

Celui-ci sortit une mince chemise d'une serviette, marcha vers moi et me la mit sous le nez. Je la repoussai de la paume sans même consulter les documents.

— Vous allez un peu vite, répliquai-je. Vous ne m'avez même pas demandé quelles étaient mes intentions.

— Eh bien, quelles sont-elles ?

— D'abord, je vous rembourserai l'intégralité de votre avance, commençai-je, je veux pouvoir me dégager de toute pression. Et deuzio, même si je ne connais pas encore la suite de ma vie, je veux pouvoir la vivre libre, sans contrainte ni obligation ni intimidation d'aucune sorte. Plus de pacte avec le diable. Je reprends mon indépendance.

Les deux hommes échangèrent un regard entendu. Ils avaient répété leur rôle.

— Je crois que vous n'avez pas très bien compris les enjeux de cette rencontre, intervint à son tour l'avocat. En fait, vous n'avez pas le choix. Je vais vous dire cela autrement : ou vous oubliez cette mission et vous retrouvez votre pâle existence d'avant, ou vous vous préparez l'enfer au quotidien pour vous et pour votre famille.

— Au fait, nous avons retrouvé Isabelle de Dieudonné à Paris, continua le président. Elle est bien plus intelligente que vous. Elle n'a rien à prouver, elle. Elle se prétend guérie, et cela lui suffit. Elle ne part pas pour autant en croisade contre la terre entière. Les femmes sont plus réalistes. En voulant combattre pour de vaines idées, nous, les mâles bouffis d'orgueil, nous y laissons parfois notre santé et… notre vie.

— Et nous tenons votre femme et votre fille à l'œil, ajouta Alberto Agostini.

J'eus un mouvement involontaire et instinctif de tout mon corps qui se crispa, avant de faire un pas dans sa direction.

Van de Wedde me retint par l'épaule, puis il leva les yeux, prenant le ciel à témoin.

— Mais pour qui donc vous prenez-vous !… Don Quichotte contre les moulins à vent ?

Je ne réagis pas. Il mentait. À moins qu'il n'ait fait suivre ma femme et ma fille depuis le début. Mais c'était peu probable, car, au moment où j'avais élaboré leur plan de fuite, Raymond Van de Wedde pensait qu'une conciliation serait possible. Pas un seul instant il n'aurait pu imaginer que j'allais refuser son offre. Je pouvais en revanche comprendre leur raisonnement : n'importe qui à ma place aurait saisi l'opportunité d'être, somme toute, royalement récompensé pour ne pas divulguer une découverte que, de toute façon, la plupart refuseraient d'entendre ou de croire.

Raymond Van de Wedde avait croisé les bras. Il attendait la suite. Son comparse attrapa une chaise et s'y assit, me barrant l'accès à la sortie. La situation se corsait, car les choses ne tournaient pas comme ils l'avaient prévu. Il me fallait préciser mes intentions plus fermement encore. Advienne que pourra.

— Voici ce que je compte faire, vous en êtes les premiers informés. Je compte écrire un livre sur ma rencontre avec Horace Christophoros. Je vais y expliquer la méthode de guérison naturelle qu'il professe, le changement de croyance nécessaire à adopter envers la maladie. Je vais parler aussi de la nécessité d'être aligné au niveau corps-esprit, du plan quantique de la guérison spontanée, des massages, de la prière, de la méditation, de la baignade en mer peu après le lever du soleil, de la « communication » avec les dauphins... qui n'est qu'une *re-connexion* avec notre partie animale et donc instinctive et guérisseuse. Je vais simplement dire ce que j'ai vu et enquêter sur les personnes gravement malades qui ont été guéries grâce aux soins attentifs de cet homme juste. Désolé de vous décevoir, mais Horace Christophoros n'est pas un charlatan. Voilà en conclusion le résumé de ma contre-enquête... Et avant d'entreprendre quoi que ce soit, vous devriez prendre la peine de le rencontrer, monsieur Van de Wedde. Il est indubitable que cela vous permettrait d'apprendre quelque chose sur vous-même et que peut-être même vous vous convertiriez, vous aussi, et ce, bien malgré vous.

« Maintenant, à mon tour de vous mettre en garde : si vous tentez quoi que ce soit à l'encontre de ma famille, je divulguerai aussi en quoi consistait au départ ma mission et les menaces faites afin de m'obliger à étouffer mes découvertes, je citerai vos noms et décrirai vos pratiques plus que douteuses. J'ai assez de preuves pour attester de ma bonne foi. »

Raymond Van de Wedde, devenu très blanc, ne répondit pas. Il se leva, imité par son avocat. Ils prirent la direction de la sortie en me jetant des regards aux éclats meurtriers. Maître Agostini ouvrit la porte, mais Van de Wedde revint vers moi pour me lancer :

— À partir d'aujourd'hui, monsieur LeBlanc, considérez-vous en état d'insécurité permanente. Vérifiez à chaque instant où vous mettez les pieds. Soyez au plus près de votre famille et choyez-la. L'avenir de votre femme et de votre fille est entre vos mains. Vous êtes responsable de leur futur et du vôtre. Publiez ce que vous voulez, si vous y arrivez, bien entendu. De toute façon, monsieur LeBlanc, ce ne sera qu'un livre de plus en faveur de la médecine dite « naturelle ». Rien d'autre. Les étagères des librairies en sont encombrées. Croyez-vous que les livres sur l'écologie, sur l'homéopathie, sur la phytothérapie, sur la diététique et *tutti quanti*... et toutes les jolies fables concoctées pour rassurer les malades désespérés ont déjà changé la médecine ? Pas du tout ! La santé financière et les actions des laboratoires pharmaceutiques n'ont jamais été aussi florissantes, et ce, partout dans le monde. C'est une réussite insolente ! Ce genre de fables généreuses parlant d'espoir est estimé par quelques crédules. Et tous les autres, — les simples incultes, dirais-je —, ne lisent pas ; ils se contentent de regarder par réflexe les quelques séries télévisées et autres jeux ou variétés que leur déversent à longueur de temps les chaînes de télévision. Les médias sont nos complices, monsieur LeBlanc, vous devriez le savoir, car vous en faites partie. Il n'y a pas de journaliste indépendant, cela n'existe pas. Nous vous dictons — par des moyens parfois très grossiers, parfois très subtils — ce qu'il faut communiquer et vous vous empressez d'obéir. Vous pourrez crier ce que bon vous semble dans votre bouquin, si nous décidons de vous démolir, vous serez démoli. Vous ne pourrez jamais vous en relever. De plus, vos allégations ne seront entendues par personne. Vous serez seulement ridicule. Vous prêcherez dans le désert. Si vous arrivez seulement à commencer à prêcher.

— Épargnez-moi votre laïus. Je n'ai pas peur de vous, ni de personne. Si je peux faire avancer la vérité ne serait-ce que d'un millimètre, je le ferai. Si vous me démolissez, d'autres que moi poursuivront le combat. Vous ne pourrez pas tous les démolir. Et de grain de sable en grain de sable, nous bâtirons un ordre médical nouveau. Les individus comme vous finiront par disparaître. L'homme est plus intelligent que vous ne le pensez. Surtout s'il est question de sa simple survie.

Je finis par me lever à mon tour pour me dresser face à mes interlocuteurs.

— Il y a une chose que vous semblez ignorer, tous les deux.

L'avocat, distrait, regardait vers la chambre. Je me tournai vers lui et lui criai, l'index pointé en direction de sa poitrine :

— La maladie vous concernera aussi un jour, vous comme lui !

Maître Agostini fit un pas en avant, ne sachant s'il devait me sauter à la gorge ou me laisser achever. Van de Wedde lui fit signe de garder son calme.

— Si vous pensez réellement qu'Horace Christophoros est un escroc, et que la publication de mes découvertes constitue une imposture, alors pourquoi toutes ces intimidations ? Vous n'avez pas besoin de me répondre. Votre présence ici en personne, la peine que vous avez prise en vous déplaçant jusqu'ici, monsieur Van de Wedde, accompagné de votre larbin avec sa liasse de papiers à contresigner, constituent déjà la réponse.

Je leur désignai la sortie.

— Maintenant, sortez ! Sinon j'appelle la sécurité.

— Veillez à partir de ce soir à bien cadenasser et verrouiller vos portes et fenêtres, lança Van de Wedde. Vous ne dormirez plus jamais en paix. Je veillerai personnellement à ce qu'il en soit ainsi désormais.

— Je vous ai demandé de sortir ! répétai-je fermement.

— Je vous laisse une toute dernière chance, sachez la saisir. Un taxi viendra vous chercher demain matin à huit heures pour vous conduire à l'aéroport ; votre avion décolle à dix heures, un billet vous sera réservé… à treize heures, vous devez être à Paris. Ne faites pas mentir le proverbe : la nuit porte conseil.

Ils disparurent enfin dans le couloir en proférant encore d'indistinctes menaces.

36.

J'ai peur de sombrer dans le sommeil. J'ai vérifié deux fois la fermeture de la porte de ma chambre, puis j'ai coincé une chaise contre la poignée pour la bloquer…

ordinateur portable de Sébastien LeBlanc
fichier texte (notes) — 30 septembre 2000 — 03:15

La spirale infernale des pilules miracle!

Dès qu'un médicament présente la possibilité d'un bénéfice quelconque, on décide délibérément d'abandonner tout sens critique au profit unique… du profit.

Pourquoi les laboratoires ne s'intéressent-ils pas aux maladies dites « orphelines » ? Parce que précisément ces maladies sont trop rares statistiquement, autrement dit pas assez rentables en termes économiques.

Quand vous achetez un médicament, son coût réel de fabrication est négligeable. Ce que vous achetez avant tout, c'est le bon fonctionnement d'un grand groupe pharmaco-chimico-industriel, sa reproduction et sa réputation.

Pour placer leurs produits, les laboratoires — concurrents les uns des autres — utilisent tous les moyens à leur disposition : séduction, pressions, lobbying…

« Lorsque je propose à un médecin une présentation d'un nouveau médicament à l'Opéra-Bastille, un concurrent répliquera

par un congrès à Vienne ou à Barcelone », m'a un jour expliqué un visiteur médical.

Il faut incessamment créer de nouvelles niches : la nouvelle pilule de jouvence, les antidépresseurs, le dopage des cadres, Alzheimer, l'obésité, le traitement de l'impuissance, le patch antitabac…

37.

Ils n'avaient pas fouillé la chambre comme je l'avais craint. Ni saisi mon ordinateur portable, pourtant bien visible sur la table, ni cherché quelque document compromettant.

Pourquoi ?

Parce que, pour eux, je n'aurais jamais le cran de révéler quoi que ce soit.

Et, même si je tentais une offensive quelconque, ils étaient tout à fait convaincus que mon combat contre l'OMIP resterait isolé et ne trouverait aucun écho.

Pourtant, leurs menaces avaient raffermi mes résolutions.

Restait à conserver intact mon courage qui pouvait chanceler à tout instant. Je repoussais comme hautement improbable l'image de ma famille traquée, mais ne parvenais pas tout à fait à chasser celle d'Isabelle, dont j'étais sans nouvelles. J'avais essayé de la contacter à plusieurs reprises par téléphone, mais elle restait inaccessible. J'espérais qu'elle allait pouvoir récupérer ses examens d'avant sa guérison et faire constater sa rémission — sans quoi, mon témoignage serait de peu de valeur.

Je fis monter un repas dans la chambre. Après avoir avalé quelques feuilles de vigne farcies et un peu de fromage de chèvre, j'insérai la disquette de sauvegarde dans l'ordinateur, et me remis à écrire avec détermination, notant et pianotant sur le clavier.

J'écrivis tard dans la nuit, l'œil constamment rivé sur la porte d'entrée.

J'écrivais, le ventre noué par la crainte d'en être empêché avant d'avoir pu relater toute l'affaire. De temps à autre, je faisais une pause et envoyais mon texte crypté par courriel à mon adresse secrète, ainsi qu'une copie à Octave. Mon ami était inconnu du milieu scientifique. Le texte était entre de bonnes mains.

Je finis par m'endormir, malgré moi.

Quand j'ouvris un œil, il était près de six heures et demie. Un taxi devait venir me chercher à huit heures. Je téléphonai à la réception pour demander qu'on établisse rapidement ma dernière note, je quittais l'hôtel.

Je fis promptement mes bagages et descendis à la réception pour régler ce que je devais. J'hésitai un bref instant pour savoir si je devais ou non présenter la carte de crédit de Van de Wedde. Je levai les yeux vers le plafond à la recherche de mon oiseau de bon augure, mais ma colombe restait invisible. Après un rapide débat intérieur, je décidai de tenter le coup une dernière fois. L'hébergement ne faisait-il pas partie de mes frais de mission ? Et celle-ci ne se terminait-elle pas *vraiment* aujourd'hui ? À ma grande surprise, le paiement fut accepté. Je téléphonai aussi à l'agence de location de la jeep pour signaler que je laissai le véhicule sur le parking et les clefs à la réception de l'hôtel Athéna.

Je sautai dans un taxi et lui chantai l'adresse d'Horace Christophoros.

Je songeai un instant aux quatre morceaux d'une carte de crédit — tordue et retordue jusqu'à ce que enfin elle se brise — laissés dans une des poubelles du parking.

Je débarquai chez Horace alors qu'il s'apprêtait à sortir pour une promenade matinale en mer. Je lui appris que j'avais quitté l'hôtel, les hommes de Van de Wedde à mes trousses.

— J'ai justement une chambre d'amis au premier étage. Je suis heureux de pouvoir vous la proposer. Justement, j'ai besoin d'un assistant pour me seconder au cours de mes consultations, ajouta-t-il d'un air amusé. Je me trouve très fatigué ces temps-ci… trop de patients. Vous pourriez m'épauler. Ici, vous serez en sécurité. Pour une raison mystérieuse, les gens mal intentionnés n'arrivent pas à situer la maison. C'est comme s'ils perdaient subitement le sens de l'orientation à son approche.

Me voyant très nerveux, et sans me demander mon avis, il se saisit de l'une de mes deux valises et la monta à l'étage par un étroit escalier en bois. Je lui emboîtai le pas en me chargeant de la deuxième.

C'était une toute petite chambre, avec juste la place pour un lit et une chaise, jusqu'où parvenait le bruissement des vagues. Je m'approchai de la fenêtre pour y contempler les premiers rayons du jour encore hésitants. La mer, elle, était agitée, en accord avec mon état d'esprit.

Je déposai l'une des valises sur la chaise et glissai l'autre sous le lit.

Horace me proposa de l'accompagner en « séance de méditation ». J'acceptai. Je lui demandai quelques minutes, le temps d'ouvrir une valise et de me changer. Pendant ce temps, il descendit dans la cuisine.

— J'emmène de quoi déjeuner ! me cria-t-il.

Je l'entendais ouvrir et fermer les portes des armoires tandis que j'enfilais un maillot.

Homère nous attendait, assis sur le ponton d'embarcation, balançant les pieds dans le vide, semblant contempler le mouvement de l'eau. À côté de lui, il caressait une guitare protégée par un étui en cuir noir.

— Quelle surprise ! lançai-je en m'approchant.

— Ainsi donc, vous êtes toujours en vie ! fit-il en se levant. Je veux savoir, maintenant.

— Je vous expliquerai tout ça en mer, après la méditation qui est sacrée.

— Méditer, vous savez, ça peut être aussi écouter un ami. Quand on médite, le silence se manifeste, mais ce silence particulier peut s'exprimer aussi bien au cours d'un dialogue entre deux personnes qu'au sein d'une foule surexcitée, et naturellement au beau milieu des flots.

— Vous êtes bien trop obscur pour moi à cette heure de la matinée, Homère. Allons-y, embarquons. Je vous raconterai en détail ma soirée aussitôt en mer.

Nous prîmes place sur le canot et, après avoir aidé Horace à charger le petit-déjeuner à bord, nous larguâmes les amarres en direction du large.

— Nous avons rendez-vous avec les dauphins, cria notre capitaine.

— Êtes-vous sûr que nous allons réussir à les contacter ? demandai-je.

— Ils attendent la musique. Allez-y, Homère, c'est à vous.

Homère déballa sa guitare et se mit à jouer un air de folk joyeux.

Horace insista pour manger, il avait faim. Il étala sur le banc le contenu du panier du petit-déjeuner, et je découvris, une nouvelle fois, un choix de victuailles qui me laissa perplexe. D'où provenait cette abondance ? Presque aussi variée qu'au buffet de mon hôtel… Même des croissants et des petits pains au chocolat encore chauds.

— Comment faites-vous, Horace, pour obtenir des croissants et des petits pains au chocolat à toute heure du jour ou de la nuit ?

— Demandez et l'Univers y pourvoira. N'avez-vous jamais entendu cette formule quelque part ?

— Mais à qui avez-vous demandé ? Et qui vous a fourni ?

— Ah ! Sébastien, dans ce cas précis, mon fournisseur, c'est moi-même. Je ne dors pas beaucoup. Je cuis mon pain moi-même. Tout le reste m'est apporté par mes patients, cela vous le savez. Vous apprendrez que lorsqu'on fait confiance à la vie, la vie fait en sorte de nous contenter.

Homère, lui, ne demandait rien, il avait lâché la guitare et essayait de tremper, tant bien que mal, son croissant dans sa tasse de café quand la mer lui en laissait l'occasion. Nous goûtâmes à chacun des produits, au gré des secousses, l'embarcation enfonçant et relevant le nez de façon aléatoire. Les dauphins, eux, se faisaient attendre. Nous ne nous étions sans doute pas assez éloignés des côtes.

Quand nous fûmes rassasiés, je leur racontai ma pénible soirée de la veille avec l'irruption des deux hommes — le président de l'OMIP avec son prétendu avocat — dans ma chambre et la négociation qui s'était ensuivie. Je leur confiai que j'avais tenu bon, malgré leurs menaces, mais que j'étais malgré tout inquiet quant à mon avenir.

— Ils m'ont prévenu qu'ils ne me laisseraient plus jamais en paix, déclarai-je, soucieux. Si je tente d'exposer cette affaire au grand jour, ils n'hésiteront pas à me détruire.

— Comme ils essaient de me saboter depuis des années sans succès, intervint Horace Christophoros. Tout ce qu'ils tentent se retourne contre eux. Avez-vous entendu parler de « l'effet boomerang » ? Ce que vous envoyez vous est renvoyé. Si vous entrez dans l'énergie de l'amour, vous recevez de l'amour. Si vous choisissez la haine, vous récolterez la haine.

— Les dauphins sont arrivés ! cria soudain Homère.

Il chercha à tâtons sa guitare, la saisit et reprit son tempo country.

Je ne distinguais rien. De lourds remous, suivis d'un chuintement, puis le calme plat.

Soudain, un aileron fendit l'eau, puis un deuxième et un troisième. Enfin, une bande de dauphins nous accueillit en folâtrant allègrement autour du bateau. Ils nous saluèrent par une série de sifflements et de cliquètements entremêlés.

Homère jouait de plus belle sans se déconcentrer.

C'est alors que j'entendis le miracle opérer. Les cétacés répondaient à Homère, en cadence avec la guitare. Celui-ci lançait un accord, et les dauphins l'imitaient. Ensuite, il s'arrêtait de jouer. Un dauphin relançait un son, Homère le reprenait. Le dauphin renchérissait, et l'homme l'accompagnait. C'était fou, prodigieux, inouï ! Homère et les dauphins lancés dans une impro ! Le folk s'était transformé en jazz !

Exalté, Homère jouait sans arrêt, l'enthousiasme régnait à bord, nous étions entraînés par le rythme. Horace se mit à danser tant bien que mal — assez comiquement — dans le canot.

Je n'y pouvais plus tenir, j'enlevai mon tee-shirt, passai un masque, des palmes et me lançai à l'eau.

La lumière du soleil réfléchie sur l'eau m'aveugla, mais j'aperçus Horace qui se débarrassait de ses effets et plongeait à son tour, sans masque ni palmes. Il s'était habitué à voir sous l'eau avec les yeux ouverts, me confierait-il un plus tard.

Nous descendîmes sous l'eau côte à côte. Le spectacle était saisissant. Un cercle de dauphins nous observait à une dizaine de mètres. Les sons de la guitare avec son rythme endiablé parvenaient jusqu'à nous. Un des dauphins — le plus âgé, comme je l'apprendrais par la suite — vint vers nous pour nous présenter son ventre en signe d'amitié. J'avançai la main pour le caresser, et il manifesta un contentement certain. Ensuite, les mammifères marins se dispersèrent en une chorégraphie énigmatique connue d'eux seuls. Ils montaient à la surface pour nous accompagner lorsque nous allions reprendre notre respiration ou saluer Homère qui continuait à jouer en cadence.

Au bout d'une vingtaine de minutes, les dauphins firent une dernière ronde avant de s'éloigner, nous laissant remonter tranquillement à la surface.

Homère avait déposé sa guitare. Il nous aida à grimper à bord. Nous étions épuisés.

Pendant la nuit qui suivit, dans ma chambre que je voyais comme une pagode flottant au fil de l'eau, je vécus un choc radical, basculant dans un rêve qui menait à un autre univers. Par un interstice entrouvert sur l'invisible, j'entrai dans l'animal.

Par ce même interstice, l'animal entra en moi…

38.

Ma vie chez Horace Christophoros s'organisa paisiblement et comme tout naturellement. Chaque jour ressemblait au précédent. Réveil à cinq heures et demie du matin — Horace, lui, se levait encore plus tôt. Sa chambre était mitoyenne de la mienne. Je l'entendais s'affairer le plus discrètement possible pour ne pas risquer de me déranger. Puisqu'il n'y avait pas de rideaux aux fenêtres, c'était la lumière de l'aube qui m'éveillait. Ou les cris d'allégresse des oiseaux marins.

La fenêtre restait grande ouverte de jour comme de nuit. L'après-midi, pendant la sieste, je tirais les volets en bois, mais le soleil s'infiltrait par les interstices, et je devais ajuster constamment ma position sur le lit de façon à échapper aux rayons éblouissants.

Très tôt le matin, nous allions en mer pour petit-déjeuner, nager, méditer seuls ou en compagnie des dauphins, et presque toujours accompagnés par l'un ou l'autre des patients auquel il avait donné rendez-vous et qui, perplexe, s'initiait en douceur aux vertus de la nature guérisseuse.

Les patients arrivaient du monde entier. J'étais confronté à un autre prodige en constatant qu'Horace Christophoros parlait les langues européennes — comme le portugais ou le finnois —, orientales, africaines, et même asiatiques. Il était doué pour les langues comme d'autres pour la musique — c'était un don inné, me confia-t-il. Il apprenait comme ça, d'un coup, d'un seul, quand la personne se trouvait devant lui. Comme si la langue du patient pénétrait ou s'intégrait soudain en lui. Il ne cherchait pas à expliquer davantage ce phénomène.

J'étais abasourdi par le nombre de personnes traitées par Horace en une journée. Abasourdi, car il donnait l'impression de choyer chaque malade comme s'il était unique. Je me rappelais que lorsqu'il nous recevait, Isabelle et moi, nous avions parfois l'impression que nous étions ses seuls patients de la journée.

Pourtant, avec chaque malade, il prenait le temps qu'il fallait. Il ne répétait pas le même laïus mécanique à chacun, il l'écoutait d'abord avec attention, captait son genre de foi ou d'espérance et s'y adaptait. Si le malade par exemple était Africain et croyait aux sorciers, il adoptait d'abord les pratiques et les savoirs d'un illustre marabout avant de les amener délicatement à sa « sorcellerie » propre, la nature guérisseuse.

Il lui arrivait aussi de se déplacer dans un hôtel quand le malade ne pouvait pas marcher.

Et, à ma connaissance, toujours, il refusait de se faire payer. En échange de ses services, il acceptait des dons en nature, souvent des fruits et du poisson, parfois des objets plus précieux. Il déposait la nourriture dans le réfrigérateur, et les objets dans un grand coffre en bois peint en bleu, posé dans le couloir d'entrée. Des personnes qui en soignaient d'autres dans le besoin pouvaient passer pour se servir elles-mêmes, jusque dans son frigo.

Comme par sortilège, les personnes mal intentionnées ne trouvaient pas le chemin de la maison.

Il me précisa que je pouvais agir avec ses patients comme bon me semblait, en gardant cependant en tête que ce n'était pas moi qui les sauverais, ni eux, mais la matrice, appelée aussi « ADN » ou « noyau quantique ». Le traitement consistait tout simplement à les reconnecter à l'Univers. Le lever à l'unisson du soleil, la natation, la méditation, la contemplation, la respiration contrôlée, le massage, la gymnastique douce, la prière… L'ensemble de ces pratiques les amenait insensiblement à un changement de croyance — de l'éveil d'une possibilité en la certitude intérieure de guérir —, puis à la reconnaissance et à la compréhension de leur conflit personnel, et enfin à l'alignement animal corps-esprit. À partir de là, l'Univers se chargeait de rétablir l'équilibre. L'équilibre retrouvé constituait la condition de la guérison.

Sans me donner plus d'indications, Horace Christophoros me laissait seul avec un patient pendant que lui-même s'occupait d'un autre, par exemple en le conduisant en mer. Parfois, il disparaissait sans me prévenir. Des patients frappaient à la porte, je les recevais en me présentant comme son bras droit. Ils me confiaient leur mal dans leur langue. Quand le malade ne parlait pas le français, j'essayais de communiquer en anglais, quelquefois avec mes rudiments de grec. Quand nous n'avions aucune langue commune, je demandais au malade de se déshabiller et je lui faisais un massage, en priant intérieurement Horace Christophoros pour qu'il veuille bien arriver avant la fin de la séance. S'il n'arrivait pas, je renvoyais la personne à son hôtel en lui fixant un nouveau rendez-vous pour le lendemain. Deux fois, j'accompagnai des patients sur la plage, me jetai à l'eau en leur suggérant de m'imiter. Ce qu'ils faisaient sans poser de question.

Homère passa trois soirées avec nous, sa guitare posée sur ses genoux. Il improvisait quelque mélodie qui remplaçait bien des théories inutiles. Le rythme du flux et du reflux de la mer proche s'infiltrait entre deux accords musicaux. L'amitié entre nous trois se renforçait. Nous étions réunis sur la terrasse, autour de quelques fruits, parlant peu, et presque toujours de sujets apparemment anodins. Personne ne songeait à poser de questions difficiles ou embarrassantes. Ce que nous vivions et ressentions nous suffisait. Nous étions unis par le cœur, savourant l'instant, connectés aux éléments — l'air, la terre, la mer.
Je comprenais de mieux en mieux le sens du mot « animalité ».

Je tentai aussi de prendre contact avec Isabelle avec les seuls moyens à ma disposition. Ma correspondante n'était pas disponible, me répondait inlassablement une voix enregistrée sur tous ses téléphones.

Je n'en savais pas davantage sur notre « miraculée ». J'envoyai aussi un courriel à ma femme pour tenter de la rassurer en lui affirmant que j'allais bientôt me débarrasser définitivement de toutes les menaces, mais que j'attendais le retour d'Isabelle de Dieudonné pour me faire une idée exacte de la situation. Ma femme et ma fille devaient prendre leur mal en patience, leur éloignement forcé allait prendre fin très vite, je le leur garantissais.

Ma femme me répondit que tout allait bien de son côté, qu'elle prenait cette période bizarre comme des vacances improvisées, que Emily se portait bien, mais que ses amies lui manquaient et qu'elle lui demandait tous les jours quand j'allais venir les rejoindre. Leslie terminait en disant qu'elle m'aimait… beaucoup et qu'elle en avait assez de cette vie qui nous tenait éloignés l'un de l'autre. Qu'il était temps que nous reconsidérions notre façon de vivre.

Sans avoir suivi l'enseignement d'Horace Christophoros, ma femme avait compris naturellement par elle-même l'idée de mettre de l'ordre dans son — dans *notre* — chaos. L'heure des explications allait sonner inéluctablement.

Ce soir-là, le septième exactement depuis sa « disparition », Horace Christophoros et moi étions sortis en mer.

Au beau milieu de l'immensité nocturne, une loupiote se balançait lentement au bout d'un tout petit mât à l'arrière du bateau. Une question soudaine me traversa l'esprit que je laissai échapper :

— Isabelle m'a déclaré qu'elle rentrait pour mettre de l'ordre dans sa vie, et qu'elle reviendrait ensuite à Chypre. Savez-vous combien de temps cela peut prendre, de *remettre de l'ordre dans sa vie* ?

Il eut un silence d'hésitation.

— Je pense que oui, finit-il par répondre.

— Pourriez-vous me donner un indice ou un ordre d'idée ?

— Si ce que je pense se vérifie, vous allez avoir de ses nouvelles dans très peu de temps.

Nous rentrâmes, épuisés, avec une seule et même idée en tête : dormir. C'était un mardi, il était environ une heure avant minuit.

Isabelle de Dieudonné nous attendait paisiblement sur la terrasse, assise sur une chaise basse, les jambes allongées, attendant notre retour dans le noir.

39.

— Isabelle ! murmurai-je en la reconnaissant.

Elle bondit de sa chaise et vint se jeter dans nos bras.

— C'est fait, dit-elle en sanglotant, c'est fait. J'ai parlé, j'ai mis de l'ordre. J'ai unifié ma vie. Mon mari, ma fille, mon père, j'ai parlé. Tout dit. Tout. Je suis en paix. En paix avec le monde entier. Mon travail, je l'ai quitté. C'est fini, je suis libre. La France, c'est fini, c'est à Chypre que je veux mourir. Je n'y retournerai plus jamais. Une autre vie m'appelle ici.

Elle pleurait sur nos épaules. Nous l'entourions tous les deux. Quand elle se calma, Horace alluma une petite lampe et nous proposa de faire du thé.

— Je m'en occupe, dis-je. Restez avec Isabelle, j'en ai seulement pour quelques minutes.

C'est sur la terrasse, bercée par les échos du ressac, qu'elle s'abandonna à la confidence. Elle parlait les yeux baissés, évitant de nous regarder, murmurant aux ténèbres, comme si elle tentait d'élucider pour elle-même ses actes et ses décisions.

Arrivée à l'aéroport Charles-de-Gaulle, à Paris, Isabelle était montée dans un taxi pour se faire conduire près de la place de la Bastille, chez Patrice, un jeune décorateur de télévision avec qui elle avait vécu une aventure sans lendemain. Peu de temps après leur brève relation, Patrice avait lâché la chaîne et son poste — pourtant âprement conquis —, les violentes rivalités entre collègues ayant eu raison de sa vocation. Il s'était trompé de milieu. À trente-six ans, il avait encore l'avenir devant lui. Il allait changer d'activité, d'horizon, d'amis, tout effacer pour recommencer ailleurs et redonner du sens à son existence. Le plus dur, c'est d'oser. Il avait osé. Il avait tout quitté et disparu du jour au lendemain. Il avait fondé une académie de dessin dont il s'était institué, pour commencer, seul professeur. Il enseignait aux élèves les arts exigeants de la géométrie, de la perspective, les notions d'équilibre, de proportions, de lumière et de rendu des volumes. Il trouvait cela exaltant. C'était pour lui comme une thérapie, prétendait-il. Isabelle l'avait perdu de vue.

— Il y a un an, en allant à un vernissage dans une galerie privée, je suis tombée sur lui. Nous avons été troublés tous les deux. Patrice vivait seul, la plupart du temps. Nous avons échangé quelques souvenirs et nous nous sommes donné rendez-vous pour le lendemain soir. C'est au cours de ce dîner que je lui ai appris spontanément la présence de ce cancer qui s'était attaqué à mon intérieur : *je n'allais pas vieillir*.

« Depuis, nous nous voyions épisodiquement. Loin de notre vie d'avant, des studios, des passions. Loin de tout. C'est un vrai ami.

« En sonnant chez lui, le soir de mon retour à Paris, j'ai été surprise du regard qu'il a posé sur moi. Il se tenait droit et immobile dans l'embrasure de la porte, comme s'il contemplait une pure apparition. Il m'observait sans mot dire, ne sachant comment réagir. — "C'est elle et ce n'est pas elle", je croyais l'entendre penser… Quelque chose qu'il ne pouvait définir. Soudain, Patrice a perçu la brillance retrouvée tout au fond de mes pupilles et a cligné des yeux, ébloui… "Ce léger sourire intrépide sur ses lèvres, sa peau bronzée, plus fine, plus lisse et plus… oui… plus… vivante."

« — Tu es… guérie, a-t-il lâché.

« — Oui. Un miracle.

« Il m'a cru sans hésitation. Il croyait aux miracles.

« — J'ai besoin de toi, ai-je dit simplement.

« J'ai téléphoné le lendemain dans la matinée à un avocat de la chaîne pour lui demander de me rendre un service inestimable : récupérer tous mes dossiers médicaux, examens, analyses et protocoles de traitement de l'hôpital universitaire où j'étais suivie pour mon cancer.

« — Pourquoi faire ? m'a-t-il demandé.

« — Je pense à une erreur médicale; maître. Je ne peux pas vous en dire plus pour l'instant, mais il me les faut aujourd'hui même; si nous attendons, il y a un risque pour qu'ils les détruisent. Il est peut-être même déjà trop tard. Dans une demi-heure environ, vous recevrez par coursier spécial une enveloppe dans laquelle vous trouverez les noms des médecins, une procuration signée de ma main et une copie de ma carte d'identité, ainsi qu'un chèque en blanc à votre nom, vous le compléterez vous-même. Faites plus que l'impossible : obtenez-les aujourd'hui, je vous en prie, faites-le pour moi !

« — Où puis-je vous joindre ?

« — Vous ne le pouvez pas. Par souci de discrétion, je vous appellerai moi-même en fin d'après-midi. Donnez-moi le numéro de votre téléphone portable.

« Quelques heures plus tard, je me suis garée, avec la voiture que j'avais empruntée à Patrice, en face de la porte de l'hôpital Villejuif. C'est de là que j'ai rappelé maître Bernardin.

« Lorsque je l'ai aperçu, avec sa grande enveloppe blanche, mon cœur s'est mis à battre. J'ai bondi hors de la voiture pour l'appeler. Il avait l'air surpris que je sois déjà là.

« J'ai ouvert la portière et l'ai fait asseoir à l'avant, à mes côtés.

« Maître Bernadin m'a remis l'enveloppe.

« — Cela n'a pas posé de problème, a-t-il précisé. Pourquoi faites-vous tout ce mystère ? Aucun des médecins que j'ai approchés n'a fait de difficulté. Au contraire, ils m'ont tous demandé de vos nouvelles, souhaitant que vous alliez mieux et espérant vous revoir pour faire le point. Ils se seraient trompés de diagnostic ou de traitement, m'avez-vous dit ?

« — Pas trompés. Je suis guérie. Un miracle, maître.

« — Vous êtes guérie ? Mais c'est ab-so-lu-ment colossal ! Vous êtes sûre ? Je suis vraiment très, très heureux pour vous.

« — S'ils l'apprennent, ils risquent de faire disparaître les résultats de mes examens.

« — Mais pourquoi agiraient-ils ainsi ?

« — Parce qu'un homme juste — mais un "charlatan", selon eux — m'a sauvé la vie sans chirurgie ni traitement chimique. Je vous expliquerai plus tard, si vous le voulez bien.

« Je parcourais les documents. Tout était bien là. Même les radios. Et les protocoles, signés par les spécialistes. Je lui ai montré le dernier, le plus épouvantable, celui qui précisait la nature et le stade de ma maladie (métastases, tumeur, en évolution croissante...) et le traitement préconisé, tout ça noir sur blanc. Yves Bernardin ne savait comment traduire son trouble.

« Je l'ai remercié et lui ai demandé s'il accepterait de m'accompagner dans un autre hôpital pour de nouveaux examens. "Quel que soit le prix, maître." Il me regardait sans bien comprendre, mais il y a consenti.

« — Clinique privée du Bon-Secours, dans le treizième, près de la place d'Italie.

« Tous les examens ont été exécutés en quelques heures. J'ai payé une fortune pour faire marcher les machines de pointe, les radios et obtenir des spécialistes sur place séance tenante, mais je les ai tous eus. J'ai obtenu tout ce qu'il était possible d'avoir ce jour-là. Et tenez-vous bien ! Résultats négatifs sur toute la ligne. Aucune trace de maladie. Rien ! À la vue des résultats des examens, les médecins ont juré que je n'avais jamais eu de tumeur. Qu'un cancer du poumon ne disparaissait pas comme ça du jour au lendemain sans traitement, et même avec ! Alors, par défi, je leur ai glissé sous le nez le protocole rédigé quelques mois plus tôt. Ils n'en croyaient pas leurs yeux. Ils ont avancé que quelqu'un avait dû se tromper de dossier. J'ai tout envoyé — anciens et nouveaux examens, traitements et attestations, avec témoignage écrit de mon avocat — par courrier spécial chez un huissier, ici à Paphos. »

Isabelle semblait s'être libérée ; plus rien ne pouvait lui arriver à présent. Elle était à même de *prouver son miracle.*

« Je suis rentrée chez Patrice qui m'attendait avec un dîner aux chandelles improvisé. Mais je n'avais pas très faim. Je me suis endormie très vite, somnolant déjà sur la table, épuisée.

« Le lendemain, j'avais donné rendez-vous à trois amies d'enfance pour déjeuner. Pour leur faire mes adieux. Là, je leur ai appris coup sur coup deux nouvelles : *un*, que j'étais tout à fait guérie et, *deux*, que je partais vivre à Chypre. À leur façon d'échanger des regards entre elles, j'ai compris qu'elles ne croyaient pas *vraiment* à ma guérison.

« "Qu'est-ce que tu vas faire à Chypre ? — Danser avec les dauphins." Je leur ai dit aussi que j'allais divorcer. "Comment a réagi Franck, ton mari ? — Il n'en sait rien encore. Je vais l'avertir dans les jours à venir. Ma fille, je la laisserai à son père, elle a besoin de son école, de ses copines, de ses activités."

« Mes amies m'observaient comme une bête curieuse, évitant de me poser trop de questions, me sentant peut-être déjà ailleurs, échappée dans un autre monde. J'ai alors compris qu'elles vivaient comme moi autrefois, dans le chaos le plus total, remettant tout en question, se plaignant du quotidien, du temps qui file, des promesses et des hommes qui défilent, des conflits avec les enfants, avec les parents, de l'ennui ou du stress au boulot... sans envisager d'issue.

« Je les ai laissées au café. Nous nous sommes embrassées à tour de rôle en nous promettant de nous écrire. "Oui, oui, j'ai ton adresse e-mail, dès que j'arrive, je te donne de mes nouvelles."

« Le soir, je suis passée au studio à l'heure du journal. Je retrouvais l'agitation et la folie d'une chaîne de télévision. Tout le monde s'appelait, se parlait, s'engueulait. Mais — j'observais consciemment ce phénomène pour la première fois — c'est comme s'il n'y avait pas d'interlocuteur. Personne n'écoutait personne. Même pas lui-même. Une communauté s'activant dans un brouhaha de bruits, de sons et de voix pour... pour quelques minutes d'images animées... la surexcitation provoquée par le direct, quelques milligrammes d'adrénaline.

« J'étais venue pour voir Hugues Kessler, le responsable de la chaîne, avec qui j'avais vécu quelque temps. C'est lui qui m'a initiée aux arcanes et aux exigences du métier de présentatrice. Il m'avait prise sous sa coupe, m'avait aimée passionnément, mais me trompait ouvertement. Hugues ne vivait que pour les femmes. C'était sa raison d'être.

« Ce soir-là, égarée au milieu des projecteurs et des décors artificiels, j'ai pris clairement conscience que je n'étais plus à ma place. Je n'avais donc plus personne avec qui parler. Je n'avais plus qu'à quitter l'endroit...

« Paris. Un vendredi soir de fin septembre. La ville était déjà presque endormie, frileuse, assagie. Comme l'existence de ses habitants. Discrète, cachée, voilée.

« Le lendemain, j'ai appelé un taxi pour aller affronter mon père, à quelques kilomètres de Chantilly. D'abord mon père, puis mon mari et enfin ma fille. Et tout serait aligné. »

Isabelle se tut pour de bon. Ses yeux immobiles traversaient la nuit et se fixaient là-bas, au-delà de l'horizon, pour aborder un rivage inaccessible. La petite lampe-tempête sous le toit de la terrasse se dandinait légèrement au-dessus de la table, faisant se balancer l'ombre et la lumière jusqu'au jardin. La lune à son premier quartier. Et le jasmin tout proche exhalant son parfum.

— Je vais me coucher, annonça Horace. Demain, je me lève tôt, je pars méditer au large avec Homère. Nous n'avons pas de patients demain matin avant dix heures, vous pourrez faire la grasse matinée, Sébastien. Bonsoir.

— Bonsoir, répondis-je.

Il fixa Isabelle comme pour lui parler, mais elle évita son regard. Égarée définitivement parmi les fantômes de son passé, elle semblait avoir débarqué ailleurs. Il n'insista pas.

Quelques bruits de pas nous parvinrent de l'étage. Puis plus rien. Il s'était endormi.

Sans rien dire, je me levai pour saisir le bagage d'Isabelle qu'elle avait posé sur la terrasse. Je lui effleurai délicatement le bras.

— Viens, Isabelle. Viens te reposer. Une nouvelle vie t'attend, c'est pour demain.

— Oui, c'est pour demain ! dit-elle en se levant.

Isabelle, épuisée, s'écroula sur le lit. Je m'étendis contre son flanc. Par la fenêtre ouverte, on apercevait distinctement la Voie lactée. La lumière des astres se reflétait sur le plafond de la chambre. Il faisait très chaud, c'était presque étouffant.

Je fermai les yeux, et commençai à m'assoupir quand Isabelle se tourna vers moi.

— Je ne t'ai pas encore tout dit, fit-elle. Cela ne peut pas attendre demain, il faut que je te le dise.

J'ouvris les yeux. Elle me fixait dans la pénombre.

— Dis-le-moi, Isabelle.

— Je suis arrivée chez mon père en fin d'après-midi, recommença-t-elle. Le taxi m'a déposée devant le perron, j'ai demandé au chauffeur de m'attendre. Mon père habite un château dans un parc privé avec son étang, sa fontaine à jets d'eau illuminés la nuit quand il y a des réceptions, ses statues antiques polies par le temps… Un vrai riche. C'est Judith — sa bonne — qui l'a prévenu de mon arrivée inattendue. Dans son bureau, il a déclaré d'emblée qu'il savait que j'étais rentrée, qu'il me cherchait désespérément partout, ameutant tout Paris au téléphone.

« Il faut dire que Raymond Van de Wedde avait lancé ses hommes après moi. Il avait prévu que je passerais par l'hôpital. Ils s'y sont présentés quelques heures après moi, pour apprendre que j'avais filé avec une copie de mon dossier. Furieux, ils avaient appelé chez moi, mais mon mari ignorait tout bonnement ma présence à Paris. Il ne savait rien. Il fallait qu'il les prévienne… si je rentrais à la maison…. il était fortement recommandé de les appeler d'urgence. Ne sachant où me chercher, Raymond Van de Wedde a directement appelé mon père pour lui répéter la même chose qu'à mon mari, que j'étais tombée chez un escroc et un manipulateur se prétendant guérisseur, à Chypre, et que j'avais subi un lavage de cerveau et un endoctrinement destiné à me faire croire que j'étais guérie. S'il savait où j'étais, il fallait l'en aviser, car il devait absolument me parler, et je ne devais en aucun cas suspendre mon traitement.

« Sébastien, j'ai parlé à mon père. Vraiment parlé, je veux dire. Comme un échange fille-père. Il entendait mes plaintes et y répondait. C'était la première fois. Tu sais, mon père en a fait voir de toutes les couleurs à ma mère, peut-être même en est-elle morte, et — coïncidence — d'un cancer foudroyant à quarante-deux ans. Presque à mon âge. Je lui ai balancé tout d'entrée de jeu, que je n'avais jamais aimé qu'un seul homme : Marc, le jeune étudiant "insignifiant" qu'il avait écarté de ma vie. Ma réussite professionnelle n'a jamais pu remplacer l'amour. C'est presque banal à dire, mais j'en ai pratiquement crevé.

« — Depuis ma rupture avec Marc, ma vie est un échec complet, lui ai-je avoué. Mon seul amour s'est suicidé. Mon mari actuel est un mufle, il m'insulte quand il a bu. Eh oui, papa, comme tu le faisais avec maman ! Sauf que moi, je ne me laisse pas faire, je riposte. Notre couple est un show permanent ; en plus des scènes de ménage, nous nous trompons mutuellement, et les gens autour de nous sont au courant et trouvent cela banal. Pour comble de malheur, j'ai une fille avec Franck. Une étrangère que je n'arrive pas à aimer. Ta petite-fille, Sophie. Je ne l'aime pas, papa. Enfin, pas comme une mère est censée aimer sa fille.

« Son visage a exprimé de la stupéfaction. Mais il n'a pas bronché. Il lui fallait plus fort encore. Alors, j'ai frappé plus fort.

« — Comme je ne t'aime pas comme je le devrais, papa. Tu as fait des choses pour moi, mais pas les bonnes. Et pas pour moi, pour toi. Mon cancer, c'est toi.

« Là, il a chancelé. Il a commencé à bégayer.

« — Je… ne voulais que ton bien… Tu sais… tu sais… j'ai dû me battre pour pouvoir acquérir une reconnaissance… exister aux yeux des autres. Je me suis imposé dans un monde féroce. Ce n'est pas une excuse, mais… enfin, tu le sais… j'ai voulu éviter que tu prennes toi-même des coups. Il me semblait que ce qui était bon pour moi devait l'être aussi pour tout le monde, et en particulier pour toi. C'est un privilège que de pouvoir faire partie des puissants de ce monde. Il permet tout.

« — Est-ce que tu as eu tout ?

« Il n'est plus qu'un vieillard au bout du rouleau. Il a trompé des gens et les gens l'ont trompé. Ceux qui traînent encore dans son sillage le flattent pour son influence. Il est trop intelligent pour l'ignorer. Il ne peut compter sur personne en cas de coup dur. Pas d'ami vrai et sincère, pas de vieux camarade, pas de pote pour s'épancher, mais des profiteurs, des fraudeurs, des manipulateurs, des combinards, des mafieux. Pas d'amour non plus. Des putes. Ça, oui, il en a eu.

« Tandis qu'il me répondait, il baissait les yeux vers le sol.

« Il lâchait du lest.

«— J'ai tout eu, sauf l'amour durable de ta mère, a-t-il avoué. Je l'aimais, mais elle ne m'a pas aimé très longtemps. Mais j'ai réussi.

«— Tu as vraiment eu tout ? ai-je répété.

« Ses paupières ont tressailli involontairement. Peut-être pour la première fois, il s'interrogeait vraiment sur lui-même. Il était touché. La première fois depuis… depuis… toujours. Je ne me souvenais pas l'avoir jamais vu éprouver une quelconque émotion.

«— Je suis ton cancer… Tu es dure, a-t-il marmonné.

«— Oui, papa. Et j'éprouve une espèce de soulagement à te le dire. Tu vas mourir seul. Entouré des quelques personnes qui se prétendent tes "proches"… des vautours. Regarde bien : ton château, ton parc, tes fontaines, ils vont se les approprier quand tu seras mort. Parce que tu vas mourir. Moi, je descends ici. Je quitte tout. Mon métier, mon mari, ma fille, et toi. Et la vie qui va avec.

«— Qu'est-ce que tu vas faire ?

«— Je vais à Chypre, danser avec les dauphins.

«— Raymond Van de Wedde m'en avait averti : tu as subi un lavage de cerveau.

«— C'est vrai. Mais de la part de mes parents et depuis mon enfance. Je viens de me déprogrammer. Je suis libre, aussi pitoyable qu'avant, mais libre. Horace Christophoros, un "charlatan", m'a aidée à me débarrasser de mon cancer. Ta fille est guérie. Mais tu la perds quand même.

«— Comment peux-tu être sûre d'être guérie ?

«— Tu veux des preuves ! Tu vois, un papa normal aurait été ravi de la nouvelle, il aurait sauté de joie, prêt à croire d'emblée à tout espoir de guérison, tandis que, toi, on dirait que tu regrettes ma rémission. C'est difficile à croire, hein ? Ou bien est-ce que tu as perdu confiance en ta fille ? Ou peut-être même ne lui as-tu jamais *véritablement* fait confiance ?… J'ai des preuves toutes nouvelles et certaines, *scientifiques*, de ma guérison, mais je n'ai guère envie de te les montrer. Que tu me croies ou non, de toute façon, je m'en fiche complètement. Je suis déjà morte une fois.

« Il prenait gifle sur gifle, mais il ne baissait pas sa garde.

«— Quand tu étais toute petite, je te chantais des comptines, et, tu ne te rappelles plus, mais c'est moi qui te promenais dans ton landau. Ta maman, eh bien, ta maman… ne se préoccupait pas beaucoup de toi. Une actrice… tu sais… les exigences de son métier… les répétitions, les rendez-vous, les tournages, les castings, les voyages, les absences… Ta mère, ç'a été moi. J'étais fier de ma petite fille.

« — Tu l'as dit au passé, papa.

« Je sais que ma mère m'ignorait. Une actrice, ma mère, bien sûr. Elle a joué tous les rôles, mais elle en a raté deux. Ceux d'épouse et de mère.

« Mon père était tout près de moi, enfoncé dans son fauteuil en cuir ébène. Chaque meuble, élément, objet, babiole de la maison a été choisi par un décorateur. Le genre d'individu qui habille les nouveaux riches. Rien dans cette demeure n'a une âme. Pas même les occupants. Dans sa course effrénée à la réussite, mon père exhibe inconsciemment sa vulnérabilité. Là, devant mes yeux, j'avais un homme blessé, je pense sincère pour la première fois, quémandant mon amour à sa façon.

« Alors, j'ai tenté un geste, un geste qui l'a ébranlé : j'ai posé ma main sur la sienne. Il n'a pas bronché. Je sentais qu'il était prêt à se repentir, à s'abandonner enfin. Mais, moi, je ne ressentais rien. De la compassion, oui, sans doute, mais guère davantage. J'avais près de moi un inconnu essayant maladroitement de renégocier une relation loupée avec sa fille. Trop tardivement. Je ne voyais qu'un homme misérable… pas un papa.

« — Tu as raison, a-t-il lâché après un long moment.

« Soudain, il m'a serré fortement la main.

« — J'ai survécu, a-t-il dit. Si je n'avais pas agi comme cela, je serais mort. La vie est dure, j'ai sauvé ma peau. Je ne veux pas me justifier, mais j'ai fait ce que j'ai pu avec ce que j'avais à ma disposition. Ce que j'ai fait, je l'ai fait. Ce que je n'ai pas fait, c'est que je ne pouvais pas le faire.

« Il est assez intelligent, mon père, tu sais, Sébastien. En un sens, il avait raison. Et il me donnait la clef de ma propre déculpabilisation : *Ce que je n'ai pas pu faire, je ne l'ai pas fait. Si j'avais pu le faire, je l'aurais fait.*

« Puis il a levé la tête et m'a fixé dans les yeux. Il n'avait pas fini de se défendre, de mendier mon pardon.

« — Je n'ai pas été un père idéal, je le conçois. Et toi, as-tu été une fille idéale ?

« — Non, papa, ai-je dit, et il n'est plus possible de rectifier, aujourd'hui. Il y a des erreurs de parcours irrattrapables, d'un côté comme de l'autre. Tu n'entendras plus jamais parler de moi.

« Ce furent mes derniers mots. Je ne l'ai ni salué ni embrassé. J'ai retiré ma main de la sienne et l'ai abandonné là, dans son fauteuil, effondré.

« Pour être totalement sincère, j'étais presque satisfaite.

« — *Et de un !* ai-je fait quand le taxi a franchi la grille et prit la direction de Paris.

« C'était au tour de mon mari. C'était beaucoup moins difficile pour moi, les choses étant déjà dites et redites depuis longtemps. Franck n'aurait pas dû se sentir trop affecté, mon existence ne le concernait déjà plus vraiment depuis quelques années. Il était ce soir-là de passage dans notre appartement. La plupart du temps, il rentre seulement pour la nuit, voire pas du tout. Il dirige sa propre maison de production. Il vend ses divertissements clés en main à des chaînes de télévision. Son mariage avec... mon père, dirais-je, lui a ouvert toutes les portes du petit monde de l'odieux visuel. Il trime dur, encaisse les coups bas lancés par ses rivaux et leur rend la pareille. Il se débrouille plutôt bien dans l'arène des gladiateurs. Mon père et moi lui servons de boucliers. Côté couple, nous vivons comme frère et sœur — ou plutôt comme chien et chat. Il a renoncé à me toucher depuis longtemps. Quand il est à la maison, nous dormons encore dans le même lit. Je ne sais pas exactement pourquoi, pour sauver les apparences, je suppose. Mais lesquelles ?... La vérité parle d'elle-même. "Par habitude" serait l'expression juste. Côté cœur — ou plutôt côté cul —, il a toutes les femmes qu'il veut à ses pieds ; tu sais, dans ce milieu, les candidates à un quart d'heure de célébrité sont légion, elles l'implorent pour apparaître dans l'une ou l'autre de ses émissions. Il n'a qu'à lever le petit doigt, et il le lève, Sébastien, il le lève, crois-moi.

« — C'est toi ? a-t-il crié quand j'ai poussé la porte d'entrée. J'ai eu un appel bizarre à ton sujet !

« Franck ne s'est même pas déplacé — pas même levé — pour m'accueillir, comme l'aurait fait tout mari un tant soit peu humain qui n'a pas revu sa femme depuis plus de dix jours, et celle-ci, moi, atteinte d'une maladie gravissime par-dessus le marché. Il n'a même pas jeté un œil dans ma direction. Nous vivions ainsi depuis presque toujours, Sébastien, comme des étrangers ou de simples collègues de bureau, même si je n'en avais pas tout à fait clairement conscience.

« Donc, quand je suis entrée dans l'appartement, Franck visionnait le pilote d'une nouvelle émission en préparation, assis sur le canapé. J'ai pénétré dans le living, je me suis dirigée vers le poste de télévision, je me suis plantée juste devant, et j'ai coupé net l'enregistrement.

Il me dévisageait comme si j'étais devenue une pure étrangère.

« — Qu'est-ce qui se passe encore ? a-t-il demandé en râlant, posant la télécommande sur la petite table.

« Là, debout, sans introduction, je lui ai fait part de ma décision : je partais vivre à Chypre, définitivement. Il n'entendrait jamais plus parler de moi.

« Tu vois, depuis toujours, une séparation l'aurait bien arrangé. Franck en rêvait, de sa liberté, il aurait pu vivre en célibataire, faire la noce tous les jours sans se soucier d'une femme et d'une fille. Mais voilà, si nous divorcions, il risquait de perdre la protection de son beau-père. Mon mari pense encore que mon père fait la pluie et le beau temps sur les plateaux de télévision. C'est ce qui l'a toujours retenu. Franck est un lâche, comme presque tous ceux qui gravitent dans ce milieu artificiel. Incapable de prendre le risque de vivre comme bon lui semble. De devenir autonome. Là, je lui donnais sa chance, enfin ! Et je ne réclamais rien en retour. Franck pouvait tout garder. J'allais quitter la France dans un jour ou deux, avec un simple sac de voyage, le reste lui revenait — même mon compte en banque —, pour élever notre fille dont je lui laissais la garde. Il n'a pas compris tout de suite ce que je lui annonçais. Il ne pouvait pas réaliser que je le quittais sans rien emporter. C'est ce point particulier qui le troublait. Il croyait que je lui tendais un piège. Franck s'imagine que tout le monde est intéressé et calculateur, comme lui.

« — Mon père est au courant, lui ai-je annoncé.

« Il a tressailli. Que voulais-je insinuer ? Que pouvait impliquer pour son avenir cette étrange déclaration ?

« — Qu'est-ce que tu lui as dit ?

« — Je lui ai d'abord appris que je n'éprouvais plus rien pour lui. Il n'a pas bronché. Il te ressemble de ce côté-là : il est mort aux sentiments. Amputé d'une partie de lui-même. Mon père se demande sans doute ce qui m'a pris de vouloir lui balancer tout ça. Il y réfléchit encore, avec son mental, ayant coupé le contact avec son cœur.

« Je voyais que mon mari cherchait à retrouver le fil d'Ariane. Tout cela était trop rapide pour lui, il n'arrivait pas à me suivre. Et puis, tu sais, Sébastien, nous deux, Franck et moi, nous avions déjà tellement joué à ce petit jeu malsain de la rupture suivie de la réconciliation. Combien de fois ne l'avais-je pas soi-disant quitté pour le retrouver en réalité deux jours plus tard ? Combien de fois, lui, n'a-t-il pas filé avec une femme et réapparu la queue entre les jambes une semaine ou deux, voire un mois après à la maison ? Oh ! ce jeu inhumain, nous le connaissions presque par cœur, avec toutes ses variantes possibles et imaginables. On ne se rend pas compte du mal atroce que l'on inflige à l'autre quand on le quitte en lui lançant sa haine ou sa hargne à la figure. Celui qui reste cherche et trouve toujours de bonnes raisons pour justifier sa propre déconsidération. Chaque abandon le fait régresser. Il rêve à son idéal d'amour sur lequel il fantasmait, adolescent, et qu'il n'a pas retrouvé à l'âge adulte. Il a été trompé sur toute la ligne, cet enfant. L'avenir ne ressemble pas aux contes de fées. Il n'y a pas de place pour le bonheur. Encore moins pour l'amour. Il ne rencontre que du vide, de l'amertume, de la haine. Il a grandi en vain. Avec les années, il se forge une carapace, il ne ressent plus rien, il erre au hasard dans un monde sans affection, comme un automate…

« — Et ta maladie ? m'a-t-il demandé. Raymond Van de Wedde a insisté pour que tu continues ton traitement. Tu as tout arrêté, paraît-il ? C'est peut-être cela qui te déstabilise.

« — Je suis en pleine forme. Plus de cancer. Mais je n'ai rien à ajouter, parler avec toi ou avec un mur, c'est la même chose. Où est Sophie ?

« — Chez son amie Laura, jusqu'à demain. J'avais du travail à finir ce soir, une émission à visionner.

« J'ai tourné les talons et j'ai filé dans la chambre. J'ai ouvert les armoires, j'ai saisi un sac de voyage, j'y ai flanqué des vêtements en vrac, je l'ai empoigné, je suis passée à nouveau dans le living devant mon mari qui avait déjà rallumé la télévision — son calmant favori —, et je me suis dirigée vers la sortie.

« — Alors, adieu ! ai-je lancé en sortant, claquant la porte derrière moi.

« *Et de deux !* »

Pendant qu'Isabelle décrivait la scène de rupture — ultime — avec son mari, je m'étais mis à la caresser lentement tout au long de son corps. Entièrement abandonnée, elle se laissait faire, absorbée par la relation de ces pénibles événements.

Le vent s'était levé. Par la fenêtre ouverte, une brise délicieuse venue du large s'insinuait dans cette chambre — perdue quelque part parmi l'immensité de la Création — pour venir effleurer et rafraîchir voluptueusement la peau de deux êtres humains tourmentés par le secret de la vie, de l'amour et de la mort. Entre leurs chuchotements leur parvenait l'écho des vagues se heurtant aux récifs, poussées par le vent et les courants marins.

Dans un lit, nue contre moi, Isabelle se débarrassait des derniers oripeaux de son passé. Sa confession la confrontait douloureusement avec les fantômes de son passé.

— Pour ma fille, c'était une tout autre histoire. Comment avouer à l'enfant que l'on a mise au monde qu'elle n'était pas désirée ? Que sa maman ne *pouvait* pas l'aimer. C'était plus fort que moi, Sébastien, ce n'est pas que je ne le voulais pas, mais chaque fois que je la regardais, je voyais… je voyais Marc. Marc désirait un enfant de moi. Un enfant que je lui ai refusé.

« Comment parler à ma fille, comment lui apprendre que je larguais les amarres, que j'ajoutais encore de la distance entre nous et que je risquais fort de ne pas la revoir avant longtemps ? Qu'elle va grandir toute seule, comme une orpheline ? Avec un pseudo-père qui a toujours pensé à sa carrière avant toute autre chose ?

« En marchant dans les rues pour aller la rejoindre chez son amie Laura — tandis que la nuit commençait à tomber, à cette heure dite “entre chien et loup” —, je me suis demandé si, finalement, je ne quitterais pas tout simplement Paris comme ça, en disparaissant, sans lui donner d’explications. La tentation était grande. Cela m’aurait enlevé une sacrée épine du pied. Mais n’est-ce pas ce que j’avais toujours fait jusque-là, éviter les confrontations ? Fuir ? Contourner les questions essentielles ? Si je voulais être juste et honnête avec moi-même, je devais aller jusqu’au bout de ma démarche.

« Laura a le même âge que Sophie. Ses parents font aussi partie du minuscule monde des plateaux de télévision. Sa mère est présentatrice d’une émission de télé-achat, elle y vend des produits en démonstration. Son père est l’associé de mon mari, partouzeur invétéré, lui aussi. Le même monde, le même ennui de vivre.

« J’ai sonné. Laura est venue ouvrir. J’ai prétexté un manque de temps.

« — Je veux parler à Sophie.

« Un moment. Puis Sophie est arrivée. Il devait être tard, peut-être dix heures du soir.

« — Je repars demain à l’étranger, Sophie, je voudrais te parler.

« La mère de Laura a passé la tête dans la porte.

« — Je suis raaviie de te revoir ! Tu as une mine resplendissante !

« — Je suis guérie, Deborah.

« — Nooonn ? Issaabellllle ! Nooon, vraiment ? C’est suuupeer !

« Ma fille a sursauté et m’a lancé un regard interrogateur. Je lui ai confirmé la nouvelle en la fixant droit dans les yeux.

« — J’ai besoin de parler de quelque chose à Sophie, je reviens avec elle dans une heure, ai-je dit à Deborah. Je te raconterai tout plus tard.

« — Tu m’appelles ?

« — Bien sûr.

« — Encore suuupeer pour ta maladie !

« Nous nous sommes mises à marcher, à la recherche d’un établissement ouvert dans le quartier. Nous avons trouvé un café pas trop encombré. Une table dans un coin. Nous avons commandé. J’étais au bord du précipice. Il n’y avait plus qu’un seul pas à franchir. Je ne savais pas par où commencer.

« — Tu es guérie, maman ? C'est vrai ? Tout à fait guérie ?

« — Oui, tout à fait.

« Je lui ai résumé ma rencontre avec Horace Christophoros et son étrange façon d'amener la guérison par un changement de croyance envers la maladie en nous transposant dans un contexte de vie inhabituel, comme se lever très tôt, se baigner dans la mer, danser avec les dauphins, prier, méditer.

« — C'est étonnant, bizarre, non scientifique, mais le résultat est devant toi. J'ai fait faire des examens poussés, il n'y a plus aucune trace de maladie.

« Ma fille s'est jetée dans mes bras en pleurant de joie. J'ai pleuré avec elle.

« *Mon Dieu, suis-je vraiment obligée ?...*

« Une fois nos larmes séchées, j'ai dû évidemment lui révéler l'autre raison de ma visite nocturne. J'ai triché. Il y a des tricheries sacrées.

« — Je pars vivre à Chypre, ai-je commencé. Pour toujours. Je quitte la France. J'en ai assez de Paris, de mon travail, de tous ces gens qui vivent à côté de leur vie. Grâce à ma guérison, je me suis approchée de mon être véritable. Je sais ce que je veux et ce que je ne veux plus. Je ne veux plus mourir, Sophie.

« Ma fille me regardait comme si j'étais une extraterrestre. Je voyais à son regard qu'elle ne comprenait pas ce que je disais. Je lui parlais comme à une adulte, c'était calculé de ma part, pour me mettre à l'abri des sentiments.

« — Et moi, maman ? Que vais-je devenir ?

« C'est à ce moment-là que je l'ai trompée délibérément.

« — Tu viens avec moi, ai-je prétendu. Quand tu auras terminé ton année scolaire, tu viendras me rejoindre. Il y a un collège français à Paphos. Tu verras, là-bas, c'est la mer, le soleil, la vie, quoi. Tu n'es pas obligée de prendre une décision aujourd'hui. Tu as encore huit mois pour réfléchir. Si tu préfères rester à Paris, avec ton père, je l'accepterai. Tu me rejoindras alors pendant les vacances scolaires.

« — Et papa ?

« — Sophie, tu connais nos relations, ce n'est pas une réussite, le désastre est complet. Nous en avons parlé, ton père et moi, il vaut mieux que nous divorcions. Nous nous sommes trompés d'histoire d'amour. Sa vraie passion à lui, c'est son travail. Il n'a pas de place pour moi dans sa vie. Je me demande s'il en a même une pour lui-même. Je ne veux pas vieillir à ses côtés. Cela ne change rien pour toi et moi.

« Sophie était consternée. Elle ne savait plus où poser ses yeux, le sol s'affaissait sous ses pieds.

« Je l'ai attirée à moi pour la serrer dans mes bras.

« — Sophie, je ne te quitte pas, je quitte ton père. J'ai trouvé un pays de rêve où je vais vivre, enfin. Avec toi. Je pars seule en éclaireuse pour préparer les lieux, pour nous trouver une maison au bord de l'eau. Ce sera ta maison. Nous n'avons pas de problèmes d'argent, ton père et moi, ce qui veut dire que tu pourras prendre l'avion autant de fois que tu le désires. Tous les week-ends, si tu le veux. Comme si tu prenais un train pour Marseille, en quatre heures, tu seras chez toi au soleil. Allez, ne fais pas cette tête-là.

« Ses oreilles entendaient, sa raison comprenait, mais son cœur captait autre chose. Je sais, à présent, que nous communiquons à plusieurs niveaux. Sophie était mal à l'aise parce qu'elle entendait d'un côté un message — un mensonge qu'elle ne pouvait pas cerner — et qu'elle en captait un autre inconsciemment. Tu sais, Sébastien, un message paradoxal perturbe gravement l'enfant qui le reçoit, il devient fou en percevant deux messages contradictoires : je t'aime/je ne t'aime pas. Je le sais, j'en ai souffert. Ma mère me disait et me répétait qu'elle m'aimait, mais elle était embarrassée dès qu'elle me prenait dans ses bras.

« Avec Sophie, dans ce café, je faisais l'impossible pour simuler l'amour maternel. En la prenant dans mes bras, j'essayais de m'imaginer une enfant abandonnée, malheureuse, souffrante. Je m'adressais à cette enfant perdue avec un ton de voix qui se voulait maternel. Mais cela clochait quelque part, Sébastien, et elle me lançait un appel à l'aide de tout son être d'enfant perdue. Mais j'avais beau faire, je n'y arrivais pas, toutes mes paroles sonnaient faux. Je n'étais pas sincère avec moi-même. J'avais pitié d'elle. Ce n'était pas de l'amour, mais de la pitié. Mais c'est tout ce que j'avais à ma disposition, Sébastien. Il n'y a pas d'amour en moi, plus une parcelle. J'ai fait avec ce que j'avais. Je repense encore à la formule de mon père : *Ce que je n'ai pas pu faire, je ne l'ai pas fait. Si j'avais pu le faire, je l'aurais fait.*

« Je suis une mauvaise mère, Sébastien, je le sais. Rien ni personne ne peut me sauver. Si l'enfer existe, il est pour moi. J'ai fait trop de mal autour de moi. J'ai tué le seul homme que j'aimais vraiment : un fantôme qui erre maintenant dans les limbes en me maudissant ; la nuit, je l'entends qui hurle mon nom. Et aujourd'hui, j'abandonne ma fille. "Que suis-je donc ?" Dis-le-moi, je t'en supplie. Pourquoi suis-je guérie ? Pourquoi moi ? Il y a tant de gens qui ont tellement plus de valeur, qui le méritent !... mais pas moi ! pas moi ! oh !... sûrement pas moi ! »

Elle se martelait la poitrine en se balançant de gauche à droite.

« J'ai raccompagné Sophie jusque chez son amie et je lui ai dit :

« — Aussitôt à Chypre, je t'appelle.

« Mensonge de damnée. Mon Dieu ! comment vivre avec ça ! »

— Calme-toi, Isabelle, lui murmurai-je. Ta fille viendra te retrouver, et vous nouerez de nouveaux liens. Tout va recommencer. Hier, tu étais condamnée, aujourd'hui tu as l'avenir devant toi.

— L'avenir, Sébastien ? Quel avenir ?

Je continuai à la caresser longtemps, jusqu'à ce qu'elle s'apaise et enfin qu'elle s'endorme.

Je sombrai ensuite moi aussi dans un sommeil de plomb.

Si je l'avais entendue se lever au petit matin, les choses se seraient passées tout autrement, j'en ai l'intime conviction.

Le destin tient parfois à ce genre de détail : cinq minutes de plus ou de moins sur l'horaire d'un réveil un certain matin.

Un « détail » qui a bouleversé du tout au tout la vie d'au moins trois d'entre nous.

40.

Je fus réveillé par des éclats de voix provenant de la plage. Un vacarme de voitures. La sirène d'une ambulance. J'ai ouvert un œil, puis l'autre, j'ai consulté ma montre-bracelet déposée à même le sol, il était neuf heures et demie. Le soleil avait déjà envahi le bas du lit. J'étais un peu groggy. Une odeur inhabituelle me parvint alors jusqu'aux narines, un parfum de femme ; j'aperçus des vêtements féminins sur la chaise. Isabelle ! Elle n'était plus dans la chambre. L'oreiller exhalait encore les effluves floraux témoignant de sa présence. Je me levai et regardai par la fenêtre. Il y avait un attroupement d'hommes et de femmes sur la plage, près de l'eau, criant et gesticulant d'une façon qui me paraissait incohérente. Des policiers s'affairaient à retenir les gens éloignés du rivage. Mais éloignés de quoi et pourquoi ? Je me rendis sur le palier. Avec un mauvais pressentiment, j'appelai Isabelle. Aucune réponse. Je retournai à la fenêtre. Une effroyable panique m'envahit quand j'entrevis, étendu sur le sable, un corps inanimé, que des sauveteurs venaient sans doute de repêcher. J'enfilai un short, des sandales, et sortis en trombe, dévalant quatre à quatre l'escalier en bois. Je courus sur la plage, en traversant le jardin, et m'arrêtai près du groupe d'agents qui venaient de placer un barrage symbolique en tissu autour du noyé. C'est alors que je la vis, ses cheveux gorgés d'eau étalés tout autour de son visage, blanc comme un linge, tourné vers l'horizon. Les paupières étaient fermées, mais elle semblait contempler l'horizon. Elle souriait imperceptiblement. Les traits de son visage étaient paisibles. Isabelle était partie en paix. Elle portait un maillot bleu clair rayé de jaune que je ne lui connaissais pas. En le passant, ce matin, elle ne pouvait pas imaginer que ce serait la dernière fois, comme je ne pouvais pas savoir, en la caressant la veille au soir, que nous partagions notre dernière nuit. J'eus un haut-le-cœur, comme si je comprenais soudain la réalité du drame, mais, refusant encore l'issue tragique, j'essayais de négocier avec la mort… peut-être n'était-elle qu'évanouie… peut-être que si l'on essayait le bouche-à-bouche… Mais cela ne servait à rien, j'étais médecin, et je compris vite qu'Isabelle était morte en mer depuis peut-être quelques heures déjà et que son corps venait d'être rejeté par les flots.

Je tressaillis : une colombe — *ma* colombe — se dandinait autour du corps inanimé d'Isabelle, comme insensible à l'excitation humaine. « Cette fois, cela ne peut plus être une coïncidence », pensai-je. Les gens avaient beau la chasser, elle revenait se poser près de la dépouille.

Je m'approchai d'un agent pour l'interroger. Je lui désignai la maison d'Horace Christophoros. J'expliquai que nous habitions là, que j'étais un ami très proche d'Isabelle de Dieudonné. Il appela son chef qui nota mon identité ainsi que celle d'Isabelle sur un petit calepin.

— Vous serez convoqué très vite au commissariat, me déclara-t-il.

À cet instant, une main se posa sur mon épaule.

— Elle a enfin trouvé la paix, Sébastien.

Je sursautai. En tournant la tête, je découvris à côté de moi Horace qui semblait contempler le corps d'un air impavide.

— C'est horrible ! lâchai-je. Tout ce mal pour combattre la maladie, guérir… et là… cet accident stupide…

— Rentrons, fit-il. Ce n'est pas un accident.

Je n'eus pas le temps de lui répondre. Les secouristes glissèrent le corps dans un sac en plastique, le soulevèrent, le déposèrent délicatement sur un brancard et le portèrent dans l'ambulance. Pendant ce temps, les curieux échangeaient leurs opinions au sujet de la noyade, chacun y allant de son commentaire, désignant un panneau rouillé sur lequel il était écrit : *Baignade interdite en cas de mer agitée. Courants violents dangereux.* « C'est pourtant clair, non ? Le vent soufflait encore très fort ce matin. Les touristes n'en font qu'à leur tête. On ne compte plus le nombre de personnes qui disparaissent simplement à cause de leur manque de prudence… » Un peu à l'écart, une femme âgée jurait avoir vu, de ses yeux vu, un dauphin déposer la noyée sur la plage. Elle montrait un banc surplombant le haut du chemin menant à la plage. « Tous les matins, je fais ma promenade et je me repose quelques minutes sur le banc. J'ai tout vu. Il la poussait avec son espèce de bec. » Comme les autres semblaient sceptiques, elle reprenait son explication en y mettant plus de conviction encore.

Horace me prit par le bras et m'entraîna en direction de la maison, loin de l'agitation morbide. Derrière nous, l'ambulance démarra doucement sur le petit chemin de sable caillouteux, rejoignit la grand-route et prit de la vitesse pour gagner la ville. Nous entendîmes au loin la sirène hurler.

Pendant que nous marchions vers la maison, il avait posé amicalement son bras sur mon épaule. Je concentrais mon attention sur mes pas, songeur. Pourquoi était-il absent lorsque le drame est arrivé ? Il la savait pourtant encore fragile. Comme s'il avait lu dans ma pensée, Horace leva la tête pour me parler :

— Rien n'aurait pu la sauver, Sébastien. Elle était déterminée depuis sa guérison. Elle ne voulait pas vivre. La vie pour elle n'avait plus aucun sens. Elle aurait erré sur terre comme une morte vivante, ressassant incessamment la souffrance de son existence irrémédiablement ratée.

— Mais, répliquai-je, tout au contraire, elle est rentrée à Paris pour mettre de l'ordre, aligner son existence. Elle avait réglé ses comptes avec ses proches, elle s'était libérée de son passé. Elle m'en a longuement parlé hier soir.

— Êtes-vous sûr d'avoir bien entendu ce qu'elle voulait vous communiquer, Sébastien ? Hier soir, quand je l'ai aperçue sur la terrasse, nous attendant, seule dans l'obscurité, j'ai deviné. Il n'y avait plus rien à faire, sinon respecter son choix.

Homère nous attendait, debout sur la terrasse.

— J'ai appris, dit-il.

Des larmes coulaient lentement sur ses joues.

— Vous comprenez, commença-t-il, abattu, vous comprenez à présent pourquoi je refuse de guérir de ma cécité ? Je ne veux pas voir. Mon monde, celui que je me suis fabriqué, me satisfait tel que je l'imagine. Je n'ai ni le courage ni le désir d'en voir plus. Vivre ne suffit pas, encore faut-il le vouloir. Isabelle ne voulait pas vivre. Son deuxième suicide a été le bon.

— Son deuxième ? fis-je.

— Après son cancer.

J'avais les jambes en coton. Je dus m'asseoir pour ne pas tomber.

Mes deux compagnons s'assirent comme moi autour de la table de jardin. Les voitures de police quittèrent les lieux de l'accident. La foule se dispersait lentement. Le soleil rougeoyant incendiait la mer, en accord avec la couleur sang, symbole des drames humains. En portant mon regard en direction du large, j'aperçus nettement les bonds en arcs de cercle de quelques dauphins jaillissant hors de l'eau.

— Regardez, dis-je, ils sont là !

— C'est un dauphin qui a déposé Isabelle sur le rivage, souligna Horace. Très tôt, ce matin, un peu après notre départ en mer, elle est allée les rejoindre à la nage, pour danser avec eux. Pour elle, c'était comme une cérémonie de passage. Ensuite, comme la dernière fois, elle s'est laissée glisser dans les profondeurs des abysses. Elle est des leurs, à présent.

— Comment pouvez-vous savoir avec certitude ce qui s'est passé ? lui demandai-je, irrité.

— Les dauphins me l'ont appris, Sébastien. Ils communiquent avec certains hommes, avec moi en particulier. Oh ! certes, pas comme nous, ils n'ont pas besoin de mots ; ils connaissent pourtant exactement nos pensées les plus intimes, nos sentiments profonds, ils peuvent même appréhender la totalité de notre système nerveux, scannant en quelque sorte notre mental comme aux rayons X, *voyant* littéralement notre humeur dominante du moment — notre chagrin, nos peines ou notre bonheur et nos joies. Avec le temps, vous arriverez à interpréter leur langage, vous aussi. Isabelle et les dauphins se comprenaient ; ceux-ci avaient entendu son premier appel à l'aide, avaient perçu sa détresse, ressentaient sa peine. Mais, cette fois, elle avait choisi de vivre définitivement — et donc de mourir — parmi eux.

Il me décrivait une vision idéale des événements. Cela l'arrangeait bien de penser ainsi. On trouve toujours des raisons, même les plus farfelues, pour apaiser son chagrin.

— Nous ne sommes qu'énergie, poursuivit Horace Christophoros. Le corps d'Isabelle ne fonctionne plus en tant qu'être humain, mais si nous pouvions observer ses cellules au microscope électronique, nous constaterions pourtant que ses atomes s'agitent tout autant qu'avant. D'où vient l'impulsion des atomes? De la vie au sens étendu, Sébastien. La vie est toujours présente, mais sous une autre forme. Nous sommes immortels, Isabelle l'a bien compris.

Des nuages voilèrent le ciel. La température se rafraîchit sensiblement. Un vent fort venant du large se leva et souffla dans notre direction. Il souleva le sable de la plage comme l'aurait fait une mini-tornade. L'empreinte du corps inanimé laissée sur le rivage s'éparpilla en un instant comme par enchantement dans l'étendue. L'invisible rétablissait l'ordre.

— Comme si rien ne s'était passé, chuchota Horace.

— Et maintenant? demandai-je.

— Ils vont venir me chercher, Sébastien. Ils n'attendaient que cela. *La faute.*

— Qui donc va venir vous chercher?

— La loi. Alertée et mise en branle par votre ancien patron, représentant désigné des laboratoires. Ils sont déjà au courant. Ils préparent dès à présent leur accusation. Le père d'Isabelle ainsi que son mari ont été prévenus. Le mandat d'amener est en train de voyager par-delà les frontières, en ce moment même. Ce n'est plus qu'une question d'heures. Tout est consigné. Ils viendront me chercher demain matin à l'aube. D'ici là, j'ai le temps de me préparer.

— Une minute, le coupai-je. Qu'est-ce que vous voulez dire? Qu'est-ce qui est consigné? De quoi parlez-vous? Vous n'êtes en rien responsable de ce qui est arrivé à Isabelle. Nous en sommes témoins, Homère et moi. On ne peut pas arrêter quelqu'un comme ça, sur une simple volonté de Van de Wedde, enfin! Et puis, nous sommes à Chypre, ici, pas en France, ni en Suisse. Je suis journaliste, je connais bien les médias, je les alerterai. Nous ne sommes plus au Moyen Âge.

J'observai le visage de mon ami. Des gouttes de sueur perlaient sur son front. Jamais je ne l'avais vu ainsi, soucieux et inquiet.

— Auriez-vous peur, Horace?

— Je sais ce qui va se passer. Ce n'est pas la première fois ni la dernière. Mais oui, j'ai peur. Peur du mal qu'ils vont faire. Je suis las de la bêtise de certains hommes. L'humanité avance à bien petits pas, Sébastien, et je trouve tout cela trop long.

Homère intervint.

— Je vous soutiendrai, Horace, quoi qu'il arrive. J'ai tout vu, si je puis dire. J'étais à vos côtés. Vous n'y êtes pour rien, ni directement ni indirectement. Mais je devine que ce n'est pas avec cet argument qu'ils vont vous attaquer. Ils vont vous traîner dans la boue, et vous rendre responsable du suicide psychologique d'Isabelle et de la mort de certaines personnes ayant abandonné leur traitement médical pour adopter votre thérapeutique. Le choix d'une communication — une communication non verbale, d'un tout autre ordre — avec les dauphins, est, hélas, à ne pas aborder pour votre défense, cela risquerait fort de se retourner contre vous.

— Au contraire, nous allons rendre nos convictions publiques, sinon tout ce à quoi nous croyons sera étouffé, déformé, exagéré, caricaturé, répondit fermement Horace. J'en profiterai pour expliquer ma méthode naturelle de guérison, c'est une chance, je dois la saisir. Le public apprendra que la maladie cache ou est le symptôme, le révélateur d'un conflit existentiel. Aussitôt le conflit résolu, l'énergie rétablie, le corps se rééquilibre. Si nous nous alignons sur nos valeurs, nos idéaux, la guérison a alors une possibilité de survenir *comme par miracle*.

— Mais, protestai-je, Isabelle ne s'était-elle pas alignée sur ses valeurs ? Que s'est-il passé ?

— Elle a emporté sa vérité avec elle, répondit-il, je n'ai pas la réponse. Toujours est-il que je suis persuadé qu'elle ne s'était pas *véritablement* alignée vis-à-vis d'elle-même. Au-delà de la guérison, encore faut-il que la vie ait un sens. Sans une direction quelconque, l'existence peut être ressentie comme une épreuve absurde, donc insupportable.

— Je peux l'attester, renchérit Homère. Lorsque quelqu'un téléphone à notre service d'écoute, la plupart du temps, il s'agit en réalité d'une demande de direction. La perte d'un travail, d'un être cher, d'une passion amoureuse rend son quotidien vide de sens. La personne a perdu sa boussole. Se lever simplement le matin, sans repère aucun, est ingérable pour la majorité des êtres humains. L'homme a besoin de se sentir utile envers l'humanité — c'est-à-dire d'aimer et d'être aimé.

— Pour les animaux, vivre suffit, ajouta Horace. Mais les hommes ont besoin de quelque chose de plus, *d'une raison de vivre*. Une exigence absurde du mental. Mais nous n'y pouvons rien, nous sommes des humains. Isabelle, en guérissant, a pris subitement conscience du vide angoissant de son existence. Elle a préféré hâter sa mutation vers une autre forme de vie. En regard du Grand Tout, vous le savez, Isabelle n'est pas morte.

Le soleil était déjà haut dans le ciel. Le vent était retombé. La chaleur était cuisante. Horace Christophoros se leva pour déployer le parasol de la table de jardin.

En fin d'après-midi, on frappa brutalement à la porte d'entrée à l'aide du heurtoir. Nous sursautâmes tous les trois ensemble.

Horace alla ouvrir. Une voiture de police stationnait devant la porte. Mes amis avaient donc raison : la machine judiciaire était en marche. Les ennuis avaient réellement commencé.

— Police. Vous êtes bien Horace Christophoros ? demanda l'un des agents.

— Oui.

— Isabelle de Dieudonné a bien dormi la nuit dernière à votre domicile ?

— Oui.

— Une plainte a été déposée contre vous par le mari et le père de madame Isabelle de Dieudonné. Veuillez signer ici.

41.

Pressentant qu'il s'agirait de notre dernière soirée ensemble, Horace, Homère et moi décidâmes d'un commun accord de la passer en mer. Aussitôt sur le bateau, Horace Christophoros ouvrit un étui en bois, en sortit une flûte et me l'offrit.

— Pour accompagner Homère à la guitare, précisa-t-il. Les dauphins apprécient la polyphonie.

Ce n'était pas une nuit comme les autres. Les étoiles étaient absentes. La lune, voilée elle aussi par les nuages, nous prodiguait un peu de sa lumière blanchâtre afin que nous puissions nous repérer sur l'eau. Un léger brouillard nappait les alentours d'un voile de mystère. Horace avait tenu à ce que je prenne la barre et dirige le bateau. C'était moi le capitaine, dorénavant.

— Je désire que vous me remplaciez pendant mon absence, au cas — probable — où je serais arrêté. Mes patients — les vôtres — auront toujours besoin de bénéficier des vertus de la méditation en mer et du contact avec les dauphins.

Les dauphins, eux, ne vinrent pas au rendez-vous ce soir-là... Nous n'en vîmes aucun.

J'allais oublier de mentionner un passager clandestin. Sur la proue, surgi de nulle part, apparut mon oiseau ange gardien, la colombe blanche qui m'accompagnait partout. Était-ce toujours la même ? Comment faisait-elle pour toujours arriver à ces moments cruciaux ? Je ne l'ai jamais su. Je constatais seulement qu'elle était présente dans des situations délicates dont je me plaisais à croire qu'elle me sauvait. Cette fois encore, elle était là et, je l'avoue, ce nouveau signe me rassura.

Quand on ne distingua plus les lumières de la côte, je coupai le moteur et jetai l'ancre comme *il* me l'avait appris. Puis je sortis les victuailles du panier et les étalai sur le banc au milieu du bateau.

Un festin princier offert en grande partie par les patients : des desserts au miel, des fruits. Sans oublier une bonne bouteille de vin de Paphos.

Après notre collation, Homère entama une douce mélopée sur le plaisir de vivre qu'il accompagna à la guitare. Je le suivis comme je pus à la flûte, et Horace au tambourin. Un orchestre improvisé plutôt désaccordé. Heureusement, nous étions loin des côtes ! Nous rîmes beaucoup, et le plaisir d'être ensemble nous fit oublier la peur du lendemain. Oublier le calvaire que des hommes s'apprêtaient à faire subir à un autre homme.

Tandis que nous jouions de la *musique*, nous vîmes des dizaines de points lumineux sortir des ténèbres puis se diriger lentement vers notre bateau. Intrigués, nous posâmes nos instruments pour observer cette approche insolite. Je décrivais avec hésitation ce que je voyais à Homère. Le spectacle semblait surnaturel. Les points se métamorphosèrent en cercles rayonnants, et nous distinguâmes alors de modestes embarcations — leur lanterne accrochée à l'avant. Les lanternes s'ajoutaient les unes aux autres, les canots aux barques, et les rafiots aux chaloupes. Il était impensable que ce fussent des bateaux de pêcheurs. Horace scrutait la nuit avec intensité, quand tout à coup il sourit, rassuré.

— Des amis, et d'anciens patients, et… aussi… des élèves. Accueillons-les en musique. Jouons, voulez-vous.

Nous reprîmes nos instruments et nous nous appliquâmes cette fois, car nous avions un public. Homère éclaircit sa voix. Et la magie fut au rendez-vous : notre chant nocturne fut repris par les passagers des autres bateaux et, immédiatement, la mer s'enflamma et chanta en chœur avec nous.

Sous la lune
Et les étoiles
Pêcher en bateau à voiles
Rentrer le matin
Soleil levant
Ah oui ! le vent
Pêcher des baisers dedans

Cette armada d'embarcations hétéroclites rejoignit la côte vers une heure du matin. Du rivage, on devait croire à une invasion barbare.

Un autre groupe d'amis nous attendait sur l'embarcadère. Horace descendit du bateau et se mit à les embrasser les uns après les autres. Puis, marchant en tenant tel ou tel par l'épaule, il les entraîna vers chez lui. Des gens venus de France ou d'Israël, d'autres du Japon ou du Mexique. Mon Dieu ! mais où pourrions-nous caser tout ce monde ? Et comment savaient-ils qu'il était en danger ? Qui les avait prévenus ? Comment avaient-ils pu arriver si vite ? Cela restera un autre mystère. Aujourd'hui encore, en retraçant cette histoire, je me demande comment tant de personnes avaient pu se passer le mot aussi rapidement et arriver parfois de si loin, et je me dis, par moments, que j'ai peut-être oublié une journée dans la chronologie des événements.

Quand Homère et moi, bras dessus, bras dessous, nous arrivâmes chez Horace, d'autres personnes encore attendaient devant la maison. Je reconnus des voisins et certains de ses patients actuels, et aussi de pauvres gens.

Même si la porte était ouverte, conformément aux habitudes d'Horace, personne n'avait pénétré à l'intérieur de la maison. Les gens restaient dans le jardin et dans la rue. Horace nous prit à part, une dizaine de ses proches — ses « élèves » —, Homère et moi, et nous demanda de faire passer du pain, du vin et tout ce que nous avions en réserve pour pouvoir accueillir convenablement l'assistance. Nous fîmes ainsi, en doutant que nous aurions suffisamment de nourriture pour contenter chaque personne. Mais nous y parvînmes, chacun reçut tantôt du pain, tantôt du poulet, un peu de raisin, quelques dattes, un yaourt... Heureusement, quelques-uns avaient apporté leurs provisions et les partageaient aussi spontanément autour d'eux.

Je fus de nouveau stupéfait par l'adresse d'Homère, circulant parmi la foule avec une aisance surnaturelle qui me rappelait le déplacement des chats dans la nuit. « Il voit, pensai-je, c'est tout à fait impossible autrement. Ou alors, il se dirige au sonar, comme un dauphin. »

Avec Horace et les « élèves », nous nous réunîmes sur la terrasse autour de notre protégé. Personne ne parlait. Nous attendions le matin avec inquiétude.

Un jeune homme parlant avec un fort accent s'adressa à Horace et lui proposa de fuir avec lui en Russie ; là-bas, il serait tranquille, tout à fait.

— Comprenez-moi bien, commença Horace, je ne veux rien éviter du tout. Tout ce qui nous arrive dans la vie nous appartient en propre. Il est donc juste que j'affronte ce qui me revient. Et quand la justice m'attaquera, je ne me défendrai pas ; je n'ai pas à le faire, puisque je n'ai rien à me reprocher.

— Mais, Horace, on va vous traîner dans la boue, on va inventer les pires calomnies pour vous nuire, on va vous accuser de charlatanerie, d'escroquerie, et même d'assassinat...

— Ce ne sont que des mots, en l'occurrence vides de sens. Ils n'ont aucune valeur si nous ne leur en accordons aucune. Qu'avez-vous appris avec moi ? Si l'on commence par modifier la façon dont nous dénommons une maladie, la maladie perd déjà de sa force ou de sa puissance supposée. Première condition pour que le malade puisse guérir. Les mots peuvent tuer ou sauver, suivant le pouvoir qu'on leur donne. De quoi avez-vous peur ? Les gens gravement malades qui décident de s'en sortir n'ont que faire des mots et des réputations. Ceux-là nous trouveront toujours. Et même jusqu'en prison.

Un autre « élève », un homme de petite taille, trapu, aux traits asiatiques, intervint :

— Mais en prison, argumenta-t-il avec une voix douce mais ferme, vous ne pourrez plus exercer, alors tout le monde perdra quelque chose.

— N'avez-vous jamais pensé que la prison n'est pas seulement une prison ? C'est avant tout un rassemblement d'êtres humains. Là aussi, et peut-être plus qu'ailleurs, il y a beaucoup à faire.

Nous approuvâmes tous de la tête.

— Gardez intacte votre foi dans les bienfaits de notre thérapie, ajouta Horace. Ce n'est pas la première fois que je vis ou que je subis ce genre d'épreuve. Attendez-vous d'ailleurs à être vous aussi pris à partie un jour ou l'autre. Si vous voulez éviter les ennuis, alors choisissez une autre cause. La meilleure chose qui puisse nous arriver aujourd'hui, c'est qu'ils aillent finalement jusqu'au bout. Qu'ils m'arrêtent sans ménagement, me jugent sans preuves, me séquestrent arbitrairement, et que les médias se déchaînent contre moi. Cela donnera audience et publicité à notre mouvement qui a pour but, ne l'oubliez pas, d'aider les malades à prendre eux-mêmes en main leur guérison en ne faisant plus seulement confiance aveuglément aux médicaments et traitements préconisés par les trusts chimico-pharmaceutiques. Soyez vigilants. Votre ennemi s'appelle la peur. La peur vous fera douter… Combien d'entre vous auront l'audace, si je suis condamné, de poursuivre la mission en se sachant sans cesse menacés de poursuites, d'accusations, de persécutions ?

Déjà, la peur me nouait les entrailles. J'avais envie de fuir très loin, ailleurs. Je pensais que ma première tâche sensée serait d'aller rejoindre ma femme et ma fille qui, elles, avaient déjà été contraintes de s'enfuir pour se cacher.

Assis sur un coussin, adossé contre un muret de la terrasse, j'attendais le jour. Je sombrais pour de courts moments dans le sommeil, absences peuplées de cauchemars et de visions infernales. Homère lui aussi, enroulé par terre dans une couverture, dormait, puis se réveillait soudainement en sursaut, transpirant en abondance.

Du coin de l'œil, j'observais Horace. Les traits de son visage reflétaient l'inquiétude. Quand il s'adressait à nous, il arborait détermination et tranquille assurance, mais je percevais malgré tout son trouble. Lui aussi doutait. C'est lui que l'on allait venir chercher pour lui demander de s'expliquer, de se justifier. « Une femme s'est suicidée qui prétendait avoir suivi votre thérapie. Vous êtes un assassin ! » Je pouvais suivre tous les méandres de sa pensée : « Pourquoi ne pas m'enfuir à l'étranger ? Je pourrais aider plus de monde en restant libre… Je couperais l'herbe sous le pied à mes détracteurs, et mes élèves échapperaient à d'éventuelles représailles… »

Était-ce mon inquiétude ou la sienne qui transparaissait ainsi ?

La lumière de l'aube apparut.

Une fourgonnette de police stoppa devant la maison. La plupart des gens endormis à même le sol, dans la rue, le jardin ou sur la plage, ne se réveillèrent même pas. On frappa à la porte. Je me proposai d'aller ouvrir, mais Horace m'en empêcha.

Trois agents en uniforme se tenaient devant lui. Deux autres voitures attendaient de part et d'autre de la maison.

Ils lui demandèrent de décliner nom et prénom. Ils avaient un mandat d'amener.

Il les suivit.

De la voiture, il nous fit un signe de la main.

En observant la scène de loin, je n'osai qu'un vague geste, inachevé, pour lui répondre.

Seule une blanche colombe escorta la fourgonnette.

42.

Après le départ d'Horace escorté par la police, tous peu à peu quittèrent l'endroit, laissant planer une pénible et pesante atmosphère. Seul Homère était resté pour me tenir compagnie. Assoupis dans les deux fauteuils en osier, perdus dans nos pensées, nous écoutions distraitement le bruit des vagues s'achevant sur le sable.

Homère sortit de cette apathie pour m'annoncer, d'un air désolé, qu'il devait s'envoler le lendemain matin pour Lyon. Ses assistants du centre d'écoute avaient besoin de lui. Mais, naturellement, il restait disponible pour venir témoigner en justice.

— Je vous appellerai, me promit-il. Qui sait, depuis la France, je pourrai peut-être vous aider à le disculper. D'une façon ou d'une autre, je vous épaulerai, vous ne serez jamais seul, Sébastien.

Sur le chemin du retour, tandis que je le raccompagnais jusqu'à son hôtel, il me demanda :

— J'y pense, Isabelle était en possession de nouveaux examens attestant sa guérison, m'avez-vous dit ?

— Oui.

— Où sont passés ces examens ?

— C'est un point que je dois éclaircir. Elle les aurait envoyés à un huissier à Chypre. Ils ne doivent pas être légion, les huissiers, ici. Je vais essayer de le retrouver. Mais je ne suis pas convaincu que cela puisse nous aider.

— Et pourquoi non ?

— Horace risque de s'enliser dans une bataille d'experts et de contre-experts, un aller-retour de preuves et de contre-preuves, de vrais et de faux dossiers, et les moyens sont clairement dans le camp de Van de Wedde. Horace a raison de faire le choix de ne pas se défendre. Chacun se forgera une opinion en fonction de son intime conviction. L'intuition est plus fiable que tous les témoignages du monde. Je crois en la simple force de conviction d'Horace. Néanmoins, je me mets en quête de ce dossier, et au plus vite.

Nous nous quittâmes dans le hall d'entrée en nous congratulant et en nous serrant dans les bras l'un de l'autre.

Épinglées sur la porte d'une des armoires de la cuisine, je découvris les instructions aussi précises que précieuses qu'Horace m'avait laissées au sujet de rendez-vous pris avec ses patients, de l'organisation de la maison, de l'arrosage du potager, de l'entretien du bateau… Je souris mélancoliquement en parcourant la liste. Au bas de la page, en dessous de sa signature, il avait ajouté un post-scriptum : *C'est vous, le capitaine du bateau, à présent. Votre titre d'officier se trouve sur le lit.*

Je montai quatre à quatre les marches de l'escalier et pénétrai en trombe dans ma chambre : sur l'oreiller étincelait, dans la lumière du soleil d'après-midi, une casquette bleu foncé de capitaine de la marine, avec galons et dorures. Je me l'ajustai fièrement sur la tête, jugeant de l'effet produit devant le miroir de la salle de bains. Ma foi, ainsi affublé, j'arborais une noble allure de conquérant.

Je passai l'après-midi seul, à cogiter toute cette histoire, tournant en rond dans la maison. Les événements récents m'avaient accablé.

Dans l'état actuel des choses, j'étais incapable d'aider quiconque. Heureusement, les patients, au courant de la situation, avaient déserté le cabinet.

Je reçus cet après-midi-là un appel téléphonique de Van de Wedde qui tenait à m'avertir que, puisque cette fois enfin ils le tenaient, l'escroc allait être mis hors d'état de nuire, définitivement.

— Vous pouvez encore rallier la raison, les évidences et l'ordre établi ; il suffit pour cela que vous témoigniez contre Horace Christophoros. Simplement décrire ses théories : dénoncer la pratique des massages et de la méditation en mer avec les dauphins comme étant les remèdes prioritairement recommandés. Seulement grâce à cette déposition, votre nom ne serait pas traîné dans la boue avec le sien. Et vous pourriez retrouver vos activités de journaliste et de rédacteur… scientifique. Je peux m'en occuper personnellement.

— Merci, monsieur Van de Wedde, lui répondis-je en gardant mon calme, mais j'abandonne le métier de journaliste. J'ai d'autres ambitions.

— Puis-je savoir lesquelles ?

— Vous le saurez en temps voulu.

Et sans autres explications, je coupai la communication. S'il avait besoin de mon témoignage, pensai-je, c'est qu'*ils* doutaient du bien-fondé de leurs accusations. Et encore ignoraient-ils que j'allais bien m'employer à témoigner, mais pas dans la direction qu'ils souhaitaient. Heureusement que j'avais mis ma femme et ma fille à l'abri.

Je sortis mon ordinateur et me connectai sur Internet pour consulter ma boîte à lettres électronique. Leslie m'avait envoyé un message. Elle s'inquiétait de mon silence. Elle sentait que quelque chose clochait et que je ne lui disais pas tout. Elle attendait de mes nouvelles d'urgence — sinon, contre toute prudence, elle m'appellerait au téléphone. La petite dormait mal, faisait des cauchemars et me réclamait. « Que se passe-t-il ? »

Je lui répondis en lui révélant la vérité, c'est-à-dire la noyade d'Isabelle de Dieudonné et l'arrestation arbitraire d'Horace Christophoros ; je précisais aussi que j'allais probablement faire l'objet de calomnies. J'ajoutai — pour adoucir mes sinistres révélations — que, grâce à une peu commune passation de pouvoirs, j'étais devenu le nouveau maître de la marine locale constituée d'un seul et unique rafiot de pêche à rafistoler d'urgence et que je venais de recevoir ma casquette de capitaine. Je tentai de la rassurer autant que possible sur la situation actuelle.

Ne t'en fais pas, ma chérie, tout est en train de s'ouvrir. Je te parle de ma vie. Ce n'est pas un hasard s'il arrive ce qui m'arrive. Homère, un ami rencontré ici, m'affirme que je n'ai pas été envoyé à Chypre par l'Organisation mondiale pour les intérêts pharmaceutiques afin de mener une improbable enquête, j'ai été choisi et appelé dans un tout autre but. Lequel ? Pourquoi ? Le moment approche où je vais le découvrir, quoique j'aie déjà ma petite idée. Et me réjouis d'avance.

Ce n'est pas un hasard non plus si je ne suis plus en odeur de sainteté dans le milieu journalistique et médical. Et là encore, je m'en réjouis...

Horace Christophoros est un homme bon et dévoué. Il rend ceux qui l'approchent meilleurs. Les incidents dramatiques de ces derniers jours m'obligent à redéfinir aussi notre relation amoureuse. C'est ma priorité. Comme tu l'as si bien dit, il faut mettre de l'ordre dans notre couple. Prends courage, et surtout ne perds pas la tête à me téléphoner, pas encore, je te préviendrai quand tu pourras sortir de l'ombre... si j'ose dire, car je vous sais au soleil. Dès demain, je m'attelle à mener ma propre enquête, car je n'oublie pas que j'ai encore ma carte de presse.

Et j'ai bien un premier et dernier livre à écrire.

Dis bien à Emily que je l'adore.

Qu'elle pense à chanter en allant se baigner dans la mer : le chant et la musique attirent les dauphins, je ne plaisante pas, ils adorent ça. Mais je te raconterai toutes ces merveilles très bientôt.

Je t'embrasse passionnément.

Sébastien.

Et maintenant ?... Sans plus réfléchir, je repris mon texte là où je l'avais laissé et poursuivis la relation de mon histoire, continuant la chronologie des événements et prenant des notes sur les faits récents. J'écrivais vite, sans me relire, de peur que l'oubli ne vienne recouvrir mes souvenirs récents. Au bout de trois heures, groggy par la frappe machinale, confondant les touches sur le clavier, je décidai d'arrêter. Je cryptai le document et l'envoyai par Internet à destination de mon ami Octave.

Puis je décidai d'aller faire un tour au large, brûlant d'envie de diriger le bateau dont j'étais le nouveau capitaine, et espérant intimement réussir mon premier contact « en solitaire » avec les dauphins.

Je trouvai celui-ci fidèlement amarré à son ponton, s'agitant sur l'eau comme un chiot accueillant son maître. Je dénouai la corde d'amarrage, sautai dans le canot et lançai le moteur. Saisissant fermement la barre, je l'orientai en direction de l'horizon incandescent.

J'avais emporté ma flûte enchantée, instrument de toutes les sorcelleries.

En cette fin d'après-midi, la mer étincelait de mille feux. Ni vagues, ni vent, ni courant — juste un embrasement spectaculaire et somptueux du monde.

Après une bonne demi-heure de navigation, je coupai le moteur et jetai l'ancre. Au loin, seule une étroite ligne grisâtre indiquait la côte. J'étais bien seul, cette fois, loin de tout, loin de la fureur des hommes, goûtant à la fois l'ivresse d'être le seigneur du moment et éprouvant la crainte indicible de l'insondable. L'océan m'apparaissait comme l'existence — tantôt calme, tantôt déchaîné, toujours inattendu.

Je scrutai la mer, guettant l'apparition d'une nageoire dorsale, mais je ne distinguai que les myriades aveuglantes de miroitements et de scintillements à la surface de l'eau. Je sortis la flûte de son étui et me mis à improviser une lente ballade, m'arrêtant souvent pour observer l'immensité impassible des flots. Mais, pendant plus d'une heure, je ne vis rien. Découragé, à bout de souffle, j'allais abandonner ma ballade monotone quand tout à coup, à une vingtaine de mètres du bateau, un dauphin se manifesta en bondissant hors de l'eau. Je me remis à jouer de plus belle pour l'encourager à revenir, mais en vain. Je m'obstinais à produire des sons à défaut de musique. Cependant, aucun autre animal à l'horizon que moi-même, soufflant, crachant et soupirant inutilement dans ce long bâton percé censé produire de la musique.

Le soleil déchirait la vastitude de l'horizon d'une cinglante rayure écarlate.

Je renfermai mon instrument dans sa boîte — la paix revint sur l'océan — et rentrai au port juste avant la tombée de la nuit.

* * *

Passant par la terrasse et la baie laissée entrouverte pour rentrer dans le salon, je me pétrifiai soudain devant une apparition fantastique — invraisemblable, extravagante, surnaturelle et pourtant indubitable : là, devant moi, les yeux ombrés d'Isabelle m'observaient.

Éclairé faiblement par la lumière émanant de la lune et de la loupiote de la terrasse que je venais d'allumer, incontestablement, le regard d'Isabelle de Dieudonné me fixait…

… et son visage reflétait une apaisante sérénité intérieure.

Incapable du premier geste, je produisis malgré moi deux sons étouffés où se mêlaient terreur et extase :

— I-sa…

43.

Cette nuit-là comme quelques autres qui suivirent, je dormis mal. Les récents événements tragiques m'avaient bouleversé de fond en comble. Je me réveillais en pleine nuit en sursaut, en proie à des poussées de fièvre ou à des sueurs froides, assailli par des scènes grotesques issues d'invraisemblables cauchemars : *Horace tantôt torturé par les Grands Inquisiteurs, tantôt crucifié entre deux larrons, tantôt brûlé vif en place publique… Leslie et Emily menacées, suivies, traquées, épiées, harcelées, molestées…* ces moments de terreur entrecoupés subitement de visions angéliques où le visage d'Isabelle me contemplait en souriant avec une indicible expression de bonheur souverain.

Cette nuit-là, par deux fois, je descendis à pas de velours l'étroit escalier en bois pour aller toucher de mes propres mains le visage du buste d'Isabelle exécuté par mon ami Homère, et qu'il m'avait donné.

Visage que, dans l'obscurité — et fermant encore les yeux, je prenais entre mes deux mains, puis que je caressais comme avait dû le faire en face à face mon ami sculpteur pendant des heures et des heures — geste qui seul avait le pouvoir de chasser progressivement cette épouvantable angoisse qui me dominait pour me conduire jusqu'à l'apaisement nécessaire.

44.

Horace Christophoros fut dans un premier temps retenu prisonnier sous le chef d'inculpation de « pratique illégale de la médecine ». Mais il était médecin depuis plus de cinquante ans. Et il put facilement le prouver. On remania l'acte d'accusation en invoquant conjointement la « faute professionnelle » et la « non-assistance à personne en danger ». Horace Christophoros avait utilisé envers une patiente en phase terminale d'une maladie gravissime des méthodes non conventionnelles, non validées par la Faculté, toutes méthodes et pratiques contestables qui, faute de résultats, l'avaient menée au désespoir et au suicide par noyade.

Les journaux et magazines français, relayés par la presse chypriote puis internationale, transmirent l'information — déformée en sous-main par l'OMIP — relatant la noyade d'une présentatrice française de télévision, Isabelle de Dieudonné, à la suite d'un *lavage de cerveau* effectué par un *guérisseur* établi à Chypre (la plupart du temps, on « oubliait » de mentionner son titre de docteur en médecine). Suivait la description d'une thérapie abracadabrante qui entremêlait « méditation marine » et « danse sacrée avec cétacés », en passant par le « contact ancestral retrouvé avec les énergies cosmiques » et les « massages approfondis dispensés par le maître en personne ».

« Le père ainsi que le mari de la victime ont porté plainte contre l'imposteur qui a été arrêté à son domicile sans résistance et écroué sur-le-champ à la maison d'arrêt de Nicosie. »

On mentionnait également un groupe de fidèles, tous formés aux « procédés du Maître ». Parmi ces disciples figurait un médecin et journaliste, ami intime de la victime. L'allusion était claire, j'étais impliqué dans l'affaire. Des photos d'Horace Christophoros entrant en prison encadré par deux policiers illustraient les articles.

Je fus convoqué très vite chez le juge d'instruction où je passai une matinée entière non à répondre à ses questions, mais à l'attendre sur un banc d'un couloir du palais de justice — il avait été appelé « en priorité » pour une autre affaire.

Le juge était un homme d'une soixantaine d'années, le visage maigre et sec, les cheveux noirs, avec des yeux proéminents que grossissaient encore des lunettes aux verres-loupe épais. Il me reçut de midi à une heure, et me posa des questions sur la méthode de guérison prônée par Horace Christophoros.

— Horace est médecin : il s'occupe des personnes en fin de vie, condamnées par la médecine, des personnes auxquelles on a ôté tout espoir de guérison. Nous devrions plutôt parler de soins palliatifs, d'accompagnement de mourants, avec de l'attention, de la dignité, de la fraternité.

— Qu'est-ce qui, d'après vous, a provoqué le suicide de madame Isabelle de Dieudonné ?

— À mon avis, il s'agit d'un accident. Isabelle est allée nager très tôt ce matin-là, alors qu'un courant puissant parcourait la mer. Un panneau est d'ailleurs planté à cet endroit de la plage qui avertit les baigneurs contre le danger des courants violents. Isabelle a tout simplement décidé d'ignorer l'avertissement, elle venait d'être guérie, elle se sentait toute-puissante… immortelle… débordante de vie et de santé… D'autres baigneurs avant elle malheureusement ont laissé leur vie à ce même endroit, vous ne devez pas l'ignorer…

Il hochait la tête, contrarié, cette affaire faisait grand bruit et, manifestement, sa hiérarchie lui suggérait de trouver rapidement un coupable. Sa situation était délicate. Il en revenait toujours aux « pratiques douteuses », me demandant de décrire la façon de travailler d'Horace Christophoros.

— L'idée de la prise en charge des patients est de leur insuffler de l'espoir pour les aider à surmonter leur peur et, qui sait, à guérir, ou du moins, à *vivre* de façon moins douloureuse leurs derniers moments. Je suis médecin et journaliste spécialisé, j'étais venu avec l'idée de confondre Horace Christophoros, j'étais prêt à le dénoncer comme charlatan… J'ai rencontré en réalité un homme d'une grande humanité.

Je suggérai au juge qu'il faisait fausse route en accusant Horace. Que ce n'était pas lui qu'il fallait poursuivre. Que les vraies canailles avaient pignon sur rue.

Il me questionna aussi sur la raison de ma présence à Chypre. Je lui résumai toute l'histoire dans sa stricte vérité, depuis l'appel de Van de Wedde au début de septembre, et le motif originel de ma mission, l'accompagnement *intéressé* d'Isabelle de Dieudonné, la fortune et la renommée que j'en escomptais…

Contre toute attente, le but initial s'était retourné contre ses instigateurs.

— Horace Christophoros, je le répète, est un homme intègre. Des centaines de personnes pourront l'attester.

Il consigna tout cela, me regarda un long moment sans parler, avant de me libérer — car un « important déjeuner » l'attendait…

— Attendez une seconde, ajoutai-je, vous menez une enquête, n'est-ce pas ?… Savez-vous qu'Isabelle est entrée mourante aux services des urgences de l'hôpital général de Paphos il y a une quinzaine de jours de cela… et qu'elle en est sortie quelques heures plus tard après toute une série d'examens qui indiquaient qu'elle était en parfaite santé : vous devriez contacter le médecin-chef Andreas Georgiou, il vous certifiera tout cela noir sur blanc, peut-être même a-t-il encore le dossier sur sa table de travail.

Juste avant de refermer la porte derrière moi, le juge me mit la main sur l'épaule.

— Isabelle de Dieudonné a passé sa dernière nuit au domicile d'Horace Christophoros, n'est-ce pas ?

— Oui.

— Dans quelle chambre a-t-elle dormi ?

Certes, la question ainsi posée était plus élégante que s'il m'avait demandé avec qui.

— Isabelle a passé sa dernière nuit avec moi, dans ma chambre, dans *notre* chambre, plutôt, répondis-je fermement, le regardant droit dans les yeux sans ciller.

— Cette nuit-là, Isabelle a-t-elle parlé de quelque chose de particulier ? Vous a-t-elle semblé particulièrement agitée ? Vous a-t-elle laissé un message ?

— Isabelle m'a beaucoup parlé cette nuit-là, en effet, pour me révéler qu'elle se sentait apaisée. Elle s'était confrontée à de nombreux problèmes restés trop longtemps douloureux. Isabelle pensait que son cancer était l'expression de conflits non résolus, notamment avec son père et son mari. Ceux-ci vous ont-ils parlé de sa dernière visite ? Elle avait *réglé ses comptes*, vous savez.

— Nous devrons très certainement nous revoir pour préciser certains points.

— Je me tiens évidemment à l'entière disposition de la justice.

— Vous êtes marié, m'avez-vous dit. Permettez-moi un conseil : avertissez votre femme avant qu'une certaine presse ne risque de révéler certains… détails… disons… « embarrassants » pour vous.

Les choses étaient délicatement présentées… des « fuites » étaient toujours à craindre… une menace à peine déguisée. Je remerciai ma bonne étoile d'avoir eu la bonne inspiration d'inciter ma femme à s'éloigner. La campagne de dénigrement orchestrée serait peut-être plus discrète en Grèce. « L'affaire » occupait principalement le monde médical et scientifique en France, en Belgique, en Suisse, en Allemagne, aux États-Unis, fiefs occidentaux de l'OMIP.

Il fallait avant tout que j'arrive à récupérer le dossier médical d'Isabelle pour pouvoir le produire au grand jour, ce qui retournerait du tout au tout la vraie leçon de ce prétendu « scandale »… Oui, je devais réussir à mettre la main sur cet huissier. S'il existait…

Il y avait treize huissiers de justice à Chypre. Je téléphonai à chacun d'entre eux en leur annonçant que mon amie nommée Isabelle de Dieudonné — une Française — avait envoyé un dossier — un dossier *confidentiel* — qui m'était destiné.

— Mon nom est Sébastien LeBlanc, je suis journaliste, oui… à un huissier à Chypre, mais sans préciser lequel… Avez-vous reçu une enveloppe expédiée de France ?…

Ils me répondirent tous par la négative, ce que, par un obscur pressentiment, j'appréhendais. Peut-être les examens médicaux se trouvaient-ils déjà entre les mains de la justice, ou, ce qui aurait été nettement plus critique, entre celles de Raymond Van de Wedde et de sa clique. À moins encore qu'Isabelle n'ait dissimulé son identité dans le but de protéger les documents... Mais, dans ce cas, puisqu'elle ne m'avait pas averti du subterfuge, il ne me restait plus qu'à prier le ciel pour qu'un prodige les fasse réapparaître du chapeau...

Fait inattendu — privilège accordé au médecin et journaliste que j'étais, je présume —, j'obtins facilement du juge l'autorisation de voir Horace Christophoros à la prison de Nicosie.

Le matin du quatrième jour après son incarcération, c'est sous bonne garde que l'on m'amena — après une fouille rudimentaire — au parloir. Je parcourus un labyrinthe de couloirs, de corridors, de galeries avec verrouillages et déverrouillages de portes, passage de portails et d'accès sécurisés, escorté par un gardien qui ne m'adressa jamais la parole. La brève pensée que je reviendrais la prochaine fois en tant que pensionnaire me traversa l'esprit.

Le parloir n'était qu'une grande salle équipée d'une vingtaine de tables en bois alignées, dont trois seulement étaient occupées par d'autres visiteurs et prisonniers.

On me désigna une table au milieu de la salle, où je me rendis docilement. Le gardien resta à mes côtés le temps que l'on amène mon détenu.

Après une dizaine de minutes, la porte s'ouvrit sur Horace Christophoros, serré de près par deux hommes en uniforme.

J'avais imaginé voir arriver la caricature du taulard — pieds enchaînés et menottes aux poignets —, yeux cernés, amaigri par la détention, abattu et démoralisé par l'injustice dont il était l'objet, mais Horace débarqua tel qu'en lui-même je le connaissais, rasé de près, frais et dispos, détendu et souriant. Qui aurait pu deviner que cet homme que j'avais devant les yeux avait pourtant quatre-vingts ans au minimum ? Il portait la tenue réglementaire, pantalon et chemise kaki. Il s'assit sur le banc de l'autre côté de la table, et me fixa un long moment sans parler.

Les yeux d'Homère pétillaient.

— Heureux de vous revoir, Sébastien.

— Moi aussi, Horace. Vous avez l'air en pleine forme.

— Je le suis, effectivement. Je pratique ma méditation tous les jours en dansant. Et vous ?

— Je *tente* de méditer avec les dauphins, comme vous me l'avez appris, accompagné par le son de ma flûte. Ce n'est pas facile de me faire adopter par eux. Cela fait trois jours qu'ils m'ignorent. Ils s'approchent à une vingtaine de mètres, m'observent pendant quelques minutes, curieux... puis s'éclipsent. La nuit, j'en fais des cauchemars. Je désespère...

— Changez votre façon de jouer. Oubliez les dauphins, jouez pour vous faire plaisir. C'est une autre musique qu'ils attendent de vous... et vous aurez alors la surprise de les voir se regrouper autour du bateau. Si vous êtes là *pour vous*, ils seront là... *pour vous*.

Je l'écoutais d'une seule oreille, ruminant sans cesse l'idée de sa séquestration. Je ne savais pas quoi lui dire. Que dit-on à un ami qui est en prison ? Quels sont les mots qui réconfortent quand il n'y a pas de nouvelles réconfortantes ?

— Je pense seulement à l'instant que j'ai oublié de vous apporter un panier de petit-déjeuner, je manque décidément à tous mes devoirs, lançai-je subitement.

— Je n'ai pas à me plaindre, je reçois tous les jours, de la part d'amis du monde entier, de nombreux colis : des vêtements, de la nourriture, que je distribue la plupart du temps autour de moi... et des dizaines de lettres d'encouragements aussi. Quelques-unes d'insultes, cependant. Dites-moi, comment vous débrouillez-vous dans votre nouveau rôle improvisé ?

Je lui décrivis mes journées idéales : je me levais un peu avant le lever du soleil, passais un maillot de bain et allais faire quelques brasses dans la mer — à l'aube, l'eau est lisse comme un miroir. Le reste de la journée, je recevais une dizaine de personnes en consultation — petit-déjeuner avec le premier, massages, gymnastique douce ou natation au soleil, prières... et le soir... méditation en mer, souvent avec un panier-repas arrosé d'un vin du pays.

— Jamais je n'ai eu autant d'énergie et d'espérances, malgré le peu de sommeil quotidien. J'ai, grâce à vous, redécouvert les valeurs premières et fondamentales de l'existence.

Je lui fis part ensuite des derniers développements de l'affaire : le corps d'Isabelle avait fait l'objet d'une autopsie, puis été rapatrié en France, à la demande de son mari qui était venu reconnaître la dépouille à Chypre. Son enterrement était prévu pour le lendemain, à Paris.

— J'ai eu aussi des nouvelles d'Homère, poursuivis-je. C'est lui qui récolte, étant en France, le plus d'informations ; il me téléphone deux fois par jour. Là-bas, l'affaire fait grand bruit dans les médias. Sur la première chaîne de télévision, évidemment, au premier chef. Le père et le mari d'Isabelle y ont des amis puissants. Le lobby médical tente de récupérer l'incident pour interdire tout traitement alternatif. Les soins différents, la médecine douce, sont dorénavant leur cible : l'acupuncture, la phytothérapie, l'homéopathie, le magnétisme, les massages, etc. Seuls les médecins seraient autorisés dans l'avenir à pratiquer *tout ça*.

— Ne suis-je pas médecin ? fit Horace en riant.

— Ils l'ont oublié ! Je viens aussi d'apprendre que vous avez récusé l'avocat que l'on vous avait attribué pour vous défendre.

— Je n'ai pas besoin de défenseur, n'ayant rien à défendre, leur ai-je expliqué. Le juge est un Chypriote à la solde du pouvoir, et le pouvoir, ici comme partout, est représenté par l'argent. Et l'argent appartient aux multinationales. Mais la santé, Sébastien, appartient à tous. La vie est gratuite, elle n'a pas de prix. C'est sur ce terrain que je voudrais les attirer.

— Isabelle de Dieudonné, en rentrant en France, a récupéré son dossier médical contenant les nouveaux examens qui attestent de sa guérison. Elle les aurait envoyés à un huissier ici à Chypre. Je n'arrive pas à mettre la main sur ces documents. Auriez-vous une piste, Horace ?

— Nous n'avons pas besoin d'attestations, nos patients qui respirent la santé sont nos meilleures preuves… des preuves vivantes, en chair et en os !

— Mais vous risquez pourtant d'être condamné ! insistai-je.

— C'est un risque à courir, le prix à payer pour aider les gens à prendre leur vie en main. Pour continuer à soulager la douleur et la souffrance des hommes. Tout le reste est sans importance. Nous avons du pain sur la planche, Sébastien. Mon procès, s'il a lieu, sera une simple péripétie de l'histoire ; la guérison est en marche, plus rien ne peut l'arrêter.

Une question me brûlait les lèvres, ce n'était peut-être ni l'endroit ni le moment pour la poser, mais le passé d'Horace m'intriguait. Il s'en aperçut et me fit un petit signe de la main pour m'inviter à l'énoncer.

— Dites-moi, Horace, avez-vous une famille, une femme, des enfants ?

Il baissa les yeux, réfléchit longuement avant de me répondre. Sa voix trahissait une profonde émotion.

— Ma femme actuelle s'appelle Yianna. C'est une Chypriote. Et puis, il y avait eu Hanah, qui était Juive polonaise. Et Françoise, qui est Française. J'ai épousé aussi autrefois Tomoko selon le rite traditionnel du Japon. Je me souviens aussi de Kharima, une magnifique Marocaine. Et enfin d'Ines, épousée au Guatemala. D'elles toutes, j'ai eu de nombreux enfants et plus encore de petits-enfants. J'ai eu de nombreuses vies et aussi de multiples réincarnations. Je les ai quittées une à une pour pouvoir me consacrer exclusivement à la médecine naturelle. Quelques-uns de mes enfants et petits-enfants viennent me voir de temps en temps, je les emmène faire un tour de bateau au large. J'ai mis de la distance entre ma famille et moi pour leur éviter des ennuis comme ceux que je subis aujourd'hui. Mais j'ai beaucoup aimé les femmes, Sébastien, croyez-moi. Quand une femme me plaît et que je lui plais, nous nous épousons le temps d'un pas de danse. Ou deux, ou trois. Faire l'amour, c'est une autre façon de méditer.

Je le dévisageai d'un air ahuri.

— Je vous choque, Sébastien ?... Oui, mon cher ami, j'ai aimé, j'ai été aimé... j'aime et je suis aimé !

Horace changea de sujet pour m'annoncer que, dès qu'il serait disculpé, il quitterait « l'île d'Aphrodite » pour aller vivre à l'étranger. Peut-être en Amérique du Sud ou en Asie, en tout cas hors d'Europe. Il avait sa mission à poursuivre : des gens à guérir et des élèves à former.

Dans tous les cas, il comptait sur moi pour prendre la relève à Chypre.

— Je ne sais pas où j'en suis ni ce que je compte faire de ma vie, lui répondis-je, interloqué par sa dernière déclaration.

— Écoutez-moi, vous avez toujours voulu aider vos frères, soulager leurs souffrances, vous êtes médecin, vous avez participé et assisté à une rémission spontanée. Vous avez donc toutes les dispositions requises pour continuer ma tâche. Peut-être vous manque-t-il encore un peu la juste maîtrise de la flûte pour attirer les dauphins, mais cela viendra avec le temps.

— Et votre maison ?

— Elle est à vous. Si vous acceptez, je me charge de vous établir un acte de propriété en bonne et due forme.

— Vous m'offrez votre maison ? Vous êtes sérieux ?

— Ce n'est pas « ma » maison. Elle m'a été transmise par un donateur. Et puis, ici en prison, je n'ai pas besoin de maison.

— Mais elle revient légitimement à vos enfants…

— Ils ont déjà leur propre maison.

Horace se pencha alors vers moi et me chuchota :

— Vous cherchiez votre voie. Vous vouliez donner un sens à votre vie, vous mettre au service des hommes. Votre désarroi et votre quête étaient perceptibles, et je vous ai appelé à Chypre. Les malades ont besoin de vous. *N'ayez pas peur, la porte est grande ouverte.*

Je le fixai dans les yeux. Son regard était insondable. Il avait perçu mon désarroi ? Quel désarroi ? Ma quête ? N'avais-je pas une vie rangée, un métier reconnu et bien rétribué, une famille unie ?… Que me chantait-il là au juste ? N'était-ce pas Van de Wedde qui m'avait envoyé à Chypre pour tout au contraire contrecarrer ses pratiques jugées malhonnêtes ?…

Était-il vrai — comme Horace le prétendait — que les dauphins possédaient le don de pouvoir lire comme aux rayons X à l'intérieur de la psyché humaine ?

45.

Le lendemain fut celui de son enterrement à Paris, au cimetière du Montparnasse, où Homère était présent. Il me raconta que le scandale du « suicide » d'Isabelle de Dieudonné — personnalité médiatique reconnue — provoqué par « le charlatan de Chypre » avait attiré une foule nombreuse composée d'admirateurs et de curieux, mais aussi de collègues parmi les journalistes et présentateurs-vedettes de la télévision.

Ce soir-là, je partis seul en mer. Je dis « seul », mais, pourtant, sur le banc du rafiot se tenait mon ange gardien réapparu, cette colombe blanche qui surgissait toujours « miraculeusement » dans les moments cruciaux.

J'avais appris à jouer l'*Ave Maria* à la flûte, et il me semblait que la circonstance se prêtait parfaitement à l'interprétation de cette œuvre sacrée. J'accompagnai symboliquement la mise en terre de ma compagne à *notre* façon. Ce soir-là, naturellement, et pour la première fois, les dauphins me rejoignirent et semblèrent apprécier ma musique. Ils tournoyèrent et bondirent aux alentours du bateau durant tout le temps que je jouai. Il me semblait que, parmi la bande, un nouveau dauphin — différent des autres, plus humain, plus féminin peut-être — me souriait comme si nous étions de vieilles connaissances. J'avais l'impression de déceler dans son étrange sourire comme un appel ou un signe d'Isabelle. Était-il envisageable qu'elle se fût réincarnée en cétacé ? Le manque de sommeil, les cauchemars me rendaient stupide, tout à coup. Pourtant, j'aurais juré que ce dauphin-là m'observait de l'intérieur… Chaque fois que je le fixais, il me semblait entendre comme des sons et des voix qui résonnaient à l'intérieur des parois de mon crâne, mais que j'étais incapable d'interpréter. Il tentait de communiquer avec moi, c'est sûr.

Cette nuit-là, je fis un nouveau rêve : ma maison — mais ni celle de Paris ni celle de Chypre, ou plutôt un étrange mélange entre celle de Paris et celle de Chypre — avait été visitée, et tout était sens dessus dessous, dans un désordre considérable. Je passai la nuit à tenter de remettre chaque objet dans sa case. Mais où donc étaient les places appropriées ?

Le lendemain matin seulement, j'écrivis un courriel à Leslie et à ma fille, mais, après quelques phrases, je réalisai que je m'adressais à elles comme s'il s'agissait d'étrangères — quelque chose d'indéfinissable dans mes sentiments s'était rompu.

J'attends le procès d'Horace Christophoros qui doit commencer dans quelques jours. Dès celui-ci achevé, vous pourrez rentrer à Paris où je vous rejoindrai aussitôt.

Je savais pourtant intuitivement que les événements n'allaient pas se dérouler exactement de cette façon-là. Déjà, au fond de moi, j'avais pris la décision d'accepter l'offre d'Horace Christophoros de rester à Paphos pour contribuer à perpétuer son œuvre. Des personnes condamnées par la médecine traditionnelle avaient trouvé et trouveraient un réconfort ici. Je pouvais même déjà constater par moi-même une amélioration de l'état général de celles dont je m'occupais. Je n'avais pas encore été l'initiateur d'une guérison spontanée, mais le visage des malades se transformait à chaque séance, et l'espoir qui rayonnait dans leurs yeux était la première condition pour pouvoir laisser la place à la possibilité puis à la certitude intérieure de guérir bientôt. J'en étais totalement persuadé.

Raymond Van de Wedde était un grand professionnel de la communication — les journaux et les télévisions du monde entier évoquèrent « le procès du guérisseur de Chypre ». Certaines chaînes américaines y consacraient même des flashes quotidiens. Pourtant, il n'y avait rien à proposer de sensationnel pour le public. Une accusation principale sans aucune preuve et une absence totale de défense.

Les auditions tournaient en rond.

Le procureur n'avait aucun début de preuve concrète pour étayer ses insinuations. Quant à l'accusé, qui avait récusé tous les avocats désignés ou proposés par le juge, il se bornait à répondre aux questions par des questions.

— Reconnaissez-vous utiliser des méthodes de soins qui ne sont pas reconnues par les autorités médicales?

— L'éthique médicale n'exige-t-elle pas avant tout que l'on prenne soin du malade?

— Prétendez-vous sérieusement que l'on puisse guérir les cancers grâce à des «techniques» comme les massages, les prières, la méditation ou la promenade en mer?

— Prétendez-vous que l'on puisse guérir les cancers en général ou une personne humaine en particulier?

Des dizaines d'hommes et de femmes se manifestèrent spontanément pour témoigner en faveur d'Horace Christophoros. Le procureur essaya de les discréditer en les qualifiant de «fidèles disciples», mais, attendu le nombre impressionnant de personnes attestant l'amélioration de leur état, de leur rémission ou de leur guérison spontanée grâce aux soins dont elles avaient été l'objet, on tenta de relativiser leurs témoignages, de minimiser leur portée ou leur nombre, voire d'escamoter leur comparution.

Andreas Georgiou, médecin-chef de l'hôpital général de Paphos, était devenu mystérieusement injoignable; il avait été invité subitement dans un Congrès international d'oncologie à Atlanta aux États-Unis (ou était-ce Las Vegas?), logé dans un hôtel hors catégorie, billets d'avion et faux frais à la charge d'une firme pharmaceutique américaine, huitième puissance financière du monde — la date de son retour était inconnue. Évidemment, aucune trace du passage d'Isabelle de Dieudonné à l'hôpital général de Paphos n'avait été retrouvée; tous les ordinateurs restaient muets, et le médecin comme l'infirmière qui étaient de garde cette nuit-là avaient pris des vacances on ne savait où...

L'accusation en revanche fit venir à la barre quelques parents ou amis de personnes qui — prétendaient-ils — étaient décédées à cause de l'abandon des traitements médicaux préconisé par les méthodes supposées d'Horace Christophoros et les incita à porter plainte.

Des centaines de lettres de soutien en faveur d'Horace, provenant de tous les endroits de la planète, affluaient chaque jour sur le bureau du juge d'instruction, ainsi que dans les rédactions des journaux et des télévisions du monde entier. Des pétitions circulaient sur Internet, signées par des personnalités internationales qui certifiaient la probité, les compétences, voire le professionnalisme d'Horace Christophoros.

Comme l'avait prédit Horace, toutes les manœuvres de Van de Wedde et de l'OMIP se retournaient contre leurs propres intérêts. Les gens commençaient à se révolter contre le désintérêt manifeste des médecins face à certains types de maladie, de leurs mensonges éhontés et des traitements coûteux et surtout inefficaces. Le procès attira l'attention publique sur les solutions proposées par les traitements dits « différents ». Des adeptes des thérapeutiques d'un ordre nouveau — médecine holistique, ayurveda, acupuncture, naturopathie... — sortirent enfin de leur semi-clandestinité pour argumenter en faveur de leurs soins prenant en compte la vie globale de la personne malade ; ils avançaient l'idée singulière qu'un conflit intérieur sous-jacent est presque toujours à l'origine du déclenchement de la maladie. Ne parlaient-ils pas le même langage qu'Horace ?

À partir de ce jour, dans nombre de pays, les médecins se retrouvèrent dépassés, leurs patients n'obéissaient plus aveuglement aux traitements proposés, remettaient tout en cause, posaient des questions, cherchaient des remèdes naturels. Et surtout des noms et des adresses de praticiens...

J'étais le dernier élève d'Horace Christophoros — « médecin », « thaumaturge », « gourou », « initié », « sorcier », « mage », « sage », que sais-je encore ? —, témoin d'une guérison spontanée, j'habitais chez lui... Le bouche à oreille fonctionna à plein régime et, du jour au lendemain, je me retrouvai surchargé par l'afflux quotidien de nouveaux patients qui arrivaient par bus entier à Paphos. Puisque j'étais débordé, j'improvisai une mesure d'urgence : je les traitais en groupe. De petites conférences le matin par groupe de quinze personnes, un mini-séminaire, suivi d'un petit-déjeuner digne d'un hôtel de première classe. D'anciens élèves d'Horace Christophoros m'aidaient, réception des malades, préconsultations, dégustation consciente de nourriture offerte et prise en commun, gymnastique douce, natation, discussions, conférences, massages et méditation en mer.

Toute cette foule, tout cet engouement m'indisposaient ; j'avais emprunté la peau d'un gourou qui s'était retrouvé du jour au lendemain à la tête d'un mouvement qui croissait sans cesse et qu'il ne pouvait maîtriser. La petite maison d'Horace Christophoros devenait un lieu de pèlerinage dont on se passait l'adresse en toute confiance. Certaines personnes campaient devant la porte ou sur la plage aux abords de la maison. Des fourgonnettes de la police surveillaient discrètement les lieux vingt-quatre heures sur vingt-quatre. Je n'avais même plus ni le temps ni la disponibilité mentale pour dormir.

La mascarade de l'instruction touchait à sa fin : le procureur allait demander qu'Horace Christophoros soit condamné pour « faute professionnelle grave » et radié à vie de l'ordre des médecins.

C'est à huit heures, le matin même de l'ouverture prévue du procès, que je reçus la visite de Panicos Raftis, un huissier de justice de Paphos. Il vint m'apporter en main propre une grande et épaisse enveloppe brune, sur laquelle mon nom était écrit sur toute la longueur au marqueur rouge. Je reconnus l'écriture d'Isabelle.

— Pourquoi seulement aujourd'hui ? demandai-je à l'huissier en me saisissant de l'enveloppe.

— C'était la volonté expresse de madame de Dieudonné : *à vous remettre le premier jour de l'ouverture du procès — et seulement si celui-ci devait avoir lieu.*

Immédiatement, sous ses yeux, j'ouvris l'enveloppe et découvris le dossier médical d'Isabelle au grand complet : des protocoles, des examens, des radios — *avant et après.*

Et une autre enveloppe blanche de format américain sur laquelle il était écrit :

POUR SÉBASTIEN LEBLANC, À LIRE EN PRIORITÉ.

Je remerciai Panicos Raftis. Il me fit signer un reçu et me quitta en me souhaitant bonne chance. Je lui déclarai que

« l'affaire du gourou chypriote » connaîtrait très vite un énorme rebondissement. Il me promit d'en suivre les développements en consultant la presse.

Je montai dans ma chambre, déchirai l'enveloppe et découvris une longue lettre écrite d'une main qui semblait appliquée, avec parfois quelques arabesques tourmentées.

De la fenêtre, j'apercevais la luminosité naissante sur la surface marine aussi inerte que celle d'un lac. Une sérénité certaine se dégageait de l'observation du large. L'océan lui-même avait baissé la garde. L'aileron d'un dauphin glissant parallèlement à la côte apparut, mais la vision disparut aussitôt, comme une tache de lumière éphémère effacée par les flots.

Je m'assis en tailleur sur le lit et commençai à déchiffrer, en chuchotant pour moi-même, le navrant aveu d'Isabelle. Tout au long de la lecture, je ne pus empêcher mes mains de trembler ni mes larmes de se déverser.

Je demeurai prostré pendant un moment qui me sembla infini… ma tête bourdonnait de cris de révolte et d'amour tandis que quelque chose d'immense s'ouvrait en moi. Un sens se profilait à l'horizon de mon existence, je commençais à percevoir la direction vers laquelle je clopinais timidement depuis l'enfance. Il était temps de me lever, d'endosser ma véritable nature et de marcher vers ma destinée.

La confession intime d'Isabelle innocentait tout à fait mon ami.

Je rassemblai toutes mes énergies et la force de ma conviction pour aller la présenter sur-le-champ devant le tribunal.

Et que la fournaise s'éteigne pour toujours.

46.

— Quand le juge a pris connaissance de la lettre d'Isabelle, Horace a été relâché sur-le-champ, confirmai-je à Homère.

Celui-ci ne commenta pas la nouvelle en affichant un air triomphant, mais il hocha simplement la tête, comme apaisé. Je ne fus pas étonné outre mesure qu'il ne me demande pas la teneur précise de la lettre ; après tout, je devinais qu'il avait été sans doute encore davantage que moi son confident.

Nous nous étions retrouvés, Homère et moi, au Train bleu, sous sa grande verrière Art déco en surplomb de la gare de Lyon : j'avais débarqué il y avait moins de deux heures d'un avion en provenance de Larnaka (Chypre) à destination de l'aéroport Charles-de-Gaulle. Je n'avais que quelques heures à consacrer à notre rencontre — avant de pouvoir embrasser à nouveau femme et enfant, après plusieurs semaines de séparation forcée —, mais j'étais ému de le revoir. Afin de célébrer dignement l'événement, nous décidâmes de commander un saint-émilion millésimé pour le déguster religieusement, comme nous l'avait appris notre maître.

Quand je lui avais annoncé au téléphone que je rentrais en France, Homère avait insisté pour faire un petit crochet jusqu'à Paris. Il prit le TGV pour un aller-retour, juste pour pouvoir me saluer. Nous avions vécu tant de grandes et belles choses à Chypre — mais aussi de tragiques —, et nous avions si peu de temps pour les évoquer… Il se tenait là, bien droit, devant moi, savourant en gourmet le nectar qui nous reliait à ces instants liturgiques que nous avions vécus sur le rafiot d'Horace, avec la mer, le vent, les étoiles et les mammifères marins. Les mots précis qu'Homère avait prononcés en mangeant des calamars au bord de la piscine de l'hôtel Dionysos lors de notre première rencontre me revinrent en mémoire : « Mais, à force de chercher ici et là, un jour vous serez contraint d'ouvrir votre perception au tout, j'espère que vous serez bien préparé parce que ce que vous percevrez alors dépassera votre entendement, c'est-à-dire tout ce à quoi vous vous serez raccroché jusque-là. La seule vraie différence entre vous et moi, c'est que, moi, je sais que je suis aveugle ! »

J'avais fini par ouvrir les yeux, malgré moi. Pas encore tout à fait, mais déjà j'étais ébloui par la perspective que m'offrait la vie. Où avais-je fourré la tête pendant tout ce temps ?

— Les journalistes l'ont-ils harcelé ? me demanda Homère en portant son verre précautionneusement jusqu'à ses lèvres.

— Horace est sorti du tribunal par une porte de service, et la meute des journalistes en a été pour ses frais. Il a disparu littéralement, comme par enchantement. Moi-même, je n'ai pu le revoir. Aucune explication officielle sur sa soudaine relaxation, sinon qu'Horace avait été définitivement disculpé de l'affaire du *suicide* d'Isabelle de Dieudonné — celle-ci avait laissé un témoignage ou un testament très clair sur le sujet. L'affaire a été donc classée « sans suite », et, comme vous avez pu le constater vous-même, du jour au lendemain, les médias ont fait immédiatement silence. Plus un mot. Un véritable blocus, sans doute organisé, sinon imposé, par l'Organisation mondiale pour les intérêts pharmaceutiques. Aujourd'hui, le souci premier de Raymond Van de Wedde est de s'effacer de cette scène au plus vite. Il a perdu la partie et se planque comme un vulgaire enfant pris en faute — ou un malfaiteur, qu'il est certainement. Vous ne pouvez pas savoir à quel point je suis ravi de son total fiasco, comme si c'était moi qui l'avais vaincu de mes propres mains.

La musique douce du bar s'interrompit pour laisser la place à une voix enregistrée annonçant le prochain départ pour Genève, appelant les voyageurs à gagner leur quai.

— Et votre épouse, Sébastien ?

— J'ai appelé aussitôt Leslie pour lui annoncer la bonne nouvelle, pour lui dire que tout était fini, qu'elle pouvait rentrer en toute sécurité à la maison. Qu'elle pouvait elle aussi m'appeler au téléphone quand elle le voulait, que tout était redevenu normal, la voie était libre, nous pouvions de nouveau aller et venir comme bon nous semblait. La justice — c'est-à-dire la pure et simple vérité

— avait triomphé. Elle voulait débarquer sur-le-champ à Chypre, mais je l'ai calmée en lui assurant que je prenais le premier vol pour Paris. Je rentrais à la maison. Le fait de réentendre sa voix m'a troublé, je dois vous l'avouer, c'est à peine si je l'ai reconnue. Ensuite, elle m'a passé Emily au téléphone, et que dire?... elle aussi me paraissait si lointaine. Pourquoi, Homère?... Moi, son père. L'homme qui lui a donné la vie et qui a assisté à ses premiers pas sur cette terre. Me suis-je définitivement perdu? Que suis-je devenu? Quel est le sens de cette distance qui s'installe entre moi et les miens?

— Il y a un sens, dit-il en pointant un doigt vers son cœur, et ce n'est pas à vous de le trouver; s'il est assez fort, c'est lui qui vous trouvera.

Je réfléchis un instant sur la prédiction nébuleuse de mon ami, puis saisis la bouteille et nous servis un autre verre de vin. Homère aussi avait mis de la distance, me révéla-t-il, mais entre lui et lui-même. Il envisageait d'aller vivre sa vraie vie là-bas, à Chypre. Il en avait assez d'écouter les appels désespérés au téléphone, comme protégé par la distance; il voulait affronter la souffrance et l'angoisse humaine sur le terrain et les soulager concrètement. Son expérience de non-voyant pouvait aider les malades à affronter en face à face leurs conflits depuis longtemps occultés, il en était sûr.

— Et puis, ne suis-je pas l'expert parmi les experts en massages? lança-t-il en me souriant d'un air énigmatique.

La deuxième nuit passée dans notre hôtel de Paphos, où j'avais entendu des bruits et une voix d'homme dans la chambre voisine, me revint aussitôt en mémoire. Il avait bel et bien massé Isabelle, j'en étais sûr à présent. Comment interpréter autrement ce sourire mystérieux qu'il arbora d'un air quasi arrogant?

Il me demanda des nouvelles de Paphos. Que devenait la maison d'Horace? Et les malades, comment étaient-ils pris en charge?

Je lui contai les récents événements. Les malades affluaient sans cesse à Paphos et voulaient rencontrer « le médecin de la dernière chance ». Je leur répétais à tous, en présentant ses nombreux assistants et moi-même, que nous étions médecins et formés à ses méthodes naturelles, mais qu'Horace Christophoros était parti en Asie pour poursuivre son œuvre. Certains, se contentant de cette explication, souhaitaient faire une thérapie avec nous ; d'autres décidaient de rentrer chez eux, déçus, nous demandant son adresse afin de pouvoir le contacter. « Nous sommes désolés, nous n'avons pas encore d'adresse. »

Dès ce matin, sept assistants confirmés d'Horace Christophoros — qui vivaient déjà sur l'île ou avaient décidé de s'y installer — se partageaient les consultations.

Je lui révélai aussi que j'avais reçu un courrier qui contenait un titre de propriété attestant que j'étais devenu le propriétaire de sa maison « du bord de l'eau ». Celle-ci désormais était mienne, tous les documents étaient contresignés par Horace.

— Me voilà donc possesseur d'une villa au bord de la mer, déclarai-je en riant. Disons plutôt qu'il m'a fait don d'un cabinet de consultation et… de son ministère.

Homère s'esclaffa de bon cœur.

— Que comptez-vous faire alors ?

— De toute façon, avec toute cette histoire, la « publicité », j'avais déjà virtuellement perdu mon emploi de journaliste. La « liste noire », vous connaissez ? Cela m'arrange plutôt pour être sincère, jamais je n'aurais pu servir de nouveau la soupe à mes commanditaires, les laboratoires pharmaceutiques. Le journalisme, pour moi, c'est fini. J'ai une vie de famille à reconstruire — ou à construire. Et un livre à terminer. Et peut-être un dessein à poursuivre. Je l'entrevois, mais il me fait aussi terriblement peur. C'est bien toute ma vie qui risque de basculer d'un seul coup.

— Fais ce qui te fait peur et tu vaincras ta peur, a dit Confucius.

— Je ne suis pas sûr qu'il était marié, celui-là ! répondis-je pour plaisanter.

Cette fois, la céleste voix diffusée par haut-parleur annonça un imminent départ pour Lyon, Marseille, Nice.

— Celui-là est pour moi, dit Homère en se levant.

« Tandis que vous, vous avez encore besoin de vous confronter avec votre… *passé* ? »

Sur le quai, juste avant qu'il ne monte dans le wagon pour rejoindre sa place, alors que nous nous prenions dans les bras l'un de l'autre, il me glissa à l'oreille :

— Un dauphin tout particulier nous attend là-bas afin que nous lui jouions un nouveau morceau de notre répertoire en duo, Sébastien.

Sont-ce ces mots-là précisément qui emportèrent la décision ?…

47.

— Je ne comprends pas où tu veux en venir, dit Leslie en me fixant droit dans les yeux.

Elle ne me rendait pas la chose facile. Elle savait très bien où je voulais en venir, mais elle aurait voulu que j'aie le courage de l'exprimer directement avec mes mots.

J'étais rentré dans notre appartement depuis deux jours. Emily et sa mère m'attendaient comme le Messie. Joie des retrouvailles familiales. Toutes les deux hâlées par le soleil de Pathmos.

— Vous êtes ravissantes, bronzées comme vous l'êtes. Vos vacances en Grèce vous ont été extrêmement profitables.

Elles avaient éclaté de rire.

— Qu'est-ce que j'ai dit?

Et Leslie de m'expliquer qu'elle avait un aveu à me faire: jamais, au grand jamais, elles ne s'étaient rendues sur la péninsule hellène. À peine une petite semaine sur une plage discrète de la côte d'Opale: Leslie n'aurait pu en aucun cas lâcher ses clients en ce moment comme ça, et Emily avait une rentrée importante à faire en classe de CE1.

— Pour te rassurer, j'ai fait semblant d'acquiescer à ta demande, tu semblais tellement affolé et inquiet que j'ai préféré te tranquilliser en ce qui concernait nos propres histoires. *J'ai pris le risque.* Et d'ailleurs jamais personne ne nous a jamais plus troublées ni même rendu visite. Le reste du temps, nous étions ici tranquillement au chaud: les téléphones portables ont bien facilité les adultères.

Je restai abasourdi par la nouvelle et tentai de retrouver mes esprits: était-il possible que j'aie exagéré la menace? Avais-je succombé un temps à un accès de paranoïa? J'en conclus pourtant que ma femme et ma fille avaient eu beaucoup de chance que les sbires de Van de Wedde ne mettent pas leurs menaces à peine déguisées à exécution.

— Tu as encore maigri, non?

— La trouille. C'est le meilleur régime. Tu devrais vraiment le conseiller à tes meilleures copines, c'est un excellent remède.

Nous reprîmes la vie comme avant. Enfin, presque. Leslie ne me posait pas trop de questions sur ma vie à Chypre. Elle savait qu'il me fallait du temps avant de parler. Pour me confier. J'ai peut-être l'art de faire parler les autres, mais, moi, je ne me livre pas facilement. Déformation professionnelle, sans doute. Nous avions fait l'amour dès la première nuit. Mais nous étions comme absents l'un à l'autre. Un mur invisible s'était érigé entre nous. Nous ne nous reconnaissions plus vraiment.

Professionnellement, les projets et les chantiers de Leslie l'accaparaient beaucoup. Pourtant, à certains moments, elle se mettait à tourner en rond dans l'appartement, telle une panthère, en attendant... quoi?

De mon côté, je contactai quelques amis journalistes qui s'étaient manifestés auprès de Leslie en n'apprenant pourtant pas les meilleures nouvelles à mon sujet. J'évoquais mon enquête, mais sans donner de détails, expliquant ma réserve par le fait que je rédigeais un livre sur les événements. Je prévins également mon ami Octave qu'il pouvait détruire le fichier crypté que je lui avais envoyé par courriel: j'étais rentré sain et sauf et pas du tout inquiété. Lui aussi voulait savoir: il est journaliste après tout. Il usa de tous les moyens à sa disposition — depuis notre sacro-sainte amitié jusqu'à la promesse d'un article de fond qu'il me garantissait pour un grand mensuel — pour obtenir des informations inédites sur l'affaire du charlatan de Chypre. À lui, je lui parlai un peu plus précisément du livre à venir. Patience...

J'invitai Leslie, un week-end, en pèlerinage à l'hôtellerie de notre première escapade en amoureux, l'Auberge du lac d'Amour, où bâillent quelques carpes centenaires, prétend-on, près du béguinage de Bruges. Une pension discrète sur la rive dont les chambres romantiques se dissimulent au milieu d'un bosquet d'arbres. Le petit-déjeuner est servi en chambre, et par beau temps sur la minuscule terrasse s'avançant sur le lac. Nous avions vécu là des moments de passion tels qu'en connaissent tous les amants du monde — inoubliables instants, pourtant oubliés avec le temps.

Durant les premières années de notre mariage, nous faisions souvent ce genre d'escapade en amoureux. C'est au cours de ces moments privilégiés que nous échangions des promesses que je ne tenais jamais. Revenir ici, c'était aussi pour moi l'occasion de retrouver celui que j'étais alors. Je terminais mes études de médecine lorsque j'avais rencontré Leslie. Jeune médecin, avec l'avenir ouvert devant moi, plein d'attentes et de projets confus. Je brûlais du feu de l'impatience. Guérir l'humanité... Soulager la souffrance...

Et puis l'ambition, les circonstances avaient éteint peu à peu en moi la flamme de la vocation. Avant même de commencer à véritablement exercer, je m'imaginais déjà à l'étroit, mourant d'ennui dans mon cabinet de consultation à prescrire des sirops contre la toux. Je rêvais d'autre chose. Né soi-disant pour laisser mon empreinte sur le monde. Imbécile prétentieux.

Le milieu suffisant de la presse avait aidé le jeune homme insignifiant que j'étais à s'affirmer. Enfin, j'avais l'illusion de croire que c'était moi qui faisais la pluie et le beau temps. Les laboratoires de recherche pharmaceutiques et les médecins tout-puissants se prosternaient devant moi dans l'espoir d'un article élogieux. On m'offrait des cadeaux, des voyages en veux-tu en voilà... Il suffisait de promettre que, dans un de mes papiers, je signalerais en passant, un autre article, un nom, une marque, une molécule, un médicament, un laboratoire, un médecin... pour que les portes s'ouvrent grand devant moi. J'étais craint aussi, signe de puissance. Et de fragilité. Raymond Van de Wedde, lui, connaissait précisément ce talon d'Achille.

Mais, aussi paradoxal que cela puisse paraître, c'est grâce pourtant à cette même fragilité que j'accède aujourd'hui à mon identité. Je retrouve le goût de mes rêves d'adolescence. Leslie n'est pas ambitieuse, c'est ce qui m'a plu en elle. Elle ne savait pas ce que je faisais dans la vie lorsque nous nous sommes rencontrés; cela m'a rassuré aussi: à la faculté, tant de jeunes femmes tournaient autour de nous simplement parce que nous étions des médecins en puissance. Je l'ai vue pour la première fois durant un cours de yoga. Son corps mince et souple m'a ensorcelé. Je me suis présenté à elle comme professeur de philosophie orientale. Par jeu. Cela cadrait bien avec le yoga. Elle m'a appris qu'elle était architecte d'intérieur. Sa recherche de l'équilibre à travers les formes, les couleurs, les proportions, tout, jusque dans sa façon de s'habiller, la parait d'un charme pur et délicat. Elle rêvait d'aider les gens à vivre dans un espace qui leur ressemblerait. Pour une existence idéale, il fallait, affirmait-elle, harmoniser trois éléments : le physique, le mental et l'environnement.

Quand Leslie se penche sur sa planche à dessin, elle semble pénétrer de plain-pied dans le mystère de la Création. C'est la sorcière en elle qui m'a envoûté.

J'avais réservé la chambre mansardée sous les toits, à la soupente torturée par les poutres en bois. Nous avions dîné en amoureux au restaurant de l'hôtel et étions montés dans la chambre. Leslie devinait que j'allais — que je devais — lui parler de nous. Elle le pressentait, et elle redoutait autant que moi cet instant.

Je fis monter une bouteille de bordeaux et quelques douceurs chocolatées.

Nous nous installâmes face à face, chacun dans un fauteuil en tissu verdâtre, élimé par le temps, séparés par une petite table basse en fer forgé sur laquelle reposaient la bouteille et les desserts.

Je servis le vin.

Pendant plusieurs minutes, nous n'échangeâmes pas un seul mot.

Je la regardais, embarrassé, cherchant comment commencer.

— Vas-tu enfin me dévoiler ce fameux « mystère de Chypre » ? lança-t-elle pour m'aider à aborder le sujet.

— Ce que j'ai vécu à Chypre est difficilement transmissible avec des mots. C'est pour cette raison que j'ai décidé d'écrire un livre, car il faut que tu saches — il faut que le *monde entier* sache — ce qui est arrivé… J'ai rencontré… un homme exceptionnel, enfin, je ne sais plus si c'est encore exactement un homme. Tu sais, pendant que nous tentons de survivre dans un monde qui nous éloigne de nos valeurs essentielles, des êtres… *humains* comme Horace Christophoros vouent leur vie à leur prochain. Ils le font parce qu'ils considèrent l'autre comme une part d'eux-mêmes. À Chypre, mais aussi dans d'autres pays, une douzaine de personnes habitées par la même conviction, des médecins formés par lui-même à ce credo, soignent leurs patients en faisant appel aux ressources insoupçonnées et miraculeuses de la nature. Tu avais raison, et j'avais tort: Horace Christophoros n'est pas un escroc mais un bienfaiteur. Il est même bien plus que cela, mais je n'arrive pas à trouver un qualificatif digne de lui, il semble être de nature… comment dire ?… *chamanique*… je sais, cela peut prêter à sourire. Ce soir, je voudrais te parler de notre avenir, car cette rencontre m'a reconnecté avec ma vocation initiale. Je t'aime, et je souhaiterais que tu puisses comprendre ce que je suis devenu, ainsi que mes aspirations.

Elle me fixait avec bienveillance, sachant par intuition que je tournais autour du pot. Je m'embrouillais lamentablement dans mes explications.

— La chose importante que j'ai apprise au contact de cet homme, poursuivis-je, c'est l'intégrité. La maladie survient quand un conflit existentiel s'installe. La lutte contre soi-même bloque notre énergie vitale. Une fois que le conflit est reconnu et traité, une fois que nous nous sommes réalignés sur nos valeurs fondamentales, l'énergie contenue se libère et rééquilibre le corps. Mais je te parle d'équilibre, à toi qui passes tes journées et tes nuits à l'esquisser. Je comprends mieux ton travail, à présent, cette passion d'aider les gens à vivre dans un espace harmonieux. C'est la même chose pour la santé, une question de symétrie. Mais je pourrais en parler longtemps ainsi, en restant dans l'abstrait. J'ai apporté avec moi une lettre que je voudrais que tu lises. C'est la confession d'Isabelle de Dieudonné. Confession qui a disculpé Horace Christophoros de toutes les charges qui pesaient contre lui. Elle parle aussi de moi, Isabelle de Dieudonné, dans cette lettre. Il y a des passages délicats… pour nous deux… mais … lis-la, nous en parlerons après, si tu le veux… Tu comprendras ce que je veux dire par *intégrité* et *être aligné*.

— Tu as fait l'amour avec elle, n'est-ce pas, avoue-le ? me demanda-t-elle du bout des lèvres.

— J'ai…

Je m'interrompis. Encore une fois, j'étais sur le point de lui raconter des bobards à n'en plus finir. Je venais juste d'évoquer l'intégrité que déjà je m'en éloignais.

— Oui, avouai-je, j'ai fait l'amour avec elle. Je suis vraiment désolé, Leslie, je voudrais te parler de tout ça aussi… Que nous en discutions…. J'ai besoin de remettre au clair notre relation. En lisant la lettre d'Isabelle, tu comprendras mieux…

Elle prit la lettre que je lui tendais un peu nerveusement.

— Laisse-moi seule, fit-elle.

Dans la salle de séjour de l'hôtel, quelques personnes regardaient la télévision. Je préférai sortir.

Dehors, il faisait déjà noir, un noir de soir de novembre. La température était douce pour la saison. Je marchai longtemps dans le bois autour de l'hôtel, longeai les rives endormies du lac.

Quand je revins dans la chambre une heure plus tard, Leslie n'y était plus. Elle avait appelé un taxi et avait déjà quitté l'auberge. La lettre était posée sur la petite table. À côté, Leslie avait laissé un petit mot écrit de sa main :

Pourquoi avoir besoin de toute cette mise en scène pour me parler ?

Je t'aime, mais j'ai vraiment besoin d'intégrité
pour pouvoir continuer avec toi.
Je rentre chez moi.
Leslie.

« Chez moi » ?…

48.

Lettre d'Isabelle de Dieudonné

Mon ami de Chypre,

Quand tu liras cette lettre, je serai passée de l'autre côté du monde. Je sais maintenant que la mort n'existe pas. Sache que j'ai bien la tête sur les épaules et que c'est donc en toute lucidité que j'ai décidé de quitter cette vie devenue trop dure pour moi. En réalité, je n'ai plus le choix.

Il *m'a guérie — oui, Sébastien,* il *l'a fait —, mais* il *m'a laissé aussi la liberté de disposer de ma nouvelle vie. Pour l'immense majorité des gens, guérir d'une maladie au pronostic fatal représenterait l'événement le plus inespéré, le plus insensé, le plus béni ; pour moi, ç'a été aussi une malédiction.*

À Chypre, je ne me suis pas encore dévoilée tout entière, mon ami. « Mon ami », comme ces mots sont doux quand je te les écris. Je n'ai pas eu de véritables amis avant toi. Ni homme ni femme. C'est donc à mon ami que je m'adresse.

Te rappelles-tu les soirs de nos premiers corps à corps, dans l'une ou l'autre de nos chambres de l'hôtel Athéna. La prescription des massages s'est transformée d'abord en un rituel, puis en une tendre communion charnelle, oui, nous avons fait l'amour, *mais pas comme des amants, comme des amis. Une relation intense s'est installée entre nous, au fil des jours, à notre insu, par le simple contact de nos mains et de nos peaux. Tout ce que je n'arrivais pas à te dire avec des mots, je le glissais sur ton corps grâce à de soyeuses et savantes caresses. Ta fragilité dissimulée sous ta carapace de journaliste n'a pas pu résister aux jeux subtils de nos doigts. Tu me touchais et tu étais touché. Je te touchais et j'étais touchée. Il nous a bien… manipulés, notre…* guérisseur.

C'est parce que tu t'es débarrassé de ta carapace que ton cœur peut m'entendre aujourd'hui. Ce que je vais te confier sera difficile à admettre, mais je t'en prie, écoute-moi jusqu'au bout.

Laisse-moi d'abord te raconter quelque chose de tout à fait surnaturel. C'était au cours de notre sortie en mer ensemble avec les dauphins. Tu étais là, tu as vu, mais le principal — l'invisible — t'a échappé.

Rappelle-toi, je me suis mise à l'eau la première. J'ai plongé, et le temps aussitôt a été suspendu, comme mis entre parenthèses. Quand tu es venu me rejoindre, une éternité déjà s'était écoulée. Durant cette éternité, j'avais appris avec émerveillement et stupéfaction que les mammifères marins que nous appelons « dauphins » sont des êtres accomplis. Nous, les hommes, ne sommes que des êtres en devenir, non achevés. Sais-tu à quoi les dauphins passent le plus clair de leur temps ?… Les dauphins passent quatre-vingt-dix pour cent de leur temps à jouer et à faire l'amour. Ayant à leur disposition tout ce qui leur est nécessaire, ils se contentent simplement de jouir du temps présent. Nous, nous parlons, théorisons, réfléchissons, pensons, écrivons sur l'instant présent, mais que savons-nous véritablement du simple ici et maintenant *? Les dauphins, eux, ne ratiocinent pas, ils y sont, eux — totalement* immergés *—, dans l'instant présent.*

Mais laisse-moi continuer : quand ils m'ont vue nager avec eux, ils m'ont immédiatement adoptée. Ils ont d'abord virevolté autour de moi pour me souhaiter la bienvenue et puis… en douceur… ils m'ont invitée… à danser avec eux. Comment faire partager cette farandole aquatique orchestrée en d'aimables pirouettes, frôlements d'épidermes, cris de joie, entraînée par une allègre musique de jazz ? Je qualifierais volontiers cet instant de « célébration chamanique ». Je suis entrée dans cet univers marin comme l'on retournerait dans la grande matrice originelle, jusqu'à en perdre la notion du temps et de l'espace, en un grand tout indifférencié… Et je me suis retrouvée en manque d'oxygène… Il me fallait revenir à la surface, mais, pourtant, Sébastien, je n'avais nulle envie de remonter. Je me sentais en telle harmonie avec mes frères les cétacés que j'ai décidé de renoncer à mon existence terrestre afin de les rejoindre dans leur univers de sensualité, d'intelligence et d'intuition.

C'est alors que tu m'as vue en train de sombrer, Sébastien. Et tu as paniqué. Tu es remonté chercher de l'aide. Pendant ce temps, moi, je perdais connaissance. On ne souffre pas de s'abandonner, tu sais. Je pénétrais dans un tourbillon de douceur… et soudain, j'ai aperçu ce passage que décrivent tous ceux qui reviennent à la vie après avoir côtoyé les frontières de la mort. Je me suis donc engagée en toute sérénité dans un tunnel d'amour d'où émanait une lumière bleue éblouissante. **Et je suis morte.**

Je me suis noyée, Sébastien. Je sais maintenant à quoi ressemble la mort, et je ne la redoute plus.

C'est alors qu'il est apparu. Tu l'as vu plonger pour venir à mon secours. Tout au fond de l'abîme, de la lumière, il m'est apparu. Il s'est approché de moi et m'a demandé :

— Pourquoi ?

— Je suis bien ici, me suis-je entendue lui répondre.

Je conversais dans l'eau, Sébastien ! et je n'avais besoin pour cela ni d'oxygène ni de cordes vocales.

« Ce n'est pas encore ton heure, m'a-t-il fait savoir. Retourne sur terre, et mets d'abord de l'ordre dans ta vie. Isabelle, est-ce que tu comprends ce à quoi je fais allusion ? »

Bien sûr que je comprenais.

Alors, il a touché mon index avec son index.

Je me suis retrouvée à l'instant même dans mon corps intact et régénéré, couchée sur le bateau. Tu étais penché sur moi, en train de me faire le bouche-à-bouche. Tu as pensé que tu m'avais sauvée, n'est-ce pas ? Mais, en réalité c'était lui, Sébastien, il était derrière toi, il orchestrait tout, et il m'a guérie. À partir de ce moment-là, j'ai eu comme l'intuition de sa vraie nature.

Ensuite, tu le sais, je suis rentrée en France. Je t'ai parlé de la visite faite à mon père. Mais celle-ci ne s'est pas tout à fait déroulée comme je te l'ai décrite, Sébastien. Je ne t'ai pas raconté la fin.

Mon père avait sa main posée sur moi. Il était abattu par les mots que je lui avais assenés, torturé par la culpabilité. C'était le bon moment. Jamais je ne retrouverais cet instant idéal où je le sentais prêt à abdiquer.

C'est alors que je lui ai parlé de mon fils. Ô Sébastien ! j'ai eu un fils de Marc. Mon père a réussi à me persuader que je ne devais pas *le garder. Pour ma carrière. À sa naissance, sous son influence, j'ai abandonné mon bébé en le lui confiant. Mon père l'a donné à une inconnue qui l'a adopté. Voilà, tu sais tout. Je suis une mère qui s'est débarrassée de son enfant, l'enfant de l'amour. Puisque nous étions déjà séparés, Marc ne l'a pas su tout de suite. C'est encore mon père qui le lui a appris brutalement, de façon à couper définitivement les ponts. Depuis ce jour funeste de l'abandon de mon enfant, je n'ai plus jamais revu Marc. Tu connais la suite… il s'est donné la mort.*

Ô Sébastien ! il s'est pendu !

Guère de nuits depuis lors où ce cauchemar ne m'a pas hantée : le calvaire d'un homme qui attache une corde à une poutre, se la passe autour du cou, monte sur un escabeau, l'écarte du bout du pied et se trouve subitement suspendu dans le vide, sans espoir de retour. Combien de temps a duré son agonie ? Pendant combien de temps m'a-t-il maudite avant de rendre l'âme ?

À partir de cet instant, Sébastien, ma vie a été ce qu'elle a été : c'est-à-dire un enfer sur terre. Quelque temps après, je me suis mariée avec Frank, avec qui j'ai eu une fille, Sophie. Mais comment aimer l'enfant d'un homme qui m'était au fond indifférent, alors que j'avais laissé partir celui de mon véritable amour ?

Chaque jour, en présence de ma fille, il suffisait que je la regarde au fond des yeux, et j'étais renvoyée à ma bassesse ignominieuse. Une mère qui abandonne son enfant ne mérite pas de vivre. Imagine cela : j'avais un fils qui habitait peut-être tout à côté de chez moi, que je croisais peut-être chaque jour dans la rue. Je dévisageais chaque garçon de son âge, croyant à plusieurs reprises le reconnaître, m'imaginant des retrouvailles… il m'apparaissait aussi presque chaque nuit dans de nouveaux cauchemars pour tantôt me supplier à genoux de venir le chercher et tantôt me cracher au visage, lui, mon propre garçon.

Sébastien, tu ne peux pas imaginer ce que j'ai enduré. Jusqu'à ce que mon corps décide de créer le remède : un cancer mortel à évolution foudroyante.

Là, chez mon père, dans sa propriété où je ne venais quasi jamais, ma main sur la sienne, je me suis dit que c'était le moment ou jamais.

— Je veux que tu fasses quelque chose pour moi, papa, ai-je murmuré.

Ma voix s'était radoucie. Dans ce « papa », je m'étais efforcée de mettre tout l'amour dont j'étais capable.

Il a levé la tête et ses yeux ont fondu dans les miens. Il a compris quelle était ma demande. Il a voulu expier.

— Il s'appelle Aurélien Audrieux, a-t-il lâché.

Et il m'a lancé une adresse : 125, rue Esquermoise à Lille.

— Pendant toutes ces années, je me suis arrangé pour qu'il ne manque de rien, a-t-il ajouté. Anonymement. Je reste malgré tout son grand-père. Il commence ses études de médecine à la faculté de Lille. Sa famille d'adoption est parfaite. Des gens bien. Ils lui ont expliqué très vite qu'il a été adopté. Il sait.

— Merci, papa, ai-je réussi à articuler lentement.

Alors, je me suis penchée vers mon papa, je l'ai pris dans mes bras et je l'ai embrassé longuement sur la joue. Je voyais sa peau fripée de vieil homme trembloter.

Le lendemain, je prenais le train pour Lille.

Sébastien. Le plus dur reste à écrire. Tout cela ne serait rien si j'avais pu renouer avec mon enfant. Pendant le voyage, j'ai imaginé des tas de scénarios. Dès que je le verrais, je me prosternerais devant lui, lui demanderais pardon. Non, je me jetterais plutôt dans ses bras aussitôt, il comprendrait, l'appel d'une mère désespérée et repentante n'a pas besoin de mots. Tout de suite après cet échafaudage créé par le mental, j'étais envahie par le doute. Aurélien avait une famille qu'il devait aimer. Un papa et une maman, qui l'avaient accompagné lors de ses premiers pas, qui avaient corrigé ses premiers mots d'enfant, s'étaient fait du souci durant ses maladies, l'avaient encouragé dans ses succès scolaires, avaient fêté dignement son entrée à la faculté. Qui prétendais-je être pour venir m'immiscer sans prévenir dans sa vie et me prévaloir d'un quelconque droit maternel ? « Maman », moi ? De qui ?… Quel bébé avais-je tenu dans mes bras pour le nourrir ? Mon sein n'était-il pas résolument sec et vide ? Jamais il n'avait étanché la soif d'amour d'un enfant. De qui pouvais-je donc affirmer en toute sérénité aujourd'hui être la mère ?

Le premier, dont je m'étais débarrassé, je voulais l'aimer passionnément. Et la seconde, qui était présente à mes côtés, j'étais incapable de l'aimer comme elle le méritait.

Je ne savais plus exactement quelle était la raison de mon voyage lorsque je suis arrivée à Lille en fin d'après-midi. À la sortie de la gare, j'ai erré au hasard à pied, égarée, jusqu'à ce que, épuisée, j'entre dans un hôtel après minuit.

« Une nuit à tuer », dit-on. Dans ma chambre, j'ai posé le téléphone sur la table de chevet. Je n'ai pas pu m'empêcher de demander le numéro de téléphone de la famille d'Aurélien aux renseignements.

J'ai passé une nuit blanche, évidemment, en envisageant tous les scénarios possibles, à mettre au point des stratégies, imaginant tous les types de confrontations, abandonnant l'un pour l'autre, revenant au premier pour le trouver à nouveau absurde. N'étais-je pas la mère, la maman de mon enfant ? Des lois devaient bien exister. Au moins celles du sang. Il devait savoir. Je devais lui dire. J'aimais son père qu'il n'avait pas connu. Je voulais lui parler de lui. Lui expliquer pourquoi je l'avais quitté, dans quelle situation périlleuse nous étions alors. « Mettre de l'ordre dans ma vie », ça voulait dire en priorité retrouver mon fils, et même si celui-ci devait d'abord me repousser, je devais tenter ce rapprochement.

Les heures sont longues lorsqu'on veille, Sébastien. Les yeux gonflés par les larmes et l'angoisse, je ne parvenais pas à dormir. Aussitôt que je fermais les yeux, d'abominables créatures sorties de terre m'assaillaient pour venir me taillader, me fouailler, me torturer, m'assassiner… Je me forçais à rester éveillée pour ne pas sombrer totalement dans la folie…

Le matin a fini par arriver. Les spectres se sont évanouis. J'ai attendu neuf heures et j'ai composé le numéro de téléphone obtenu quelques heures auparavant. Je me retrouvais nue et désemparée, je ne savais plus quoi dire, tous mes plans insensés évanouis en poussière.

— Allô ?

— Bonjour. Pourrais-je parler à Aurélien ? ai-je lancé précipitamment.

— Il n'est pas ici. Pendant la semaine, il habite à la cité universitaire, m'a répondu une voix… sans doute celle de sa… « mère »…

— Pouvez-vous me donner son numéro de téléphone portable?

— Volontiers, mais seulement si vous voulez bien me laisser votre nom.

J'ai raccroché lâchement.

J'ai réglé la note de la chambre d'hôtel, et un taxi m'a déposée devant l'entrée principale de la cité universitaire.

J'ai approché mon fils, Sébastien. Mon Dieu, je l'ai vu. Et il m'a vue. Aucun des scénarios préparés n'a été le bon. Jamais je n'aurais pu imaginer pire, l'horreur de ce qui s'est passé.

Je me suis adressée au secrétariat des étudiants, une jeune fille m'a remis un plan avec un itinéraire fléché pour me rendre jusqu'au bâtiment où il logeait…

Son visage, ses yeux, son maintien… Le portrait tout craché de son père Marc!

Laisse-moi te décrire Aurélien: il a les cheveux blonds coupés court, il n'est pas très grand, trapu comme son père. Des épaules larges de sportif. Un menton carré. Il portait un polo bleu et une chaîne autour du cou. Je suis sûre que son regard sait être doux comme le miel. Il parle lentement. Comme en contraste avec sa carrure athlétique.

Devant sa porte, avant d'appuyer sur la sonnette, j'ai cru m'évanouir! Quelle angoisse mêlée de quelle espérance! Mon cœur cognait si fort que je craignais qu'il n'explose.

— Excusez-moi, dis-je, êtes-vous bien Aurélien Audrieux?

Il m'a reconnue immédiatement. Je veux dire qu'il a tout d'abord reconnu Isabelle de Dieudonné, présentatrice du journal télévisé de fin de soirée pendant quatre ans sur la première chaîne de télévision française. Isabelle de Dieudonné se tenait face à lui, bras ballants, incapable du premier mot. Il a commencé à réfléchir profondément, il a froncé les sourcils… les éléments d'un puzzle inimaginable s'imbriquaient lentement mais impeccablement les uns dans les autres…

J'ai vu passer tour à tour sur son visage l'incompréhension, la stupeur, la curiosité, la lumière soudaine de l'intelligence de la situation, et enfin la colère. Après s'être longuement interrogé sur la juste façon de réagir, ne me quittant pas des yeux, il a fini par parler, d'une voix contenue:

— Ce n'est pas bien, ce que vous faites.

— Je voudrais vous parler de votre père…

— Mon père est à la maison, a-t-il riposté illico.

— Vous devinez bien de quoi je veux vous parler.

Là, il s'est passé quelque chose, Sébastien. Il ne m'a pas répondu tout de suite. Il m'a dévisagée encore longuement, comme si je passais un examen. J'étais pétrifiée. Il avait tout compris, et il me l'a fait comprendre uniquement par l'intensité insupportable de son regard. Enfin, il a dit, mais lentement:

— Je sais tout. Mes parents m'ont mis au courant. Épargnez-vous la peine de remuer le passé, madame, il est sordide. Je me suis inscrit en médecine, je sais que l'hérédité ne joue pas un rôle déterminant dans le développement d'un enfant. C'est le milieu qui le façonne. Si j'étais né parmi des loups, je serais un loup. Une louve m'a mis au monde, mais, heureusement pour moi, j'ai été élevé par des hommes. Je suis donc un homme. Je n'ai plus rien à faire avec les loups.

— Je suis venue vous expliquer…

— J'ai passé des nuits blanches à essayer de comprendre comment une femme peut laisser son enfant entre les bras d'une autre femme. Mes questions ont fini par former des semblants de réponses! La plupart cruelles ou pitoyables. Quelques-unes apaisantes. Ces dernières m'ont aidé à m'inventer une enfance. Ne venez pas tout gâcher. Peut-être, si vous aviez été une femme tombée au plus bas degré de la misère et du dénuement, peut-être alors aurais-je pu tenter d'articuler des commencements de raisons, mais, vous, tout au contraire, vous étiez favorisée, semblez élue des dieux…

Et il s'est interrompu net d'un coup, il m'a plantée là, Sébastien. Il a désigné la porte de son index tendu sans plus un mot. Il s'est levé et s'est approché de la porte. Il a posé sa main sur la poignée et a ouvert la porte.

J'ai fait un effort inhumain pour me lever à mon tour. Où ai-je pu trouver cette force-là?

Pourtant, même si mes jambes ne me portaient plus, je suis parvenue à sortir. La porte s'est refermée. Il m'a laissée seule dans le couloir, seule, appuyée contre le mur pour ne pas m'effondrer.

Plus aucun regard pour moi qui venais quémander son pardon, qui espérais un peu de son amour. Un tout petit peu d'amour aurait suffi, Sébastien. Une parcelle, un zeste, un soupçon, je m'en serais accommodée. Je me serais fabriqué toute une vie à partir d'une microscopique particule d'affection. Mais il m'a repoussée sans autre forme de procès, sans vouloir même m'écouter. Son regard était froid, indifférent, presque cruel. Avec même peut-être une nuance de mépris à peine dissimulé. Je n'y ai décelé aucune étincelle de sentiment quelconque qui m'aurait incitée à le revoir ou à insister.

Je venais de perdre mon fils une seconde fois — définitivement.

C'est là, dans le couloir, devant sa porte, où je me suis laissée glisser lentement contre le mur jusque sur le sol, rassemblée autour de mes genoux, restant plus d'une heure prostrée, que j'ai pris ma décision ferme et irrévocable. Et lâche. Tout à fait lâche. J'aurais pu insister, revenir, parler à partir de mon centre, de ma blessure, me battre et — qui sait ? — finir par me faire adopter par mon enfant. Réenfanter.

J'aurais pu aussi vouer ma vie à récupérer les êtres oubliés par la vie, les épaves dans mon genre. Les remettre debout et les aider à marcher. Oui, il y avait tant d'autres choix… J'ai choisi de me sacrifier. La force m'a quittée. Lâche jusqu'au bout de la vie.

Je suis guérie, Sébastien. Plus de cancer. Mais dans quel but ? Pour qui ou pour quoi allais-je vivre à présent ? Quel serait désormais le sens des heures égrainées ? Pourquoi me lèverais-je chaque matin ? Qui se soucierait de mon allure ? De ma coiffure ? De mes rides sur mon visage ? Qui serait là pour me fêter, vraiment me fêter, le jour de mon anniversaire ? Qui vieillirait avec moi et me pleurerait durant mes derniers instants ? Et qui, tout au bout des vicissitudes, m'accompagnera au cimetière ?

Sébastien, j'ai perdu la vie, il y a longtemps déjà. Je ne dois pas être le seul être humain qui, à cause d'un faux pas à l'adolescence, est sorti de la route sans secours possible.

Heureusement, à Chypre, je l'ai rencontré, lui.

Même au plus profond de la désespérance, pour toute créature — même pour une louve — brûle une infime lueur d'espoir pour celui qui veut bien la reconnaître.

Sébastien, mon cher ami, tout ce que tu as pu lire jusqu'ici reste au niveau de la triste et terrestre tragédie humaine. Même les cataclysmes naturels passent, rien n'est immuable ; mon drame personnel n'est qu'une goutte d'eau dans l'océan. Mais arrête-toi un instant et ouvre-toi à la révélation que je vais te faire. Elle est de l'ordre de l'inconcevable. S'il te plaît, ne me juge pas trop vite, attends d'avoir fait par toi-même sa rencontre. Et tu seras émerveillé.

Comment te faire comprendre sa vraie nature ? Qui, depuis la création du monde, tente de faire prendre conscience à l'homme de sa nature parfaite et immortelle, et ce, sans trêve ni repos ? Qui réconforte les faibles et guérit les malades ? Qui a le privilège d'opérer des miracles ? Qui, crois-tu, nous a accueillis chez lui, dans sa petite maison au bord de la mer ?

Même si cela te paraît fou, c'est lui, *Sébastien, qui t'a appelé. Raymond Van de Wedde n'était que son instrument. Mon ami, écoute-moi : il a besoin d'hommes comme toi. Le monde souffre et va mal à cause du manque d'écoute et de compassion. Tu étais à la recherche d'un sens à ta vie. Et lui, il t'offre ce message en forme de cadeau : « Tu dois te mettre au service de l'autre. » En acceptant cette enquête absurde qu'on te proposait en tant que journaliste, tu as répondu à son appel. Il t'a reçu chez lui et, là, il t'a indiqué le chemin.*

Sébastien, prends-moi pour une folle, rejette mes propos, oublie-moi, mais accepte son offre. Mets-toi au service de l'humanité, et, de façon impromptue, le sens tant cherché t'apparaîtra et t'éblouira. Tu as du cœur, mon ami, et il en faut pour éduquer les hommes à prendre soin d'eux-mêmes. Crois-tu que c'est le hasard qui, adolescent, t'a poussé vers les études de médecine ? Allons, ouvre les yeux et vois. N'aie pas peur, Sébastien, il n'y a rien à craindre de lui, il est Amour. Tu as été choisi, comme d'autres l'ont été avant toi. Un peu partout dans le monde, quasi clandestinement, des hommes apaisent la détresse. À Chypre, tu as côtoyé quelques-uns de ses disciples, mais tu ne les as pas tous reconnus comme tels, car ils opèrent en toute discrétion. Ses compagnons ne recherchent ni gloire ni profit. Leur engagement seul les comble, et ça leur suffit.

Sébastien, si tu acceptes sa proposition, quelque part dans l'immensité de l'Univers naîtra un nouvel astre flamboyant, et son rayonnement réchauffera d'un petit degré de plus les âmes en peine. Quelle bénédiction !

De là où je suis, laisse-moi t'accompagner dans ta destinée. Nous avons commencé à deux. Je serai à tes côtés. Même si tu m'oublies, sache que je serai là…

Ange invisible
se manifestant dans le bond inopiné et enjoué d'un dauphin
dans la délicieuse caresse du vent frais venu du large pour apaiser ton sommeil agité
dans le claquement d'une vague inattendue se fracassant contre le récif
chaque soir, dans les derniers éclats écarlates du soleil à l'horizon lors de sa plongée fatale dans l'Océan
ou peut-être serai-je le parfum délicat du jasmin respiré le soir alors que tu poétises ton jardin
ou le bruissement d'une branche de palmier agitée par la légère brise marine du soir
ou peut-être serai-je ton guide revenue se matérialiser sous la forme d'une blanche colombe…

Et si tu restes malgré tout sourd à ma présence, je viendrai te hanter au crépuscule, quand tu méditeras en mer, tenant la barre de ton vieux rafiot ou jetant à l'eau ton filet de pêche combien de fois remaillé, contemplant la fin du jour.

Tu ne pourras même pas ne pas m'entendre.

Je serai le silence.

Sébastien, tu dois donner notre histoire au public sous la forme d'un livre.

Certains auront du mal à y croire, se gausseront, ou le rejetteront sans même vouloir le consulter…

Qu'importe, d'autres, qui cherchent une direction, un chemin qui ait un cœur, trouveront dans tes écrits le chemin vers la guérison.

Et ton livre accomplira des miracles…

Mon ami, je t'embrasse pour l'éternité.

Isabelle

49.

Nous avons décidé de nous séparer, Leslie et moi. Les sentiers qui bifurquent de nos existences ont fait voler nos certitudes en éclats. Même l'amour ne suffit pas pour décider quelqu'un à changer de pays, d'amis, de travail, simplement pour suivre l'autre dans son épanouissement personnel. Encore faut-il un projet commun. Leslie ne parvenait pas à comprendre comment j'avais pu changer aussi radicalement de convictions.

Aujourd'hui, je m'occupe tout à fait officiellement d'un cabinet médical à Chypre — dans la maison qu'Horace Christophoros m'a laissée —, j'ai des patients à n'en plus finir, et de nouveaux élèves me supplient chaque jour de les prendre en formation.

Et toujours la mer, le soleil, le vent, les étoiles comme invariants… et quelques fidèles dauphins en toile de fond.

Leslie est donc restée à Paris. Pour mieux pouvoir me retrouver plus tard, affirme-t-elle… Si Dieu le veut…

Ma fille Emily vient passer toutes ses périodes de vacances scolaires avec moi. Pour elle, et pour elle seulement, j'arbore ma casquette de capitaine lorsque je l'emmène en mer. Une fois au large, j'allume la sono et, sur un standard de jazz endiablé, Emily entre dans l'eau pour « danser » aussitôt avec les dauphins. Ils l'ont adoptée dès le premier jour. Emily connaît chaque dauphin individuellement et a donné à chacun un surnom qui fait référence à l'une de ses particularités anatomiques ou de caractère. J'oublie de préciser que nous sommes accompagnés la plupart du temps par une blanche colombe.

Déjà trois ans maintenant que « l'affaire Horace Christophoros » est terminée. Ma femme n'a toujours pas mis les pieds à Paphos. Au cours de nos explications, dans les semaines qui ont suivi la lecture de la fameuse lettre d'Isabelle de Dieudonné à l'Auberge du lac d'Amour où je l'avais conviée, je lui ai demandé de lire la première version — un brouillon hâtif, quelques notes — de mon livre. Elle l'a lu et a compris le sens de mon évolution, mais elle n'a pas accepté l'idée de la nature surnaturelle d'Horace Christophoros. Pour elle, Horace n'est qu'un homme parmi les autres hommes, un médecin qui s'est mis entièrement au service d'autrui — corps et âme. Comme devraient d'ailleurs s'engager à le faire tous les médecins.

— Il n'y a pas à chercher plus loin. Tout le reste n'est qu'hallucination ou délire d'une femme morphinomane, malade et suicidaire.

Longtemps j'ai cherché à interpréter ou à comprendre les révélations d'Isabelle de Dieudonné. Quand je suis venu m'installer définitivement à Paphos, j'ai commencé par rechercher la trace d'Horace. Je me suis rendu dans le petit village de montagne où, m'avait-il dit, vivait sa dernière femme. Lorsque j'ai questionné les villageois, on m'a indiqué une maison, celle de Yianna Andriou. Elle parlait grec. Yianna m'a avoué qu'Horace était venu se réfugier pendant quelque temps chez elle immédiatement après sa libération. Mais il n'était resté qu'une petite semaine : il était parti plus à l'est encore — « en Orient », avait-il affirmé —, cela demeurait quand même assez vague...

Mes jours et mes nuits sont peuplés d'incertitudes, de doutes et de questions à son sujet, puis y succèdent de soudaines exaltations lorsque quelqu'un parmi mes patients constate par lui-même une nette amélioration de son état qui me conforte sur la pertinence de ma mission et la justesse de ma direction.

Parfois débarque à Paphos un médecin russe, ou vietnamien, ou même chinois, chacun se prétendant envoyé — selon ses croyances —, qui par un *guérisseur*, qui par un *chaman* ou un *sorcier*, pour étudier, sous ma « direction », la méthode dite « de guérison naturelle ». Quand je les interroge sur la personne qui les a incités à venir jusque chez moi, ils me décrivent un homme qu'ils pensent vraisemblablement très âgé, mais qui paraît beaucoup plus jeune que son âge réel, les cheveux blancs mi-longs, en pleine forme physique, qui se lève avant le soleil, cuit lui-même son pain, aime le bon vin et la bonne chère. Autre fait troublant caractéristique : il attire spontanément à lui les animaux, et plus particulièrement les oiseaux ! Je demande alors où il habite, me rends jusqu'à l'aéroport pour prendre le premier avion disponible, puis saute dans un train, un bus ou un taxi pour rejoindre l'endroit indiqué. Mais, sur place, on m'apprend qu'il est parti justement la veille ou l'avant-veille, qu'Untel le remplace, un médecin formé par lui personnellement, tout aussi compétent. Je me précipite ainsi dans tel pays puis dans tel autre, mais, à chaque fois, je le manque de peu — il vient de quitter le pays en laissant sa chambre, sa cabane, sa maison, son bateau… à son dernier élève. Son petit jeu de cache-cache commence même à m'exciter, ou à m'amuser. Je ne désespère pas de réussir à le surprendre un jour afin de pouvoir le serrer une nouvelle fois dans mes bras.

Bonne nouvelle ! Homère Majorka est venu s'installer à Chypre, dans un village de pêcheurs, à quelques kilomètres seulement au sud de Paphos. Il y exerce tout à fait légalement la profession de masseur-kinésithérapeute. Sa clientèle augmente de jour en jour, et ce, uniquement grâce au bouche à oreille — « ses doigts sont tout simplement magiques », prétend la rumeur. Il me seconde ou m'assiste aussi quand je suis débordé, donc en réalité presque tous les jours. À son arrivée à Chypre, je lui ai proposé de venir vivre « chez moi », c'est-à-dire chez… *lui*, mais il a refusé, prétextant que notre ami pouvait réapparaître à tout moment et qu'il fallait lui garder une chambre de libre. Et puis, il caressait aussi l'idée de rencontrer une belle étrangère qu'il contribuerait à guérir, qu'il épouserait et qui lui donnerait ensuite de beaux enfants. Il avait par conséquent besoin d'espace personnel pour pouvoir accueillir l'une ou l'autre de ses nombreuses prétendantes.

Homère et moi, avec notre colombe en guise de figure de proue, nous passons de délicieuses soirées en mer dans le rafiot dont l'antique moteur, par on ne sait quel miracle, continue à ronronner imperturbablement — non sans quelques quintes de toux ou accès de mauvaise humeur réguliers bien légitimes. Nous voguons jusqu'en un lieu connu de nous seuls, où les vagues et le vent nous semblent plus accueillants. Là, après avoir jeté l'ancre, nous mettons en branle notre duo spécialisé en improvisations les plus improbables — tantôt charivari et tantôt douce aubade.

Homère, tout en jouant de la guitare, lance sa voix dans l'espace tandis que je l'accompagne à la flûte comme je le peux. Rares sont les soirs où les dauphins ne nous rejoignent pas… ceux-ci — formant parfois un cercle quasi parfait autour de notre barque — semblent nous écouter… religieusement.

Je suis en contact intime avec la mort plusieurs fois par jour, mais aussi avec l'espérance et l'amour. Les personnes en fin de vie ont l'esprit et le cœur disponibles. Elles ont laissé tomber le masque de la respectabilité, des conventions et les faux-semblants qu'impose la vie en société; elles sont à l'écoute des autres, à la recherche de leur présence et de leur contact. Chaque jour est une fête, « aussi doux qu'un loukoum », dit-on ici. Malgré la souffrance rencontrée au quotidien — ou peut-être grâce à elle —, je trouve que la vie est merveilleuse. Chaque jour qui passe me conforte dans le choix de ma vocation et me fait progresser dans la voie de la sérénité — forme vraie et achevée du bonheur. Les personnes condamnées par des paroles inhumaines, voire meurtrières, retrouvent un sens au reste de leur vie. Et même si tous ne recouvrent pas la santé, chacun retrouve la paix intérieure. Ils prennent conscience de leur éternité. La reconnexion — ou la connexion, pour certains — avec la nature primordiale, la prière, la mer, le vin et l'amitié les réconfortent et les apaisent : ils savent qu'ils poursuivront une forme de vie au-delà de cette vie… leurs particules immortelles, conçues pour durer l'infinité des siècles, se mélangeront à d'autres formes d'existence.

À l'approche de leur fin inéluctable, l'action essentielle et principale que les gens condamnés désirent accomplir, c'est de se réconcilier avec leurs proches. De mettre de l'ordre dans leur chaos. De pardonner et de se faire pardonner. Ou tout simplement de leur témoigner amour et reconnaissance. Des familles se retrouvent, se ressoudent, se reconstruisent grâce à l'amour que leur rend celui ou celle qui sait qu'il va disparaître bientôt.

Comme chacun d'entre nous…

Raymond Van de Wedde m'a appelé, il y a environ six mois. Il m'a avoué connaître un petit souci du côté de sa santé. Il voulait savoir si je pouvais le recevoir, à Chypre. Il n'y avait aucune trace de malice dans sa voix. Plutôt de l'inquiétude. J'ai accepté.

Il n'est jamais venu au rendez-vous. Je n'ai jamais eu d'autres nouvelles de lui depuis lors…

50.

Je viens de rejoindre Homère en mer. Je coupe le moteur, jette l'ancre et, dans le silence nervuré de quelques clapotis, ne peux m'empêcher d'admirer la scène fabuleuse qui se profile devant mes yeux: mon ami, seul dans sa barque au milieu de l'océan, debout les jambes écartées — comme presque tous les soirs quand la mer est calme —, sculpte une forme posée devant lui sur un tour semblable à celui d'un potier.

À quelques mètres devant son bateau… trois dauphins côte à côte — leur tête hilare émergeant hors de l'eau — semblent poser pour lui.

— Je viens juste de commencer, me lance-t-il en désignant la motte d'argile.

Je passe le plateau de nourriture précautionneusement de mon bateau jusque dans sa barque.

— Montez, ajoute-t-il, j'ai faim. Et puis, aujourd'hui, j'ai une grande nouvelle à vous apprendre…

— Vous avez trouvé la femme qui vous donnera des enfants? lui demandé-je.

— Les femmes sont bien trop belles, mes mains énervées n'arrivent pas à choisir! Non, Sébastien, je vous annonce que la célébrité est proche: une galerie de Paphos m'a contacté pour exposer mes sculptures. Superbe!

— Félicitations! dis-je en prenant mon ami dans mes bras, me faisant tartiner au passage le visage d'un peu de barbotine.

Je prends le temps d'admirer son œuvre en cours: un dauphin bondit hors de l'eau dans une gerbe ou un crépitement d'eau marine. Un charme naïf se dégage de sa figurine encore en chantier. Manquant de références, Homère modèle sans contraintes, et la liberté s'exprime dans sa création comme un permanent feu d'artifice.

L'obscurité est tombée. Après avoir dîné et arrosé le repas d'un vin du pays, nous entamons, Homère à la guitare et moi à la flûte, une douce complainte sur la douleur de l'absence. Notre ami à l'autre bout du monde nous manque. Nous offrons cette improvisation musicale au firmament étoilé qui nous relie à lui. À cet instant précis — où qu'il soit, quoi qu'il fasse —, nous savons qu'il perçoit notre chant.

— Une idée me vient, Homère..., dis-je subitement en arrêtant de jouer.

Homère pose sa guitare et lève la tête dans ma direction.

— Horace associe la rémission miraculeuse à la pratique de certaines activités, n'est-ce pas? Natation, massage, prière, reconnexion avec la nature...

— Oui.

— Mais, surtout, il incite les malades en fin de vie à s'aligner sur leurs valeurs essentielles en mettant de l'ordre dans leur existence. Il leur suggère de retrouver leurs proches et de faire la paix avec eux. De régler puis d'effacer les discordes du passé. Et dans ce jardin soulagé des mauvaises herbes, de laisser refleurir des liens d'amour. Il insiste beaucoup sur le pouvoir du pardon, non? En réalité, grâce à sa méthode, ce n'est pas tant la guérison qu'il vise, mais plutôt le rapprochement entre les hommes. Parmi tous ses rituels, conseils ou prescriptions — peut-être même quelques-uns superflus ou superficiels, qui sait? —, subrepticement, il glisse le plus noble et le plus précieux d'entre tous: celui qui permet aux familles désunies de se réconcilier. Grâce à cette recommandation, même si la guérison ne survient pas, les malades en fin de vie partent de toute façon en accord avec leurs proches. Et si une guérison survient, eh bien, c'est un cadeau... *en plus*!

Je fais une pause, réfléchis un moment sur ce que je viens d'avancer.

— La réconciliation familiale, ne serait-ce pas le premier miracle de notre mission?

Homère hoche la tête et sourit de satisfaction.

— Et peut-être le dernier, Sébastien!

Vers minuit, nous décidons de rentrer au port. Comme à notre habitude, selon un rituel bien réglé, Homère passe dans mon bateau et, à l'aide d'une corde attachée à l'arrière, je remorque sa barque.

Nous naviguons la tête levée vers les étoiles.

La journée a été bien remplie. Dans quelques heures déjà, je vais me lever, préparer mon pain et recevoir mon premier patient avec lequel je vais partager mon petit-déjeuner.

Un petit bateau de pêche nous croise, une loupiote se balance à l'avant de sa coque. Arrivé près de nous, le pêcheur nous demande de l'aide. Il a des problèmes avec son filet dont les mailles se sont emmêlées autour de sa barre de gouvernail.

Je coupe le moteur, l'accoste et passe dans son bateau. Homère, recroquevillé sur le banc, somnole. Le pêcheur est un vieil homme de la région, parlant grec, mais, en constatant le méli-mélo, je comprends vite ce qu'il attend de moi. En quelques minutes, ensemble, nous défaisons aisément les nœuds de son filet. Afin de me remercier de l'avoir secouru, il insiste pour m'offrir deux poissons. Je les accepte en lui souhaitant une bonne nuit et je rejoins Homère qui ouvre l'œil au même instant.

— Qui était-ce ? me questionne Homère tout en bâillant.

— Un pêcheur empêtré dans ses filets... Je me demande comment il se serait débrouillé s'il ne nous avait pas rencontrés.

J'ai répondu cela distraitement, en regardant la barque du pêcheur s'éloigner lentement, entièrement absorbé — ou captivé — par le spectacle de ce rafiot voguant sans voile ni moteur... vers... vers... les ténèbres !

— Mais que fait-il ? m'écrié-je soudain. Il file en haute mer !

Homère, que mon exclamation réveille tout à fait, se lève en titubant, puis se cramponne à mon épaule. Esquissant d'un geste de la main l'itinéraire supposé du vaisseau fantôme, désignant le large, il me susurre à l'oreille :

— Ne dirait-on pas qu'il joue avec vous depuis toujours ?

À cet instant, un éclair métallique transperce ma tête de part en part, tandis qu'un séisme intérieur d'une rare violence fauche mes derniers remparts qui s'effondrent et s'évanouissent comme château de sable.

— Ô mon Dieu ! balbutié-je.

— Enfin ! reprit Homère, l'aveugle... voit.

Remerciements

À Clément Lepic, mon conseiller littéraire. Son exigence m'a permis d'avancer sur ce chemin escarpé qu'est l'écriture. Ses corrections, conseils et suggestions ont permis la concrétisation de ce livre.

À Guy Trédaniel, mon éditeur français, qui a pris le risque de cette folle aventure.

À Michel Brûlé, mon éditeur canadien, qui a pris la relève au Québec.

Pour en savoir plus

Le site du livre :
www.lepremieretlederniermiracle.com

Si vous désirez écrire à l'auteur :
contact@antoinefilissiadis.net

Site Internet personnel de Antoine Filissiadis :
www.antoinefilissiadis.net

Imprimé sur du Rolland Enviro100, contenant 100% de fibres recyclées postconsommation, certifié Éco-Logo, Procédé sans chlore, FSC Recyclé et fabriqué à partir d'énergie biogaz.

La production du titre *Le premier et le dernier miracle* sur du papier Rolland Enviro100 Édition, plutôt que sur du papier vierge, réduit notre empreinte écologique et aide l'environnement des façons suivantes:

Arbres sauvés: 52
Évite la production de déchets solides de 1 490 kg
Réduit la quantité d'eau utilisée de 140 910 L
Réduit les matières en suspension dans l'eau de 9,4 kg
Réduit les émissions atmosphériques de 3 271 kg
Réduit la consommation de gaz naturel de 213 m^3

Québec, Canada,
Novembre 2007